French A

élan 1

Teacher's Book

Angela Wigmore
Danièle Bourdais
Marian Jones
Gill Maynard
Caroline Terrée

OXFORD
UNIVERSITY PRESS

OXFORD
UNIVERSITY PRESS

Great Clarendon Street, Oxford, OX2 6DP

Oxford New York
Auckland Bangkok Buenos Aires Cape Town Chennai
Dar es Salaam Delhi Hong Kong Istanbul Karachi Kolkata
Kuala Lumpur Madrid Melbourne Mexico City Mumbai Nairobi
São Paulo Shanghai Taipei Tokyo Toronto

Oxford is a registered trade mark of Oxford University
Press in the UK and certain other countries

© Danièle Bourdais, Marian Jones, Gill Maynard,
Caroline Terrée, Angela Wigmore 2001

First published 2001
10 9 8 7 6 5

ISBN 0 19 912289 X

Acknowledgements
The authors and publishers would like to thank the following
for their help and advice: Danièle Bourdais and Tony
Lonsdale (course consultants); Dr Jocelyne Cox and Gaëlle
Amiot-Cadey (language consultants).

The authors and publishers would also like to thank everyone
involved in the recordings for the Élan 1 recordings: Marie-
Thérèse Bougard and Simon Humphries for sound
production; Laurent Dury for music composition; speaking
voices: Sonia Anoune, Yves Aubert, Jean-Pierre Blanchard,
Adrien Carré, Juliet Dante, Marie Désy-Field, Sylvain
Dumas, Eugénie Francœur, Samuel Freeman, Alexandra
Goddard, Catherine Graham, Stéphane Lander, Laura
Lecocq, Daniel Pageon, Sophie Pageon, Carolle Rousseau,
Alexandre Thum.

Every effort has been made to contact copyright holders of
material reproduced in this book. If notified, the publishers
will be pleased to rectify any errors or omissions at the
earliest opportunity.

Design by Blenheim Colour Limited, Eynsham, Oxford
Printed in Great Britain by St. Edmundsbury Press Ltd., Bury
St. Edmunds

Contents

Symbols used in the Teacher's Book:

      Cassette

S   Self-study cassette

F 12   Feuille/Copymaster

Summary of unit contents

Unit	Subject content	Grammar	Skills
Avant-première	Describe the area you live in Convey detailed information about a French-speaking region Speak about yourself in some detail Understand some key events in French history Write an account of someone's life	The infinitive Gender Present tense Numbers	Writing a brief description Using a bilingual dictionary Learning and recording vocabulary
1 La famille	Talk about your family and how well or badly you get on Talk about common parent-teenager disputes Give reasons for and against marriage Talk about changes in the family unit in society today	Possessive adjectives *Depuis* + present tense Adjectives Definite and indefinite articles	Reading for gist Expressing opinions Pronunciation: vowel sounds – a, e, i, o, u
2 Droits et responsabilités	Ways of being independent Rights of young people Free speech Citizenship	Modal verbs Verbs followed by an infinitive, with or without *à* or *de* Negatives Partitive article	Taking notes when listening Writing a summary in English Speaking from notes and making a spoken record of your work on cassette Pronunciation: vowel sounds – 'é', 'ais', 'è', 'ère', 'er'
Révisions Unités 1–2	Revision of Units 1–2		
3 Les loisirs	Hobbies and pastimes Sporting trends Different types of holidays The development of tourism in France	Perfect tense *Venir de* + infinitive Adverbs	Understanding statistics Asking questions Pronunciation: vowel sounds – 'in', 'an', 'on', 'un', 'en'
4 La santé	Compare different lifestyles Smoking Drug abuse Health in France	Comparatives and superlatives Imperfect tense Synonyms and antonyms	Structuring a debate Writing a paragraph Pronunciation: liaisons
Révisions Unités 3–4	Revision of Units 3–4		
5 L'éducation	Compulsory schooling Further Education Equal opportunities	Future tense Use of *y* and *en* Demonstrative adjectives and pronouns	Linking phrases using conjunctions Improving writing skills Pronunciation: intonation – questions, exclamations
6 Les métiers	Talk about job choices and the pros and cons of different jobs Write your CV and a job application letter Prepare for a job interview Talk about the choices faced by "working mothers"	Emphatic pronouns Pluperfect tense Prepositions	Structuring an oral presentation Adapting a text Reported speech Pronunciation: the letter 'r'
Révisions Unités 5–6	Revision of Units 5–6		

Unit	Subject content	Grammar	Skills
7 Les médias	Debate the relevance of radio today The French press Advertising Television	Using of the passive Avoiding the passive Imperative	Researching a topic using the Internet Writing a structured response Using different registers Pronunciation: silent consonants
8 L'environnement	Ways to protect the environment Types of pollution and their effects on everyday life Talk about being a conservation volunteer Discuss the pros and cons of nuclear power Discuss possible solutions to environmental problems	Conditional Recognition of the past conditional	Answering a structured question Correcting mistakes with a checklist of what to remember Pronunciation: the sounds 'o', 'eau' and 'ou'
Révisions Unités 7–8	Revision of Units 7–8		
9 La France plurielle	Explain your origins and someone else's Explain briefly the different waves of immigration in France Discuss opinions on immigration Understand some of the problems facing young immigrants Discuss the pros and cons of a multicultural society	Recognition of the past historic Relative pronouns Present participle	Using a monolingual dictionary Techniques for broadening vocabulary Pronunciation: 'in' and 'im'; stressing words correctly
10 La France et l'Europe	Describe what France means to you National stereotypes France's relationship with other European countries Discuss the European Union and the euro Describe your vision of Europe	Present subjunctive Recognition and use of different tenses	Transferring ideas from English into French Revising vocabulary and phrases effectively Pronunciation: 'ille', 'gn'
Révisions Unités 9–10	Revision of Units 9–10		
11 Le monde francophone	The French colonial empire The causes and effects of the Algerian war of independence The French-speaking world The pros and cons of *la Francophonie* Varieties of French spoken around the world French as an international language	Future perfect tense Revision of key tenses	Revising for the exam Pronunciation: 'ane', 'une', 'ure', 'one'
Révisez tout	Practice examination for the whole book		
Grammaire	Grammar reference section		
Vocabulaire	Glossary		

Introduction

The course

Welcome to **Elan 1**!

Elan 1 is the first stage of a two-part French course written to match the new AQA AS and A2 specifications. The eleven teaching units are sequenced to resource the AQA AS specifications, but content coverage and activities are also suitable for other specifications.

Elan 1 is written by a team of experienced authors and practising teachers and is suitable for a wide range of learners.

Rationale

The aims of **Elan 1** are:

◆ to provide thorough coverage of the AQA AS specification and excellent preparation for the AS examination

◆ to provide material suitable for AS students of all abilities to ease the transition from GCSE to AS Level

◆ to provide comprehensive grammatical coverage and practice of the QCA-defined grammatical content

◆ to help students develop specific learning strategies, for example, dictionary skills, independent study, vocabulary learning and pronunciation techniques

◆ to enable students to take control of their own learning by means of learning strategies, reference and revision sections, study skills and opportunities for independent study

◆ to encourage success by providing clear objectives and by practising language via activities with a clear purpose

◆ to provide up-to-the minute information on current affairs and language learning activities via the dedicated website

The components of Elan 1

Students' Book

The Students' Book is the complete handbook for advanced level studies, providing a comprehensive and integrated programme of teaching, practice, revision and reference for students. This 176-page book contains the following sections:

Avant-première

This initial unit bridges the gap between GCSE and AS Level by providing revision of key language and grammar. It also introduces students to the type of activities and layout of **Elan**.

Unités 1–11

There are 11 units on different topics. Units 1–6 correspond to AQA Module 1; Units 7–11 correspond to AQA Module 2. Each unit has been planned to be interesting and motivating, as well as to develop relevant strategies and skills for independent study and preparation for examinations. An outline of the content of each unit is given on Teacher's Book pages 4–5.

Révisions

After every two units, there are two pages with a range of revision activities, aimed at providing further practice and consolidation of the language of the preceding units. Some of the activities are suitable for use in class whereas others are suitable for homework. In addition to these two-page sections, there are twelve assessment copymasters (Feuilles 39–50) linked to pairs of units in Module 1 and all the units in Module 2.

Révisez tout

This section on pages 145–150 of the Student's Book forms a practice examination for the AS qualification.

Grammaire

A more detailed reference section which complements the grammar explanations given within the body of the book. All explanations are in English so that students are able to use it independently.

Vocabulaire

A French-English glossary containing many of the words from the book.

Teacher's Book

Detailed teaching notes for each unit are provided. These notes include:

- suggestions for using the material in the Students' Book, including the revision pages
- answers to most activities, including possible answers where appropriate as well as the correct answers for true/false activities
- transcripts for all recorded material
- notes on when to use the copymasters within each unit
- 50 copymasters: an initial test (Feuilles 1–2), three per unit of the Students' Book (3–38), twelve assessment sheets (39–50).

Grammar Workbook

A 96-page workbook containing thorough revision and practice of grammar covered in the Students' Book with an answer booklet for self-marking if appropriate.

Cassettes

The cassettes (or CDs) provide the listening material to accompany the Students' Book, copymasters and assessment material. The scripted material was recorded by native French speakers. All cassettes may be copied within the purchasing institution for use by teachers and students. The **Elan en solo** Cassette is ideal for self study and it is advisable for students to have an individual copy of the cassette to practise independent listening.

Contents:

Cassette 1 side 1: Avant-première–Unité 1 (page 23, activité 3b)
Cassette 1 side 2: Unité 1 (fin)–Unité 3
Cassette 2 side 1: Unité 4–6 (page 72 activité 2)
Cassette 2 side 2: Unité 6 (fin)–Unité 8
Cassette 3 side 1: Unités 9–10
Cassette 3 side 2: Unité 11, Révisez tout, Révisions et Contrôles
Elan en solo side 1: Unités 1–6
Elan en solo side 2: Unités 1–11

CD1: Avant-première, Unités 1–3
CD2: Unités 4–8
CD3: Unités 9–11, Révisez tout, Révisions et Contrôles

Website

There is a dedicated website containing additional activities and links to suitable French websites at www.oup.com/uk/elan

Features of an **Elan** unit

Unit objectives

Each unit begins with a list of topics with page references to their place in the unit. There are also objectives in English that provide clear information to students about what they will learn in the unit. These include skills students will learn and grammar points they will cover. The first page of each unit contains a visual stimulus to introduce the theme of the unit, along with some activities to kick off the theme.

Spreads

An introductory sentence or sentences pinpoint what students will learn on each spread. Each spread contains activities in all four skills leading to a productive spoken and written task at the end of the spread.

Expressions-clés

These boxes provide key phrases for students to use in their written and spoken outcome tasks.

Grammaire

These grammar boxes are in English. For each grammar point, students can identify examples from texts on the spread. Practice activities in English are provided (lettered A, B, C, etc.) to reinforce the grammar point. Cross-references are supplied to pages in the grammar reference section and in the Grammar Workbook.

Compétences

These boxes provide practical ideas in English on how to learn the language more effectively, with activities numbered separately. These boxes are ideal for self-study.

En plus

These are additional activities, often provided on a copymaster, to extend what students have learnt on the spread.

Au choix

Each unit has a page of self-study activities at the end to reinforce the language, skills and grammar that students have learnt in the unit. The listening activities are recorded onto a self-study cassette, as is the Phonétique pronunciation section which appears on this page.

Révisions and Révisez tout

Revision practice with exam-style questions as described on page 6 to help students prepare for the AS examination.

Elan and the new AS and A2 specifications

Elan is a structured two-part course intended for use over two year's study and has been written to follow the new AQA AS/A2 specifications. There are 11 units in **Elan 1** written to match the content and sequence of the 11 AQA units: Units 1–6 follow AQA Module One units while Units 7–11 follow the AQA Module Two units; Module Three is covered in all 11 units.

The style and content of the activities would also be appropriate for use with other exam specifications.

Grammar

Elan 1 provides complete coverage of the QCA-defined grammar content. The deductive approach on the Students' Book pages and the extensive practice provided in the Grammar Workbook ensure that students are able to master all aspects of language structure required at this level.

Assessment

The assessment sections in **Elan 1** have been written to match the AQA examination style and have been read and approved by the chief examiner.

Practice in tackling exam-style questions is provided in the *Révisions* and *Révisez tout* sections and in the *Contrôles* sheets *Feuilles* 39–50. Mark schemes that match the AQA assessment criteria are also provided in the notes for these sections.

Key Skills

The table below provides an overview of Key Skills coverage in **Elan 1**. The following paragraphs show how Key Skills can be developed or assessed through the activities in **Elan 1**. This guidance is based on level 3 of the Key Skills specifications.

Communication

Teachers should note that, although the study of a modern foreign language helps students to develop their communication skills, the evidence for this Key Skill must be presented in English, Irish or Welsh. **Elan 1** offers opportunities for practising and developing communication skills rather than for generating assessed evidence.

For this Key Skill, students need to:

1a Contribute to discussions

All **Elan 1** units provide opportunities for students to discuss topics in pairs, small groups or as a whole-class activity.

1b Make a presentation

Many of the topics covered in the coursebook provide a suitable basis for a presentation. The *Compétences* section in Unit 6 on page 71 provides specific and practical advice on how to structure an oral presentation. Students could be encouraged to enhance their talk by using visuals, e.g. OHP transparencies, photographs, maps, timetables, brochures, diagrams.

2 Read and synthesize information

Elan 1 provides reading material on a variety of topics, with follow-up activities designed to help students identify main points and summarize information. Texts range from extended essays and reports, formal and informal letters, newspaper articles to publicity material and online information on the **Elan website**. In addition, students could be encouraged to undertake wider reading when researching information for a presentation or essay.

		Avant-première	1	2	3	4	5	6	7	8	9	10	11
Main Key Skills	Communication	✓	✓	✓	✓	✓	✓	✓	✓	✓	✓	✓	✓
	Application of number	✓	✓	✓	✓	✓	✓	✓	✓	✓		✓	✓
	ICT	✓	✓	✓	✓	✓	✓	✓	✓	✓	✓	✓	✓
Wider Key Skills	Working with others	✓	✓	✓	✓	✓	✓	✓	✓	✓	✓	✓	✓
	Improving own learning and performance	✓	✓	✓	✓	✓	✓	✓	✓	✓	✓	✓	✓
	Problem solving				✓		✓	✓	✓	✓	✓	✓	✓

3 Write different types of documents

Opportunites exist throughout **Elan 1** for students to attempt different styles of writing covering a variety of topics, e.g. formal and informal letters, brochures, essays and reports, a CV, guided tours of home town or school.

Application of number

Opportunities exist within **Elan 1** to generate evidence, including interpreting statistics relating to French-speaking countries: e.g. Avant-première, pages 4 and 8; Unit 1, page 22; Unit 4, page 54.

Information and communications technology

Students need to be able to:

1 search for and select information
2 explore and develop information, and derive new information
3 present combined information, including text, numbers and images.

These three requirements can be combined within a single extended piece of work, as outlined in the following example: Unit 7, page 85, activities A–D, *Compétences*: Students research and present a French newspaper or magazine.

Working with others

All **Elan 1** units provide opportunities for students to work together, either in a one-to-one situation or as part of a group. Often, these opportunities take the form of speaking activities such as paired tasks, interviews, discussions, surveys. The following example illustrates how a group task can be developed and expanded in order to become a suitable means of assessing this Key Skill:

Unit 8, page 97, activity 5
Students work together to form their own environmental action group.

1 Students plan the work and confirm working arrangements, by allocating responsibilities within the group, identifying reference sources, etc.
2 Students work towards their objectives, fulfilling their responsibilities and seeking advice from teachers or other group members as appropriate.
3 The completed 'campaign' publicity material could be presented to the rest of the class, enabling the whole class to view and appraise the different performances. Together with their teacher, individual students then review their progress and agree on ways of improving their future work.

Improving own learning and performance

♦ **Strategies for improving performance**
All **Elan 1** units include *Compétences* sections, which offer students suggestions on how to improve their performance, e.g. listening, speaking, reading and writing strategies, practical tips on different ways of learning and preparing for exams, advice on how to use dictionaries effectively.

Problem solving

In language learning, a 'problem' can take the form of any unknown word or phrase. If students can be encouraged to 'work out' new language for themselves instead of relying on teacher support, they will be developing their problem-solving skills.

Elan 1 suggests ways in which students can become more independent in their language learning in the *Compétences* sections.

Information and communications technology

Possible ways to use ICT with **Elan** include:

Websites

The dedicated website produced for **Elan** contains not only additional activities but also links to useful French websites. The website is to be found at: www.oup.com/uk/elan. In addition to this resource, references to specific websites are given in the Students' Book where relevant.

E-mail

E-mail can often be used to enhance and develop the work of the unit, especially where a class has a link with a French-speaking class. Information can easily be exchanged which both motivates students and generates a source of additional material.

Examples:
♦ exchanging information about French and British schools following on from Unité 5, page 61.

Text manipulation

ICT allows text to be presented in a variety of forms which can be easily edited and manipulated. A word, phrase, sentence or paragraph can be moved, changed, copied or highlighted. Any activity involving text manipulation will emphasize understanding and enhance language production.

Examples:

◆ writing a short report – Unité 4, page 49, activity 5; Unité 9, page 113, activity 4
◆ writing a summary and designing an advert – Unité 7, page 89, activity 4
◆ writing an article – Unité 7, page 87, activity 6 (Compétences)
◆ writing a letter of application – Unité 6, page 73, En plus.

Databases

Information gathered by students, possibly during a class survey, can be entered in a database. The results, presented graphically or numerically, offer an ideal oportunity for further language work. Comparison and discussion of results can provide a new context for language manipulation.

Example:

◆ students' ideas on what they will do after leaving school – Unité 6, page 70, activity 1a.

Graphics

Graphics are easy to manipulate with ICT and are easy to produce. Students can add a picture to text in DTP, create or edit existing graphics with an art or draw package or scan and digitize images to include their own work.

Examples:

◆ designing a leaflet about the environment – Unité 8, page 97, activity 5.

Le saviez-vous? – diagnostic tests

Depending on your groups for AS, Feuilles 1 and 2 could be given to students after a brief revision session of the major grammatical topics for GCSE. Section A on Feuille 1 should take 20 minutes and section B on Feuille 2 about 30 minutes. The results should indicate where the major weaknesses are and grammar revision and teaching could begin from these areas. In addition to these tests, you may wish to provide students with a written task to assess the fluency and accuracy of their written work.

Feuille 1 Le saviez vous?

Answers

1   **1** *vais*   **2** *prends*   **3** *bavarde*   **4** *rentre*   **5** *fais*   **6** *ai*
    7 *lis*   **8** *écris*   **9** *aime*   **10** *descends*

There are 10 marks for this activity. If students score less than 6 marks, refer them to page 161 in the *Elan 1* Students' Book.

2   **1** *préfères*   **2** *dois*   **3** *finis*   **4** *attend*   **5** *court*
    6 *venez*   **7** *pouvons*   **8** *croient*   **9** *peut*

There are 9 marks for this activity. If students score less than 5 marks, refer them to page 161 in the *Elan 1* Students' Book.

3   **1** *petits*   **2** *premiers*   **3** *nulle*   **4** *bons*   **5** *courageuse*
    6 *actives*   **7** *belle*   **8** *vieux*   **9** *intelligents*   **10** *paresseux*

There are 10 marks for this activity. If students score less than 6 marks, refer them to page 153 in the *Elan 1* Students' Book.

4   **1** *ton*   **2** *mes*   **3** *sa*   **4** *vos*   **5** *leurs*   **6** *notre*
    7 *son*   **8** *leur*   **9** *mes*   **10** *ses*

There are 10 marks for this activity. If students score less than 6 marks, refer them to pages 151 and 152 in the *Elan 1* Students' Book.

Feuille 2 Le saviez-vous?

Answers

1   **1** *J'ai passé un mois sur la côte.*
    2 *J'ai vu tous les sites historiques.*
    3 *J'ai visité la plupart des musées.*
    4 *J'ai fait du shopping et j'ai choisi des souvenirs.*
    5 *J'ai mangé des pâtes et j'ai bu du bon vin.*
    6 *Je n'ai pas eu le temps de tout faire.*
    7 *Je me suis bien amusé avec mes copains.*
    8 *Je suis revenu à la fin du mois.*

There are 8 marks for this activity. If students score less than 4 marks, refer them to page 162 in the *Elan 1* Students' Book.

2   **1** *Nous avons pris / On a pris*
    2 *Est-ce que tu as visité*
    3 *Elle a écrit*
    4 *Nous avons lu / On a lu*
    5 *Vous n'avez pas vu*
    6 *Nous sommes sortis / On est sortis*
    7 *Les filles se sont levées*
    8 *Nous avons attendu / On a attendu*

There are 8 marks for this activity. If students score less than 4 marks, refer them to page 162 in the *Elan 1* Students' Book.

3   **1** *irons*   **2** *écrirai*   **3** *donneront*   **4** *serai*   **5** *ferons*
    6 *passerons*   **7** *emmèneront*   **8** *apprendrai*

There are 8 marks for this activity. If students score less than 4 marks, refer them to page 165 in the *Elan 1* Students' Book.

4   **1** *préférez*   **2** *commencer à*   **3** *oublié d'*   **4** *pouvez*
    5 *veux*   **6** *dois*   **7** *essaie de*   **8** *aider à*

There are 8 marks for this activity. If students score less than 4 marks, refer them to page 165 in the *Elan 1* Students' Book.

Avant-première

Unit objectives

By the end of this unit students will be able to:

◆ Describe the area they live in
◆ Convey detailed information about a French-speaking region
◆ Speak about themselves in some detail
◆ Understand some key events in French history
◆ Write an account of someone's life

Grammar

◆ Use the infinitive
◆ Use genders
◆ Use verbs in the present tense

Skills

◆ Write a brief description
◆ Use a bilingual dictionary
◆ Record and learn vocabulary effectively

Bienvenue à Elan!

page 4

Materials

◆ Students' Book pages 4–5
◆ Cassette 1 side 1, CD 1
◆ Feuille 3

1a In groups, students become familiar with the *Elan 1 Students' Book*. They discuss the themes covered and consider which ones they know about already and which ones interest them the most and why.

1b Students look at the Grammar in the table of contents on pages 2–3 and decide which points they understand well, which they need to revise further, and which are new to them.

F 3 (En plus) Students do the activities on Feuille 3 (see notes on page 18).

2a Students match the figures with the facts to establish how well they know France.

Answers:

1 i **2** g **3** d **4** a **5** c **6** h **7** j **8** b **9** f
10 e

2b Students confirm their answers to 2a and note down an extra detail for each fact.

---

p 4, activité 26

– La population française est de 58 millions, ce qui situe la France au 20ème rang dans le monde.
– Il y a 2 160 000 habitants au centre de Paris. Avec la banlieue, on compte plus de 10 millions d'habitants.
– Il y a 99 départements français: 95 en France métropolitaine et 4 départements d'Outre-Mer (la Martinique, la Guadeloupe, la Réunion et la Guyane).–
Le Français moyen mesure 1,72 mètres. La Française moyenne, elle, est plus petite: 1,60 mètres.
– Les Françaises vivent plus longtemps que les Français: 81,5 ans contre 73,3 ans.
– On aime les animaux en France: il y a 10,6 millions de chiens et 8,4 millions de chats.
– Chaque année, la France reçoit plus de 61,5 millions de visiteurs. Cela fait 168 493 touristes par jour!
– L'école est obligatoire jusqu'à 16 ans mais les jeunes Français passent en moyenne 18,3 ans à étudier.
– Le point le plus haut de France, c'est le Mont Blanc, dans les Alpes, avec ses 4 807 mètres. Dans les Pyrénées, le Pic de Vignemale est le plus haut, avec ses 3 298 mètres.
– 1789 est l'année de la Révolution française. En 1792, on proclame la première république.

2c Students now write a complete sentence to summarize each of the facts.

Possible answers:

1 *La population française est de 58 millions.*
2 *Il y a 2 160 000 habitants au centre de Paris.*
3 *Il y a 99 départements français.*
4 *Le Français moyen mesure 1,72 mètre.*
5 *Les Françaises vivent en moyenne jusqu'à 81,5 ans.*
6 *Il y a 10,6 millions de chiens en France.*
7 *La France reçoit plus de 61,5 millions de visiteurs chaque année.*
8 *Les jeunes Français passent en moyenne 18,3 ans à étudier.*
9 *Le mont Blanc est le point le plus haut de France.*
10 *La Révolution française a eu lieu en 1789.*

Aux quatre coins de France

pages 6–7

Grammar focus

◆ The infinitive

Materials

◆ Students' Book pages 6–7
◆ Cassette 1 side 1, CD 1
◆ Grammar Workbook pages 70–73

Avant-première

1 Students read the accounts by Agnès, Jean-Louis, and Hervé and listen to their comments on the cassette. Then they answer questions 1–3 for each person.

Answers:

Agnès

1 *J'habite à Nantes, au centre-ville.*

2 *La ville est jeune et vivante. On y trouve beaucoup de choses à faire et à voir.*

3 *Je vais aller à l'université ici et, plus tard, j'espère travailler ici.*

Jean-Louis

1 *J'habite une ferme près d'une petite ville de Corrèze.*

2 *C'est une région très rurale sans industrie.*

3 *Après avoir fait mes études agricoles à Limoges, je voudrais revenir en Corrèze.*

Hervé

1 *J'habite à Lille, une grande ville du Nord.*

2 *C'est une région très sympa, très dynamique avec beaucoup de choses à faire.*

3 *J'aimerais rester ici ou partir en Angleterre.*

---

pp 6–8, activité 1

Agnès Gauthrot

J'habite à Nantes, en Loire-Atlantique. C'est une ville de 500 000 habitants, à la fois historique et moderne: il y a des vieux quartiers mais aussi des industries et une université.

C'est une ville jeune et vivante: il y a beaucoup de choses à faire et à voir. J'habite au centre-ville, c'est pratique pour sortir. Je vais souvent au théâtre, au cinéma et à des concerts.

La région est très agréable: on est entre la mer et les plages de Bretagne et la campagne et les châteaux du pays de Loire! C'est une région calme mais intéressante.

L'année prochaine, je vais à l'université ici et plus tard, j'espère travailler à Nantes. Moi, je suis bien ici!

Jean-Louis Murel

J'habite une ferme à côté de Meymac, une petite ville de Corrèze. C'est une région très rurale, avec des forêts, des lacs et plus de vaches que d'habitants! Il n'y a pas d'industrie ici alors les gens partent. Il reste quelques agriculteurs, des artisans et des touristes l'été!

J'aime la campagne, me promener avec mes chiens, pêcher, travailler dans les champs avec mon père.

Vivre ici n'est pas toujours facile: les hivers sont froids et on ne sort pas beaucoup. Il n'y a pas d'activités pour les jeunes. Mais j'aime ma région et je veux y rester.

Je vais partir faire des études agricoles à Limoges et après, je voudrais reprendre la ferme de mes parents. Quitter la Corrèze? Jamais!

Hervé Langlais

J'habite à Lille. C'est la grande ville du Nord, avec plus d'un million d'habitants.

La région du Nord n'attire pas en général. On imagine une région industrielle, triste, où il pleut souvent. En fait, c'est une région très sympa, très dynamique, même s'il pleut! Il y a beaucoup de choses à faire pour les visiteurs et avec l'Eurostar, c'est pratique.

Les gens ici ont la réputation d'être tristes. C'est faux! Sortir, se retrouver pour faire la fête, on adore ça! Il y a beaucoup d'associations et de festivals.

L'année prochaine, je vais faire des études à l'université de Lille. J'aimerais devenir prof et rester dans ma région, ou alors partir en Angleterre. Ce n'est pas loin!

2 Students listen to the interview with Yousra and note her answers.

Answers:

1 *J'habite à Mimet, en Provence.*

2 *La Provence est une très belle région avec des paysages magnifiques.*

3 *Après avoir fait mes études à Paris, je voudrais revenir en Provence.*

---

p 7, activité 2

Yousra Benbera

– Où habites-tu?

– Depuis un an, j'habite à Mimet, au nord de Marseille mais avant, on habitait dans la banlieue marseillaise.

– C'est comment, là où tu habites?

– Eh ben, Mimet est un village agréable, les paysages tout autour sont magnifiques, les gens sont sympas mais personnellement, je préfère la vie en ville. Marseille me manque! C'est la deuxième grande ville de France après Paris. C'est une ville cosmopolite, dynamique et très vivante. Pour moi, habiter en Provence, c'est une chance. C'est la plus belle région de France! Il y a la mer, la montagne, la campagne et surtout le soleil! En plus, elle ressemble un peu au pays de mes parents, la Tunisie!

– Penses-tu rester dans ta région?

– Je voudrais d'abord aller faire mes études à Paris parce que j'ai envie de connaître la vie dans la capitale. Après oui, effectivement, je voudrais revenir travailler en Provence.

---

3 Students ask their partner the three questions from activity 1 and record their answers.

4a Students copy out the *Expressions-clés* and finish them using phrases from the texts.

Answers:

J'habite à Nantes.

C'est une ville à la fois historique et moderne.

Il y a la mer, les plages, la campagne et les châteaux.

Il n'y a pas d'industrie ici alors les gens partent.
Je vais partir faire des études agricoles à Limoges.
J'espère travailler à Nantes.
Je voudrais reprendre la ferme de mes parents.
J'aimerais rester dans ma région.

4b Using the texts and *Expressions-clés* as a model, students write a short description of their own region.

Grammaire

A Searching the texts for verbs in the infinitive, students note whether examples are of the *-er*, *-ir* or *-re* type.

Answers:

-er	-ir	-re
aller	*devenir*	*connaître*
habiter	*partir*	*faire*
promener	*revenir*	*reprendre*
rester	*sortir*	*vivre*
travailler	*voir*	

B Referring to the texts again, this activity prompts students to observe when the infinitive is used and then to make up three sentences.

Possible answers:

a *je vais partir* — I am going to leave
je voudrais reprendre — I am going to take over
j'aimerais devenir — I would like to become
je voudrais revenir — I would like to return
je veux y rester — I want to stay there
se retrouver pour faire la fête — to meet up for a celebration
j'ai envie de connaître la vie dans — I want to experience life in
Quitter la Corrèze? — Leave Corrèze?
Sortir, se retrouver pour — To go out, to meet up for

b *C'est une ville vivante et j'aime écouter les musiciens des rues.*
Il y a beaucoup de maisons historiques à visiter.
Se promener en Provence est très agréable parce qu'il fait toujours beau.

Ici aussi, on parle français

pages 8–9

Grammar focus
◆ The present tense

Materials
◆ Students' Book pages 8–9
◆ Cassette 1 side 1, CD 1
◆ Grammar Workbook pages 32–37

 1a A gap-fill exercise giving students further practice with higher numbers.

Answers:
1 *18 000* **2** *4 000* **3** *130* **4** *210 000* **5** *1880*
6 *1946* **7** *1987*

---

p 8, activité 1

1
La Polynésie française se trouve dans le Pacifique, à 18 000 kilomètres de la France métropolitaine et à 4 000 kilomètres de la Nouvelle-Zélande. C'est un TOM (Territoire d'Outre-Mer), constitué de cinq archipels.
2
Ces archipels de 130 îles ont environ 210 000 habitants; la grande majorité habite à Tahiti, l'île principale. La capitale est Papeete. 70% de la population est d'origine polynésienne, 11,55% européenne, 4,3% asiatique et 14,2% métisse. A Tahiti, on parle français et tahitien, qu'on étudie à l'école.
3
Au 18ème siècle, deux marins anglais, Wallis et Cook, font connaître ces îles à l'Europe. En 1880, la France annexe l'archipel et en 1946, il devient un TOM: tous les habitants deviennent français. Depuis 1987, le mouvement indépendantiste se développe.
4
Pour les touristes, Tahiti a l'image d'un paradis: climat agréable, lagons, fleurs et fruits exotiques. Pour les Tahitiens, par contre, vivre ici n'est pas facile: 20% des jeunes sont au chômage, l'économie est pauvre et ne se développe pas. Depuis quelques années, des programmes d'aide européens et français encouragent l'exploitation des ressources locales (par exemple, les huîtres).

1b To check gist comprehension, students match each title with the appropriate paragraph in the article.

Answers:
1 C **2** D **3** A **4** B

1c For more detailed comprehension, students write a sentence for points A–D in activity 1b.

Answers:
A *Deux marins anglais ont découvert les îles polynésiennes au 18ème siècle.*
B *Tahiti a l'image d'un paradis mais la vie est difficile pour les Tahitiens.*
C *La Polynésie française est un TOM à 18 000 kilomètres de la France.*
D *La plupart des 210 000 habitants de la Polynésie française se trouvent à Tahiti.*

2a Sammy's postcard, written mostly in the present tense, provides a glimpse into the life of a Tahitian teenager. Ask students to note down details from the postcard and then to complete Sammy's form.

Answers:

nom: Sammy Rotua
âge: 17 ans
domicile: Tiarei
nationalité: tahitien
langues parlées: français, tahitien, anglais
famille: mère, un frère et deux sœurs
occupation: lycéen
passe-temps: le boogie
projets: devenir prof de sport et travailler à Hawaii

2b Play the interview with Sammy so that students can double-check their notes.

---
p 9, activité 2b

– Bon. Alors, d'abord, ton nom? Comment t'appelles-tu?
– Je m'appelle Sammy, Sammy Rotua.
– Bien. Et tu as quel âge?
– J'ai 17 ans.
– D'accord. Et ton domicile ... Tu habites où?
– J'habite à Tiarei, à 25 km de Papeete, la capitale de Tahiti.
– Quelle est ta nationalité?
– Je suis français, d'origine polynésienne.
– Et quelles langues est-ce que tu parles?
– Je parle français, tahitien et j'apprends l'anglais.
– Hmm. Combien êtes-vous dans ta famille?
– Eh bien, je vis avec ma mère, mon frère Eddy et mes petites sœurs, Laetitia et Sabrina. Mon père est mort. Mais toute ma famille est à Tiarei, alors on se voit souvent.
– D'accord. Et ta profession – qu'est-ce que tu fais, Sammy?
– Je suis lycéen à Papeete. Je suis en première. Je passe le bac l'année prochaine.
– Et quels sont tes passe-temps?
– Oh, là, là! Je me passionne pour le sport, surtout le boogie! Je m'entraîne presque tous les jours depuis huit ans!
– Et quels sont tes projets?
– Je voudrais devenir prof de sport! Comme la vie est dure à Tahiti, je pars dans deux ans à Hawaii. J'aimerais rester ici parce que j'adore mon île, mais il n'y a pas assez de travail.
– Je te remercie Sammy.
– *Nana!* ... *Nana,* ça veut dire au revoir en tahitien!
– Ah bon, alors *nana!*

2c Referring back to their notes, students write a description of Sammy. This allows them to practise using the third person singular of the present tense.

Answers:

Il s'appelle Sammy. Il a 17 ans.
Il habite à Tiarei, pas loin de Papeete, la capitale de Tahiti.
Il parle trois langues: le français, le tahitien et l'anglais.

Il vit avec sa mère, son frère et ses deux petites sœurs. Son père est mort.
Il est lycéen à Papeete. Il est en première et il passe le bac l'année prochaine.
Il se passionne pour le sport, surtout le boogie.
Il voudrait devenir prof de sport et il s'entraîne chaque jour.
Il adore Tahiti mais, parce qu'il n'y a pas assez de travail là, il va partir à Hawaii.

3 Using Sammy's form as a model, students fill out a form for their partner. They then ask their partner questions to confirm the personal details.

4 Ask students to write a postcard of their own, making use of the phrases underlined in Sammy's text.

En plus In his postcard, Sammy said 'La vie est dure à Tahiti'. Students are asked to say why. This could be the start of a discussion about life in French territories.

Grammaire

A Students search the article on French Polynesia and Sammy's postcard for verbs in the present tense, finding at least one for each of the *-er*, *-ir* or *-re* infinitives.

Answers:

-er: se trouve (se trouver); la ... majorité habite (habiter); on parle (parler); se developpe (se developper); on étudie (étudier); ils encouragent (encourager)
-ir: ces îles ont (avoir); il devient (devenir)
-re: font connaître; c'est (être); j'apprends (apprendre); je vis (vivre); je prends (prendre)

B By matching the sentences with the definitions, students revise when to use the present tense.

Answers:

1 d **2** f **3** a **4** b **5** e **6** c

C Students find other examples of uses a–f in the two texts.

Answers:

a *70% de la population est d'origine polynésienne, ...*
b *Je me lève très tôt ...*
c *Depuis 1987, le mouvement indépendantiste se développe.*
d *En 1880, la France annexe l'archipel ...*
e *Je passe le bac l'année prochaine.*
f *La Polynésie française se trouve dans le Pacifique.*

Histoires de France

pages 10–11
Grammar focus
◆ Genders

Materials
◆ Students' Book pages 10–11
◆ Cassette 1 side 1, CD 1
◆ Grammar Workbook page 4
◆ Feuille 4

1a Students shuffle events A–L on the timeline to show their true chronological order.

Answers:
52 avant J.C. D; 800 I; 1429 J; 1661 A; 1789 K; 1804 G; 1914–1918 H; 1936 B; 1939–1945 F; 1958 C; 1968 L; 1981–1995 E.

1b Play the recording so that students can confirm whether their chronology is correct. Ask them to note down an extra detail for each event.

Answers:
Vercingétorix meurt six ans plus tard à Rome.
En 843, les petits-fils de Charlemagne se partagent son empire.
Les Anglais accusent Jeanne d'Arc d'être une sorcière et ils la brûlent.
Le règne de Louis XIV a duré 54 ans.
Le roi Louis XVI et la Reine Marie-Antoinette sont guillotinés en 1793.
Napoléon Bonaparte se couronne empereur de France en 1804.
La Première Guerre mondiale fait plus de 10 millions de morts.
Le Front Populaire obtient la semaine de travail à 40 heures.
Le général de Gaulle était exilé à Londres.
Le général de Gaulle est élu president de la Cinquième Republique en 1962.
La France entière est en grève pendant un mois.
En 1981, pour la première fois depuis plus de 20 ans, les partis de gauche gouvernent la France.

---

pp 10–11, activité 1b

Nous allons faire un voyage dans le temps …
Attention, retour en arrière!
1 52 avant Jésus-Christ
Nous sommes à Alésia. Les Romains ont gagné. Le chef des Gaulois, Vercingétorix, se rend à César. César le fait prisonnier. Vercingétorix meurt six ans plus tard, à Rome.
2 An 800
C'est le jour de Noël. Charlemagne est couronné empereur. Il a construit un grand empire. En 843, ses petits-fils se partagent cet empire. Charles II obtient la Francie occidentale, l'ancêtre de la France.
3 1429
Nous sommes dans la cathédrale de Reims pour le couronnement du roi. Jeanne d'Arc arrive. Cette jeune fille de 17 ans combat les Anglais et aide Charles VII à devenir roi. Deux ans plus tard, les Anglais la font prisonnière, ils l'accusent d'être une sorcière et ils la brûlent.

4 1661
Nous sommes maintenant à la cour de Louis XIV. Son règne va être le règne le plus long de l'histoire de France (54 ans). Louis XIV n'aime pas Paris et s'installe à Versailles. Plus de 10 000 personnes vivent à Versailles dans le Château du Roi-Soleil.
5 1789
Le 14 juillet 1789, les Parisiens attaquent la prison de la Bastille, symbole d'injustice. C'est la Révolution! Le 26 août 1789, on vote la Déclaration des Droits de l'Homme et du Citoyen. En août 92, c'est l'abolition de la monarchie et en septembre, le début de la première République. Le roi Louis XVI et la Reine Marie-Antoinette sont guillotinés en 1793.
6 1804
En 1804, Napoléon Bonaparte, officier de l'armée française pendant la Révolution, se couronne empereur de France. Pendant dix ans, la Grande Armée de Napoléon fait la guerre. En 1815, après la défaite de Waterloo, Napoléon est déporté sur l'île de Sainte-Hélène. Il meurt en 1821.
7 1914–1918
En 1914, l'Allemagne déclare la guerre à la France qui mobilise son armée. Les soldats partent avec enthousiasme. Ils vivent quatre ans d'enfer dans les tranchées du nord-est de la France. Batailles de la Marne, de Verdun, de la Somme. En 1917, les Etats-Unis s'allient à la France. Les Alliés gagnent et l'Armistice est signé le 11 novembre 1918. La guerre fait plus de 10 millions de morts.
8 1936
Nous voici au 20ème siècle. Les conditions de vie des Français s'améliorent. En 1936, le Front Populaire (gouvernement socialiste et communiste de Léon Blum) obtient l'augmentation des salaires, la semaine de travail de 40 heures et les congés payés.
9 1939–1945
La Deuxième Guerre mondiale est déclarée. En 1940, les Allemands occupent le nord de la France, puis le sud en 1942. Le gouvernement du Maréchal Pétain collabore avec les Nazis. La Résistance s'organise, avec le général de Gaulle en exil à Londres. En juin 44, les Forces Alliées débarquent en Normandie et libèrent la France. Le 8 mai 45, c'est l'armistice.
10 1958
Le général de Gaulle, héros de la guerre 39–45, dirige la France à partir de 1958. En 1962, il est élu au suffrage universel président de la Cinquième République. 1962, c'est aussi la fin de la guerre d'Algérie, ancienne colonie française qui devient indépendante, comme beaucoup d'autres colonies en Asie et en Afrique.
11 1968
En mai 1968, les étudiants et les ouvriers parisiens manifestent souvent avec violence contre le gouvernement du général de Gaulle. La France entière est en grève pendant un mois. De Gaulle quitte le gouvernement en 69.

> **12 1981–1995**
> Nous voici arrivés aux années Mitterrand. En 1981, pour la première fois depuis plus de 20 ans, les partis de gauche gouvernent, avec François Mitterrand comme président. Ces 14 ans sont des années de réformes: peine de mort abolie, cinquième semaine de vacances, retraite à 60 ans et non 65. La France fait de grands progrès technologiques (TGV, Tunnel sous la Manche, etc.) et est à l'avant-garde du développement de l'Europe.

2   Working in pairs, and with their books closed, students test each other on their knowledge of French history. One student suggests a date and their partner attempts to say the correct event. Every right answer gets a point.

En plus Students research one of the events on the timeline or an event in their own country's history. They can then write a description, outlining what happened. They can elaborate on the note form used on the page, using complete sentences with determiners.

F 4   En plus Students are referred to Feuille 4 (see notes on page 19).

Grammaire

A   Using a dictionary, and the patterns of typical endings given, students work out the genders of the nouns in the historical texts.

B   A gap-fill exercise where students establish the gender of the nouns given and add any agreements necessary.

Answers:
1 *La population est passée de 42 millions en 39 à 60 millions aujourd'hui.*
2 *C'est le résultat de la politique d'un gouvernement qui favorise les naissances et crée la Sécurité Sociale.*
3 *De 1939 à 1970, les richesses produites par la France sont multipliées par quatre.*
4 *La France est une grande puissance mondiale.*
5 *Des secteurs nouveaux se developpent: le tourisme, le marketing, des énergies nouvelles.*
6 *Mais après la crise de 1973 apparaissent aussi des problèmes nouveaux, comme le chômage.*

Français célèbres

pages 12–13

Skills focus
◆ Using a bilingual dictionary
◆ Writing a brief description

Materials
◆ Students' Book pages 12–13
◆ Cassette 1 side 1, CD 1

1   Students match the photos of famous personalities with the correct captions.

Answers:
1 *Jeanne d'Arc*   2 *Napoléon Bonaparte*   3 *Victor Hugo*
4 *Louis Pasteur*   5 *Marie Curie*   6 *Coco Chanel*
7 *Charles de Gaulle*   8 *Edith Piaf*   9 *Simone de Beauvoir*
10 *Gérard Depardieu*

2a   The account of Simone de Beauvoir's life is jumbled. Students put paragraphs A–G into the correct order. The gaps are filled in the following exercise. Before listening to the recording in 2b, students could try to predict what the missing adjectives might be.

Answers: D   G   F   B   A   C   E

2b   Play the recording so that students can confirm whether they have ordered the details correctly. Then replay it so that students can fill in the gaps with the missing adjectives.

Answers:
1 *sociales*   2 *féminine*   3 *connue*   4 *heureuse*
5 *françaises*   6 *excellente*

> **p 13, activité 26**
> Simone de Beauvoir naît à Paris en 1908 dans une famille très bourgeoise. Elle a une enfance heureuse. Excellente élève, elle fait des études de philosophie à la Sorbonne. Là, elle rencontre Jean-Paul Sartre.
> Entre 1931 et 1943, elle enseigne la philosophie dans des lycées. En 1943, elle commence à publier des ouvrages sur la condition féminine. Elle devient mondialement connue avec *Le Deuxième sexe* (1949), *Les Mandarins* (1954) et *Les Mémoires d'une jeune fille rangée* (1958).
> Dans les années cinquante et en mai 68, elle lutte avec Sartre, son compagnon, contre les préjugés, les guerres et les injustices sociales.
> Sartre meurt en 1980, de Beauvoir en 1986. Plus de vingt ans après leur mort, leur œuvre influence encore beaucoup la philosophie, la littérature et la société françaises.

3a   Students fill in the gaps in the portrait of Victor Hugo with the correct form of the appropriate verbs.

Answers:
1 *naît*   2 *écrit*   3 *reçoit*   4 *devient*   5 *se révolte*
6 *devient*   7 *part*   8 *écrit*   9 *revient*   10 *est élu*
11 *meurt*   12 *viennent*

3b Students check their answers by listening to the recording.

> p 13, activité 3b
>
> Victor Marie Hugo naît en 1802 à Besançon. A 13 ans, il écrit des poèmes et des pièces de théâtre. A 17 ans, il reçoit un prix littéraire et à 18 ans, une pension du roi Louis XVIII. Il devient le plus célèbre des auteurs Romantiques, avec les œuvres comme *Notre-Dame de Paris*.
>
> En 1848, le peuple français se révolte contre la monarchie et Hugo devient républicain. Il part en exil à Jersey et Guernesey. De là, il écrit ses plus grandes œuvres: *Les Contemplations*, *La Légende des siècles*, *Les Misérables*.
>
> En 1870, il revient en France, acclamé par le peuple. Il est élu sénateur en 1876. Il meurt à Paris en 1885. Plus d'un million de personnes viennent assister aux funérailles.

4 Working in pairs, and with the aid of a dictionary, students translate one of the two portraits.

Possible answers:

Simone de Beauvoir

In 1908, Simone de Beauvoir was born into a very bourgeois family in Paris. She had a happy childhood. An excellent student, she studied philosophy at the Sorbonne. There she met Jean-Paul Sartre. Between 1931 and 1943, she taught philosophy in colleges. In 1943, she began to publish her works on the feminine situation. She became known throughout the world for Le Deuxième sexe *(1949),* Les Mandarins *(1954) and* Les Mémoires d'une jeune fille rangée. *In the 50s and in May '68 she fought, with her companion, Sartre, against prejudices, wars and social injustices. Sartre died in 1980, and de Beauvoir died in 1986. More than 20 years after their death, their work still strongly influences French philosophy, literature and society.*

Victor Hugo

Victor Marie Hugo was born in 1802 in Besançon. At 13 he was writing poems and plays. At 17 he received a literary prize and at 18 a pension from King Louis XVIII. He became the most famous of the Romantic authors, with works such as Notre-Dame de Paris. *In 1848, the French people revolted against the monarchy and Hugo became a republican. He left in exile to Jersey and Guernsey. From there he wrote his greatest works:* Les Contemplations, La Légende des siècles, Les Misérables. *In 1870, he returned to Paris, acclaimed by the people. He was elected senator in 1876. He died in Paris in 1885. More than a million people came to his funeral.*

Compétences

Students use a dictionary to check any unknown words and note down any which are particularly relevant, along with their gender and some examples.

5a Students listen to the potted biography of Marie Curie and write down one or more extra details about: the date and place of her birth; her main interests; her studies; her private life; her professional successes.

Answers:

1 *Elle est née en 1867 à Varsovie en Pologne.*

2 *Elle est passionnée de science.*

3 *Elle travaille sur la radioactivité.*

4 *Elle se marie avec Pierre Curie, son professeur d'université, en 1895, mais en 1906 il meurt dans un accident.*

5 *Elle est la première femme à préparer un doctorat et à devenir professeur d'université. Elle fait la découverte du radium et elle reçoit deux prix Nobel pour son travail.*

> p 13, activité 5
>
> – Comment s'appelle Marie Curie?
> – Elle s'appelle Maria Sklodowska.
> – Elle est née où?
> – Elle est née à Varsovie, en Pologne.
> – En quelle année?
> – En 1867.
> – Qu'est-ce qui l'intéresse quand elle est jeune?
> – Eh bien, très jeune, elle est passionnée de science.
> – Qu'est-ce qu'elle fait comme études?
> – En 1891, elle fait des études scientifiques à Paris. Elle est la première femme à préparer un doctorat. Elle travaille sur la radioactivité.
> – Est-ce qu'elle est mariée?
> – En 1895, elle se marie avec son professeur d'université, Pierre Curie. Elle devient Marie Curie! En 1906, Pierre Curie meurt dans un accident et elle le remplace à l'université. Elle devient la première femme professeur d'université.
> – Qu'est-ce qu'elle fait d'important, Marie Curie?
> – En 1898, elle fait la découverte du radium. Elle reçoit deux prix très importants pour son travail: le prix Nobel de physique en 1903 et le prix Nobel de chimie en 1911. En plus, en 1921, elle crée la Fondation Curie pour utiliser la radiation en médecine, par exemple pour traiter le cancer.
> – Et quand est-ce qu'elle meurt?
> – Elle meurt en 1934. Mais sa réputation, elle, ne meurt pas. Elle est mondialement connue.

5b Using the notes they have made in 5a, students write a brief description of Marie Curie's life.

En plus Students research one of the other French personalities mentioned and write a short summary of their life.

Compétences

This section gives students advice on how to write a brief description. They can refer back to the texts on de Beauvoir and Hugo as examples.

Au choix

page 14

Skills focus
- ◆ Recording and learning vocabulary

Materials
- ◆ Students' Book page 14
- ◆ *Elan en solo* cassette side 1
- ◆ Feuille 5

S 🔲 **1a** Students listen to the recording and connect the regions with the photos.

Answers: **1** C **2** D **3** B **4** A

---

p 14, activité 1

1
– Tu es d'où?
– Moi, je suis de Bretagne.
– Tu peux nous décrire un peu ta région?
– Euh, ben … quand on pense à la Bretagne, on pense surtout à la mer bien sûr, hein, tout autour. La côte avec les plages de sable et la côte avec les petits ports de pêche … Et puis, on pense aussi aux maisons bretonnes typiques: blanches avec les toits gris.
– Oui, d'accord.

2
– Et toi, tu viens d'où?
– Moi, de Nîmes. C'est en Provence.
– Alors donne-nous une idée de ce qu'est la Provence …
– Oh là là! Oh je pense que l'image qu'on a de la Provence, c'est l'intérieur des terres, avec par exemple euh … je sais pas … un petit village un peu rose … perché sur une colline avec des oliviers … oui, pas beaucoup de végétation, parce que eh bé ce n'est pas très vert, la Provence!
– D'accord.

3
– Donc toi, tu viens de la vallée de la Loire.
– Oui, de Saumur.
– Bien, alors, en quelques mots, c'est comment, ta région?
– Eh bien, c'est … c'est très vert, il y a des champs, des vignobles, on dit que c'est le Jardin de la France. Et puis, il y a l'eau … l'eau du fleuve, de la Loire, et puis, aussi je pense, les châteaux, les célèbres châteaux de la Loire.
– D'accord, oui.

4
– Et donc, toi, tu es de la région …?
– De la région Rhône-Alpes. Je viens de Grenoble.
– OK, alors, ta région, en quelques mots …
– Eh bien, c'est une région superbe, avec ses paysages de vallées et de montagnes qui dominent, la neige éternelle sur les sommets et puis bien sûr, les chalets, ces maisons faites avec du bois.
– D'accord, merci.

1b Students make a note of three key words for each region.

Answers:
Bretagne: la mer, la côte, les plages, les ports, maisons bretonnes.
Provence: villages, collines, oliviers.
Loire: des vignobles, la Loire, les châteaux.
Rhône-Alpes: montagnes, neige, chalets.

1c Re-using the vocabulary they have heard, students say which of the four regions of France they prefer and why.

2 This oral activity can be done as a class. In approximately 60 words, students give an enigmatic account of a place, an historic person, or an important historical event. The class need to listen and guess who or what they are describing.

3 Students have another opportunity to write a short description. They may base it on either a portrait of themselves or their family, or of their town or region.

Compétences

Working in pairs, students work out which vocabulary from this unit is worth memorizing, and discuss how to go about learning it. Some tips are offered to help students learn vocabulary effectively.

F 5 **En plus** This refers students to Feuille 5.

Copymasters

Feuille 3 How to make the most of *Elan*

1 Students look at the contents pages of the *Elan 1* Students' Book. Read the unit titles with them and look briefly at the subject content. Ask students to find two words among the graffiti on Feuille 3 that correspond to the theme of each of the eleven units in the course.

Answers:
1 *aîné, célibataire* **2** *citoyen, majeur*
3 *vacanciers, parc d'attractions* **4** *se droguer, alimentation*
5 *filière, s'orienter* **6** *à temps partiel, télétravailler*
7 *télécharger, hebdomadaire* **8** *recycler, radioactif*
9 *cosmopolite, xénophobie* **10** *euro, souveraineté nationale*
11 *outre-mer, ancienne colonie*

2 Students translate the words into English using a bilingual dictionary.

3 Students note down any information given in the dictionary that will help them to learn how to use this vocabulary.

4   Students make up sentences using the words from the graffiti list and the grammatical terms numbered 1–11.

5   Students fold the copymaster so that they can only see their English translations. They then try to remember the French words by using them in a sentence that they read aloud to a partner.

Feuille 4 Jeu-test: L'histoire au présent

1   A gap-fill exercise where students fill the blanks with the correct form of the verb in the present tense. Students refer to *Histoires de France* on pages 10–11 of the Students' Book to confirm their answers and help solve the mystery at the end of each question.

Answers:

1 *perd, occupent, sommes, Gaule*

2 *devient, naît, est, Charlemagne*

3 *obtient, parvient, nomme, Jeanne d'Arc*

4 *deviens, construis, suis, Louis XIV*

5 *prend, écrit, abolit, Révolution française*

6 *devenez, restez, perdez, êtes, Napoléon Bonaparte*

7 *bats, pars, gagnes, 11 novembre 1918*

8 *peuvent, voient, améliorent, 1936*

2   Students study the last four historical events on the timeline on page 11 of the Students' Book. They write a short paragraph about each one making use of the vocabulary listed and putting verbs in the present tense

Possible answers:

1 *C'est la Deuxième Guerre mondiale. Les Allemands occupent la France. Le Maréchal Pétain collabore. La Résistance s'organise avec le général de Gaulle. Le 6 juin 44, les Forces Alliées débarquent en Normandie et libèrent la France. Le 8 mai 45, c'est l'armistice.*

2 *Le général de Gaulle devient président de la Cinquième République. Pendant les années soixante, La France connaît une période de décolonisation. Ses anciennes colonies comme Indochine, l'Algérie, etc. obtiennent leur indépendance.*

3 *En mai 1968, les étudiants et les ouvriers manifestent à Paris. La France entière fait grève. De Gaulle démissionne en 1969. C'est une période d'évolutions sociales.*

4 *En 1981 et en 88, les Français élisent François Mitterrand comme président. On abolit la peine de mort, on obtient une cinquième semaine de vacances. La technologie progresse avec le TGV, le Tunnel sous la Manche.*

Feuille 5 Le dictionnaire bilingue

1   Students read the extract about Louis Pasteur.

2a   Using a bilingual dictionary, students find the words listed and give an English translation suitable for the context in which it is used in the Pasteur extract. They should also note the part of speech.

Answers:

partir / à partir de from (verb); *constater* to note, notice (verb); *microbes* germs, microbes (masculine noun); *tuer* to kill (verb); *chauffer* to warm up, heat up (verb); *refroidir* to cool (verb); *chirurgie* surgery (feminine noun); *maladies* diseases (feminine plural noun); *ver* worm (masculine noun); *soie* silk (feminine noun)

2b   Students note what the abbreviations commonly used in a bilingual dictionary mean.

Answers:

(1) *meaning 1*; (2) *meaning 2*; (vi) *intransitive verb*; (vt) *transitive verb*; (loc) *locution*; (nm) *masculine noun*; (nf) *feminine noun*; (ptp) *past participle*; (fig) *figuratively*; (gén) *generally speaking*.

3   Using a bilingual dictionary, students correct the badly translated sentences underlined in the extract.

Answers:

1 *Pasteur is <u>weak</u> in / not very good at chemistry.*

2 *He launches <u>into</u> studying chemistry and physics.*

3 *Cold <u>prevents</u> germs from multiplying.*

4 *<u>Thanks to</u> Pasteur, we can preserve . . . .*

5 *He <u>developed</u> animal <u>vaccines</u>.*

6 *(Above all,) He's (best) known for his <u>vaccine</u> against <u>rabies</u>.*

4   Students translate the entire extract into English.

Answer:

Louis Pasteur was born in 1822. At school he was a good student gifted in literature and the arts but weak in chemistry. However, he threw himself into studying physics and chemistry. He became a university professor at the age of 26.

   From 1852 Pasteur studied fermentation. He discovered that it is caused by microbes. He noticed that cold prevents microbes from multiplying and that heat kills them. This method of heating liquids and chilling them rapidly is called 'pasteurization'. Thanks to Pasteur, we can preserve drinks such as milk for much longer. He also discovered that one could save lives by sterilizing surgical instruments. He made discoveries about illnesses which affect animals, such as the silkworm. He developed animal vaccines. But he is best known for his vaccine against rabies. There are now many Pasteur Institutes throughout the world.

Unité 1 La famille

Unit objectives

By the end of this unit students will be able to:
- Talk about their family and how well or badly they get on
- Talk about common parent–teenager disputes
- Give reasons for and against marriage
- Talk about changes in the family unit in society today

Grammar
- Use *depuis*
- Use possessive adjectives
- Use adjectives
- Use definite and indefinite articles

Skills
- Express opinions
- Pronounce some French vowel sounds

page 15

1   Students look at the photos of five different pairs of shoes and speculate on the personalities of the family members they belong to. This activity encourages maximum inventiveness and a detailed fleshing out of the characters.

La vie de famille

pages 16–17

Grammar focus
- *Depuis* and the present tense
- Possessive adjectives

Materials
- Students' Book pages 16–17
- Cassette 1 side 1, CD 1
- Grammar Workbook pages 65 and 7

 1a This activity encourages reading and listening for gist. Play the recording. Students can read and listen to the two testimonies, then answer the questions.

Answers:
1 *Julie*   2 *Julie*   3 *Alain*   4 *Julie*   5 *Alain*   6 *Julie*

---

p 16, activité 1

Alain

Dans ma famille, nous sommes cinq: mes parents, mon frère, ma sœur et moi. Mon frère s'appelle Gilles et ma sœur s'appelle Michèle. Moi, j'ai dix-sept ans, mon frère a vingt ans et ma sœur a dix-huit ans: je suis donc le cadet de la famille.

Ma famille est très unie. Chaque week-end, depuis des années, mes grands-parents maternels viennent manger à la maison. D'habitude, ma grand-mère joue au Scrabble avec ma mère pendant que mon grand-père et mon père discutent avec nous dans la cuisine. Le seul problème, c'est que mes parents travaillent beaucoup tous les deux pendant la semaine et qu'on ne se voit vraiment bien que pendant les week-ends et les vacances. A mon avis, ce n'est pas assez. Je pense qu'on devrait aussi essayer de faire des choses ensemble le reste du temps.

Julie

J'ai seize ans, je suis fille unique et mes parents sont divorcés depuis plus de dix ans.

J'habite avec ma mère pendant la semaine et je passe généralement les week-ends chez mon père. Il s'est remarié et il a maintenant trois autres enfants avec sa nouvelle épouse.

Du coup, j'ai maintenant deux demi-frères et une demi-sœur: Marc (trois ans), Pierre (six ans) et Léa (huit ans). Le problème, c'est que je ne m'entends pas trop bien avec ma belle-mère. Aussi, comme mes demi-frères et ma demi-sœur sont beaucoup plus jeunes que moi, c'est parfois difficile de faire des choses ensemble et il y a des week-ends où je n'ai pas vraiment envie d'aller chez mon père.

1b Students look for synonyms for the expressions given.

Answers:
1 *le cadet*   2 *mes grands-parents maternels*   3 *pendant que*
4 *discutent*   5 *généralement*   6 *du coup*

1c   Students pretend they are Alain's sister, Michèle, and answer the questions.

Answers:
1 *Dans ma famille, nous sommes cinq.*
2 *J'ai deux frères. Gilles a vingt ans et Alain a dix-sept ans.*
3 *Oui, je m'entends bien avec ma famille. C'est une famille très unie.*
4 *Le week-end, mes grands-parents maternels viennent manger à la maison.*

2 In the next recording, David describes his family. Students listen, then answer the questions.

Answers:

1 *Ses parents sont mariés depuis trente-trois ans.*
2 *Alexis est le frère jumeau de David.*
3 *Vanessa a quinze ans.*
4 *Philippe a vingt et un ans.*
5 *Sonia est l'aînée.*
6 *Philippe fait ses études à l'université.*
7 *Kim a deux enfants et Sonia a un bébé.*
8 *David peut sortir au cinéma ou faire du sport avec sa famille.*

---

p 16, activité 2

– Est-ce que tu peux décrire pour nous ta famille?
– Ma famille? C'est une véritable tribu! Il y a d'abord mes parents, qui sont mariés depuis trente-trois ans, et puis bien sûr tous mes frères et sœurs.
– Comment sont tes frères et tes sœurs?
– Mon frère jumeau, Alexis qui a dix-sept ans comme moi, ma sœur Vanessa qui a quinze ans, mon autre frère Philippe qui a vingt et un ans. Enfin, il y a aussi les deux filles que mes parents ont adoptées quand ils étaient professeurs au Cambodge: Kim, qui a vingt-six ans et Sonia qui a trente ans, qui est donc l'aînée des six enfants.
– Qui vit encore à la maison?
– Heureusement, à la maison, il ne reste que moi, Alexis et Vanessa. Philippe est à l'université depuis l'année dernière et Kim et Sonia sont mariées. Kim a deux enfants – une fille et un garçon. Sonia vient juste d'avoir un bébé: une petite fille qui s'appelle Christine et qui a seulement deux mois.
– Tu t'entends bien avec ta famille?
– Oui, surtout parce que je pense que c'est vraiment super d'avoir plein de frères et de sœurs. On peut tous parler ensemble, sortir au cinéma voir des films différents ou encore faire du sport les uns avec les autres. C'est vraiment excellent!

Grammaire

A This activity reinforces the use of the present tense after *depuis*. Students copy out two phrases which use *depuis* from the testimonies of Alain and Julie and translate them.

Answers:

depuis des années   for years
depuis plus de dix ans   for more than ten years

B An exercise in translation to emphasise that in French the present tense is used after *depuis*, whereas in English the past tense would be used to express 'since'.

Answers:

1 *My brother has had a girlfriend for three months.*
2 *I have lived with my mother since last summer.*
3 *My grandparents have telephoned us every evening for years.*
4 *Mes parents sont divorcés depuis un an.*
5 *J'habite Paris depuis 1999.*
6 *Je suis un oncle depuis février.*

3 Working in pairs, students ask their partner six of the questions provided, to find out about their partner and their family.

4 In about 80 words, students are asked to describe their family, using the *Expressions-clés*, possessive adjectives and *depuis*.

Grammaire

A Students search for six examples of possessive adjectives in Alain's and Julie's testimonies.

Answers:

ma famille, mes parents, mon frère, ma sœur, mes grands-parents, ma grand-mère, ma mère, mon grand-père, mon père, sa nouvelle épouse, ma belle-mère, mes demi-frères, ma demi-sœur

B A gap-fill exercise using the correct possessive adjective.

Answers:

1 *mon*   2 *ses*   3 *ma/sa*   4 *ma*   5 *tes*   6 *ses/nos*

C Students rewrite Julie's text in the third person.

Le conflit des générations

pages 18–19

Skills focus
◆ Expressing opinions

Materials
◆ Students' Book pages 18–19
◆ Cassette 1 side 1, CD 1

1a Students read the five testimonies and decide whether they are positive or negative.

1b The five texts contain a number of phrases which are useful when expressing an opinion. Students should comb through the texts and make a list of any expressions which they might find useful.

Answers:

je considère, à mon avis, je crois que, je pense que, je sais que, il me semble que, je me sens, je vois/je ne vois pas comment, je veux/je ne veux pas, j'ai envie de, j'essaie de

1c A matching exercise where students link the opinion to the person, reinforcing some expressions from 1b.

Answers:

1c 2e 3b 4a 5d

 2a The parents of the five teenagers in activity 1 express their views. Students listen, then match the parents to their teenagers.

Answers:

1 *Mme Lacroix – Cécile* **2** *M. Bertrand – Jean-Pierre*
3 *M. Ploy – Amanda* **4** *Mme Michelet – Stéphanie*
5 *Mme Flores – Benjamin*

---

p 19, activité 2

1 Madame Lacroix

Mon mari et moi, nous avons divorcé quand notre fille n'avait que quatre ans. J'ai donc été obligée de travailler pour gagner assez d'argent pour nous deux et ce sont mes parents qui se sont occupés d'elle pendant plusieurs années.

2 Monsieur Bertrand

A mon avis, les adolescents d'aujourd'hui s'habillent n'importe comment et ont des goûts et des loisirs particulièrement étranges. Je déteste la musique que mon fils écoute et je trouve qu'il pratique des sports beaucoup trop dangereux. Il fait du roller, du surf et il aimerait même faire du saut à l'élastique!

3 Monsieur Ploy

Je crois que malgré nos efforts, notre fille n'a toujours pas réalisé qu'elle doit travailler dur si elle veut réussir à ses examens et trouver plus tard un métier bien payé. Elle pense qu'à seize ans, le plus important dans la vie c'est de sortir avec ses amis et d'aller au cinéma.

4 Madame Michelet

Je m'entends très bien avec ma fille. Elle n'a pas peur de me parler de sa vie, de ses problèmes, et je pense qu'elle écoute le plus souvent mes conseils. Je crois aussi que je suis généralement là quand elle a besoin de moi. A mon avis, c'est très important d'établir une bonne relation avec ses enfants, surtout à l'adolescence.

5 Madame Flores

Mon mari et moi, nous avons beaucoup discuté de la façon dont on devrait se comporter avec notre fils à l'adolescence. Nous pensons que c'est très important de faire confiance à un jeune et de lui donner des responsabilités et jusqu'à présent, tout se passe bien!

 2b Play the recording again so that students can add any new phrases which express opinions to the list they started in activity 1b.

Answers:

je trouve que, je déteste

2c In English, students summarize each parent's viewpoint.

Answers:

1 *Madame Lacroix: due to financial pressure following her divorce, she has had to work to support herself and her daughter. This has meant that her own parents have looked after her daughter.*

2 *Monsieur Bertrand: the adolescents of today are incomprehensible. They have strange, even dangerous, tastes and interests.*

3 *Monsieur Ploy: although they have tried to show their daughter how important it is to work hard at school, she thinks it is much more important to go out with her friends.*

4 *Madame Michelet: she believes it is important to be a friend of one's children and so she has tried to be there when needed, to listen and offer advice.*

5 *Madame Flores: she and her husband felt that the best way to help their son through adolescence was to show that they have confidence in him and to give him responsibilities.*

3 In this role-play activity, students work in threes discussing a family situation. Using the *Expressions-clés* where possible, Student A pretends to be a teenager, Student B their mother or father, and Student C takes the role of a family friend who listens and offers their opinion. The group should make notes about the role-play and then report back to the class.

4 Students write a passage describing how well they get on with their own parents.

En plus Students invent a particularly difficult family situation and describe it.

Compétences

1 This activity asks students to read what Luc says and focus on the impact of the phrases he uses to express his opinions.

Pour ou contre le mariage?

pages 20–21

Grammar focus

◆ Agreement and position of adjectives

Materials

◆ Students' Book pages 20–21
◆ Cassette 1 side 1, CD 1
◆ Grammar Workbook pages 8–9
◆ Feuille 6

1a Students answer the questions in the survey, and have the opportunity to use a range of adjectives to describe their ideal partner.

1b Working in pairs, students compare their answers with their partner's.

2a Students read extracts from Christophe's and Claire's opinions about marriage and convey the gist in English.

Answers:
1 *I think marriage is a good way of making things last.*
2 *To be married today is not really a guarantee that you will be together for the rest of your lives.*
3 *The church ceremony was a very emotional moment for everybody.*
4 *It is very easy to change partners when people only live together.*
5 *When you love someone, a piece of paper isn't really important.*
6 *What is important is to show your love and fidelity from day to day.*
7 *I think it is very selfish to have children without being married.*
8 *I think marriage is the most beautiful proof of love one can give to one's partner.*

2b Re-reading the extracts, students decide which opinions they are in agreement with.

🔲 **2c** Christophe and Claire express their views on marriage. Play the recording so that students can listen and decide who is for and who is against marriage.

---

p 21, activités 2c, 2d

Je m'appelle Christophe et je suis marié depuis seulement deux ans. J'ai 27 ans et ma femme, Sylvie, a 29 ans. Pour nous deux, le mariage c'était quelque chose d'extrêmement important. Nos deux familles sont très catholiques et la cérémonie à l'église était un moment très émouvant pour tout le monde. De plus, il y a tellement de couples qui se séparent aujourd'hui, que je pense que le mariage est un bon moyen de rendre les choses plus durables. C'est très facile de changer de partenaire quand on vit seulement en concubinage et je pense que ces couples font moins d'efforts et de compromis que les couples mariés. Sans compter bien sûr le problème des enfants. Je pense qu'il est très égoïste d'avoir des enfants sans être mariés. Ils n'ont pas de nom de famille fixe et en plus, cela peut créer de nombreux problèmes légaux si le couple se sépare. Enfin, j'aime l'idée d'être le mari de Sylvie et pas seulement son petit ami ou son concubin. Ça fait tout de suite plus sérieux. Je crois vraiment que le mariage, c'est la plus belle preuve d'amour qu'on peut donner à quelqu'un.

Je m'appelle Claire, j'ai 32 ans, et je vis avec Antoine depuis plus de huit ans. Nous nous sommes recontrés à la fac alors que j'étudiais la géographie et qu'il passait son DEA d'histoire. Nous ne voulons pas nous marier pour plusieurs raisons. Tout d'abord, nous ne sommes pas religieux et du coup, un mariage à l'église serait vraiment exclu! De plus, quand on aime quelqu'un, un morceau de papier n'est pas vraiment important! L'important, c'est de montrer son amour et sa fidélité au jour le jour. J'ai des amis qui ont vécu pendant longtemps en concubinage et qui se sont finalement mariés quand ils ont décidé d'avoir des enfants. Ils disent que c'est plus facile pour les documents officiels et que c'est un environnement plus stable pour leurs enfants. Moi, je crois personnellement que ce n'est pas une raison valable. Je connais beaucoup de couples mariés qui se disputent et le taux de divorce est tellement élevé en France qu'être marié aujourd'hui ne garantit vraiment pas une vie ensemble pour toujours!

2d Play the recording again so that students can work out who said each of the statements in activity 2a.

Answers:
Christophe: 1, 3, 4, 7, 8; **Claire:** 2, 5, 6.

F 6 **En plus** Feuille 6 offers more detailed listening practice.

3 In twos, students summarize Christophe's and Claire's viewpoints. In five sentences, Student A explains Christophe's view to B and Student B responds by explaining Claire's view.

4 Students are asked whether they are for or against marriage. They need to organize the arguments used into 'for' or 'against' and give their own opinion.

Grammaire

A A gap-fill exercise to revise the rules about position and agreement of adjectives.

Answers:
Adjectives are words that are used to <u>describe</u> something or someone.
In French, they have to <u>agree</u> with the noun they describe — masculine or feminine, singular or plural.
Adjectives usually go <u>after</u> the noun they describe, e.g. un partenaire idéal.
However, some adjectives go before the noun, e.g. une belle femme, une grande maison.

B Students search the examples on the page to find common ways of forming feminine adjectives.

Answers:
Change -eur to -euse, -eux to -euse, -if to -ive, -il to -ille.

C Students copy the table on page 21 and collect as many adjectives as possible from the material on pages 18–19, recording them under the headings given.

D Students search the texts on pages 16 and 18 for any adjectives that are placed before the noun, noting down the adjective along with the noun.

Answers:

p 16 mes parents, mon frère, ma sœur, seul problème, autres enfants, nouvelle épouse
p 18 meilleure amie, bonnes relations, bon conseil

La fin de la famille?

pages 22–23

Grammar focus

◆ Definite and indefinite articles

Skills focus

◆ Reading for gist

Materials

◆ Students' Book pages 22–23
◆ Cassette 1 side 1, CD 1
◆ Grammar Workbook page 6
◆ Feuille 7

1a Students read the statistics and note the figures for the facts given.

Answers:

1 *18 millions* **2** *un sur trois* **3** *27 ans* **4** *5%*
5 *250 000*

1b Students give a sentence to explain each figure.

Answers:

1 *8,3 millions de femmes vivent seules en France.*
2 *21% des familles élèvent trois enfants.*
3 *En moyenne, les femmes en France ont 1,73 enfants.*
4 *Il y a en France 1,2 millions de familles monoparentales.*
5 *Les hommes se marient autour de 29 ans.*

1c Using some of the adjectives given and looking for others, students are asked to express their opinions about the statistics presented.

2 Divide the class into Groups A and B and play the recording about the family life of Alain and Muriel Roc. Group A notes the name, age, and future aspirations of each family member while Group B makes a note of their jobs, place where they live and who looks after Laura. Then the class compares notes and together summarizes the life of the family.

Answers:

Group A: *Alain a 33 ans. Muriel a 30 ans. Ils aimeraient avoir un autre enfant. Laura a dix mois.*

Group B: *Alain est ingénieur en informatique. Muriel est prof d'anglais. Ils habitent un petit appartement près de Bordeaux. Laura passe ses journées à la crèche.*

---

p 22, activité 2

La famille Roc est un modèle de famille française actuelle. Alain et Muriel sont mariés depuis trois ans. Alain s'est marié alors qu'il avait 30 ans et Muriel à l'âge de 27 ans. Ensemble, ils ont une petite fille, Laura, qui a aujourd'hui dix mois. Alain est ingénieur en informatique et travaille chez lui. Muriel est prof d'anglais dans un lycée de banlieue de plus de deux mille élèves. Ensemble, ils habitent dans un petit appartement près de Bordeaux, une grande ville située dans le sud-ouest de la France. Ils aimeraient avoir un autre enfant mais ont peur de ne pas en avoir les moyens. En effet, les parents d'Alain sont tous les deux morts et ceux de Muriel habitent beaucoup trop loin – en Bretagne – pour s'occuper de Laura ou d'un nouveau bébé. De fait, Laura passe ses journées à la crèche et ses parents ne la voient que le soir après le travail et pendant les week-ends ou les vacances.

Grammaire

A Students translate the statements into English, underlining the definite or indefinite articles in their answers.

Answers:

1 *En moyenne, <u>les</u> femmes en France ont 1,73 enfants.*
2 *<u>une</u> famille monoparentale*
3 *<u>Les</u> jeunes ont <u>des</u> enfants plus tard dans la vie.*
4 *<u>Les</u> hommes se marient autour de 29 ans.*
5 *Alain et Muriel ont <u>une</u> petite fille.*
6 *Avoir <u>des</u> enfants coûte cher.*

3a Students read the article about the family in France, then match the titles given with the correct paragraph.

Answers:

A 3 **B** 5 **C** 1 **D** 6 **E** 2 **F** 7 **G** 4

3b The article has been recorded, so allow students to hear it to check their answers to 3a.

---

p 23, activité 3b

La famille française en crise?
La famille française n'est pas réellement en crise. Elle a beaucoup changé, certes, mais tous les sondages le montrent: la famille reste quelque chose d'extrêmement important pour l'écrasante majorité des Français. Les changements, donc? Eh bien, il y en a plusieurs.

---

1 L'allongement de la durée des études
Les jeunes commencent à avoir des enfants plus tard dans la vie, plus près de l'âge de trente ans que de vingt ans, généralement parce qu'ils décident de faire des études plus longues qu'auparavant.

2 L'augmentation du travail des femmes
La plupart des femmes continuent à travailler après leur mariage, ce qui n'était pas le cas auparavant. Faire garder des enfants coûte cher, et pour certaines femmes, être mère peut aussi devenir une forme d'handicap par rapport à une carrière.

3 Le déclin du mariage
Avec un taux de divorce record et un nombre de mariages en baisse, la France connaît une réelle crise du mariage. Les raisons sont complexes mais on peut par exemple citer comme explications possibles le déclin des valeurs religieuses et une acceptation plus générale par la société des couples non-mariés.

4 La création des PACS
Le Pacte Civil de Solidarité est un statut juridique pour les couples non-mariés qui donne des garanties juridiques quasiment équivalentes à celles d'un mariage.

5 Le nombre d'enfants en diminution
C'est un problème que connaissent beaucoup de pays occidentaux avec un nombre d'enfants par famille souvent inférieur à deux. Un chiffre qui s'explique par la généralisation des moyens de contraception et par certains aspects du mode de vie actuel. Ainsi, dans les grandes villes françaises, les logements sont souvent chers et étroits, ce qui dissuade beaucoup de familles d'avoir un très grand nombre d'enfants.

6 L'égoïsme actuel
Beaucoup de personnes choisissent de vivre seules, de vivre en couple non-marié avec peu ou pas d'enfant, pour pouvoir profiter au maximum de leur liberté, de leurs loisirs ou des satisfactions liées à leur travail.

7 L'éclatement géographique des familles
De nombreuses personnes vivent aujourd'hui loin de leurs parents, ce qui limite le nombre et le type d'activités familiales possibles. De fait, cela a aussi beaucoup réduit le rôle que les grands-parents jouent dans l'éducation de leurs petits-enfants.

3c A gap-fill exercise where students find the missing words from the text on the family.

Answers:

1 *Les jueunes ont des enfants plus tard dans la vie.*
2 *Être mère peut être un handicap dans la carrière d'une femme.*
3 *La France connaît une réelle crise du mariage avec un taux de divorce record.*
4 *Le PACS est un statut juridique pour les couples non-mariés.*
5 *Dans les grandes villes françaises, les logements sont souvent chers et étroits.*

6 *Beaucoup de personnes choisissent de vivre seules pour profiter de leur liberté.*
7 *De nombreuses personnes vivent aujourd'hui loin de leurs parents.*

F 7 Compétences

1 Students apply the tips given, and glean the gist of the article on Feuille 7.

Au choix

page 24
Skills focus
◆ Pronunciation and spelling of French vowel sounds

Materials
◆ Students' Book page 24
◆ *Elan en solo* cassette side 1

 1a Students listen to the recording of Alexis' life-style and answer the questions.

Answers:
1 *Il travaille comme programmateur de jeux vidéo.*
2 *Il est heureux dans sa vie.*

---

p 24, activity 1a

Alexis
Pendant la semaine, je me lève à sept heures. Je prends une douche, je m'habille et je mange mon petit-déjeuner. Je quitte la maison autour de huit heures et quart et j'essaie d'attraper le bus de huit heures vingt. D'habitude, j'arrive au travail vers huit heures trente-cinq. Je travaille comme programmateur de jeux vidéo, ce qui me plaît beaucoup.

Le soir, je finis à 18 heures et je rentre à la maison à pied pour faire un peu de sport. Une fois rentré, j'avale un repas surgelé et je travaille un peu sur mon ordinateur. Je regarde rarement la télé mais j'écoute beaucoup de musique et je lis toujours avant d'aller me coucher.

Le week-end, je sors beaucoup. Le samedi, je rends visite à mes parents et le soir, je vais au cinéma avec des copains. Le dimanche, je fais du VTT et je joue au tennis avec mon beau-frère. Résultat? Je suis toujours épuisé le dimanche soir et j'ai du mal à me lever chaque lundi matin!

J'adore être célibataire parce que ça me permet d'avoir un maximum de liberté. Aussi, je pense qu'avec mon rythme de vie, je ne pourrais pas être un bon père ou un bon mari. Alors, pour l'instant, je veux profiter à fond de toutes les choses que je peux faire. Le reste, on verra plus tard!

S 🔊 **1b** Students listen to Alexis' account once more while reading the text. They should note down the verbs which are missing.

Answers:

1 *me lève* 2 *prends* 3 *m'habille* 4 *mange* 5 *quitte*
6 *essaye/essaie* 7 *arrive* 8 *finis* 9 *rentre* 10 *avale*
11 *travaille* 12 *regarde* 13 *écoute* 14 *lis* 15 *sors*
16 *rends* 17 *vais* 18 *fais* 19 *joue* 20 *suis* 21 *ai*
22 *adore* 23 *pense* 24 *veux* 25 *peux*

1c Students rewrite the text in the third person.

1d Students find five arguments for and five against life as a single. Then they can discuss their own point of view with the rest of the class.

2 15-year-old Claude wants to go to a night-club on Saturday night. In the role of his father or mother, students work either on their own to prepare a speech or with a partner to prepare a conversation. Their style of address should be considered and about 5 minutes preparation time allowed for 1–2 minutes speaking time.

3 This activity gives students the chance to give their own opinion on whether they are closer to their friends or their family.

Phonétique

S 🔊 **1** Students listen to words containing the sounds of six French vowels (a, é, è, i, o, u) and repeat them.

---

p 24, Phonétique

Les voyelles: a, é, è, i, o, u
a
– habite, déjà
– femme
è
– frère, fête, treize, aide, aîné
– vaisselle, ancienne, princesse, baguette
é
– télévision, lycée, aller, pied, chez, mes
– effet, essayer
i
– ici, dîner, lycée, égoïste, prix, nuit
o
– chose, faux, beaucoup, bientôt
u
– musique, sûr

Copymasters

Feuille 6

🔊 **1a** Students listen to the recording of Christophe's views in favour of marriage and tick the correct answers.

Answers:

1 a 2 b 3 a 4 c 5 b

F6, activité 1

Je m'appelle Christophe et je suis marié depuis seulement deux ans. J'ai 27 ans et ma femme, Sylvie, a 29 ans. Pour nous deux, le mariage était quelque chose d'extrêmement important. Nos deux familles sont très catholiques et la cérémonie à l'église était un moment très émouvant pour tout le monde. De plus, il y a tellement de couples qui se séparent aujourd'hui, que je pense que le mariage est un bon moyen de rendre les choses plus durables. C'est très facile de changer de partenaire quand on vit seulement en concubinage et je pense que ces couples font moins d'efforts et de compromis que les couples mariés. Sans compter bien sûr le problème des enfants. Je pense qu'il est très égoïste d'avoir des enfants sans être mariés. Ils n'ont pas de nom de famille fixe et en plus, cela peut créer de nombreux problèmes légaux si le couple se sépare. Enfin, j'aime l'idée d'être le mari de Sylvie et pas seulement son petit ami ou son concubin. Ça fait tout de suite plus sérieux. Je crois vraiment que le mariage, c'est la plus belle preuve d'amour qu'on peut donner à quelqu'un.

1b Students listen to the recording again and note down the 20 words missing from the extract.

Answers:

plus, aujourd'hui, mariage, choses, facile, partenaire, vit, moins, mariés, enfants, egoïste, enfants, nom, se, mari, petit, concubin, sérieux, amour, donner.

🔊 **2a** Students listen to the recording of Claire's views against marriage and tick the correct answers.

Answers:

1 b 2 b 3 c 4 b 5 b

F6, activité 2

Je m'appelle Claire, j'ai 32 ans, et je vis avec Antoine depuis plus de huit ans. Nous nous sommes rencontrés à la fac alors que j'étudiais la géographie et qu'il passait son DEA d'histoire. Nous ne voulons pas nous marier pour plusieurs raisons. Tout d'abord, nous ne sommes pas religieux et du coup, un mariage à l'église serait vraiment exclu! De plus, quand on aime quelqu'un, un morceau de papier n'est pas vraiment important!

L'important, c'est de montrer son amour et sa fidélité au jour le jour. J'ai des amis qui ont vécu pendant longtemps en concubinage et qui se sont finalement mariés quand ils ont décidé d'avoir des enfants. Ils disent que c'est plus facile pour les documents officiels et que c'est un environnement plus stable pour leurs enfants. Moi, je crois personnellement que ce n'est pas une raison valable. Je connais beaucoup de couples mariés qui se disputent et le taux de divorce est tellement élevé en France qu'être marié aujourd'hui ne garantit vraiment pas une vie ensemble pour toujours.

2b Students listen to the recording again and note down the 20 words missing from the extract.

Answers:

quelqu'un, papier, vraiment, de, fidélité, jour, amis, pendant, sont, des, disent, stable, crois, raison, mariés, disputent, divorce, France, ensemble, toujours

Feuille 7 Compétences en plus

1 Students read the extract and match the words with their translations.

Answers:

1 j **2** h **3** a **4** k **5** l **6** c **7** b **8** d **9** f
10 e **11** g **12** i

2 Students choose the appropriate paragraph headings.

Answers: **1** a **2** c **3** c

3 Students reread the text and answer the questions.

Answers:

1 *Parce qu'elle est devenue la mère la plus âgée au monde.*
2 *Dr Severino Antinori*
3 *A Rome*
4 *Permettre à des femmes ménopausées d'avoir un enfant.*
5 *De nombreux débats dans plusieurs pays.*

4 Write a sentence in English summarizing the text.

Feuille 8 Phonétique en plus

1 Students sort the 25 words according to their vowel sounds and fill in the table.

Answers: (see the transcript box below)

			F8, activité 1
cinéma	celui	bas	écoutez
père	juillet	opéra	avoir
dîner	mâle	neige	bâton
assez	fraise	habiter	midi
argent	finit	pas	moquette
manger	musée	qui	plongée
âne			

2 Listening carefully to the recording, students circle the word heard from each pair.

Answers: (see the transcript box below)

			F8, activité 2
opéra	athé	donna	cache
six	saler	bas	cible
tâter	aider	bâche	mare
père	cédre	nid	neiger
guère	lait	avis	mêle

3 Students listen to the cassette and circle the speaker with the best pronunciation.

Answers: (circled in the transcript box below)

					F8, activité 3
1 man	(mardi)		11 man	(gîte)	
woman	marde		woman	jette	
2 man	(allez)		12 man	(veine)	
woman	alli		woman	vine	
3 man	parfa		13 man	feume	
woman	(parfait)		woman	(femme)	
4 man	lacet		14 man	file	
woman	(lycée)		woman	(filer)	
5 man	affet		15 man	(guitare)	
woman	(effet)		woman	guitare	
6 man	(essai)		16 man	(exercice)	
woman	essa		woman	euxercice	
7 man	(équipe)		17 man	stylé	
woman	euquipe		woman	(style)	
8 man	ami		18 man	(forêt)	
woman	(âme)		woman	fori	
9 man	(seize)		19 man	(elle)	
woman	size		woman	île	
10 man	pâche		20 man	chaque	
woman	(pêche)		woman	(cheque)	

Unité 2 Droits et responsabilités

Unit objectives

By the end of this unit students will be able to:

- Discuss ways of being independent
- Describe young people's rights
- Discuss free speech
- Describe what makes a 'good' citizen
- Talk about different types of voluntary work

Grammar

- Use verbs followed by an infinitive
- Use negatives
- Use partitive articles

Skills

- Take notes when listening
- Speak from notes and make a spoken record of work
- Write a summary in English
- Pronounce open and closed 'e' sounds

page 25

1a The survey prompts students to assess some of their values and to consider some global issues. They should answer the survey and put the points in order of importance.

 1b Students listen to the results of the survey among French young people and note down the percentages.

---

p 25, activité 1b

Les questions du sondage ont été posées à des jeunes de 15 à 18 ans en France. Voici les résultats.

Question 1: A votre avis, qu'est-ce qu'il faut faire pour réussir sa vie? Je vous donne les pourcentages par ordre d'importance:

1 exercer un métier passionnant 97%
2 réussir sa vie familiale 93%
3 défendre une grande cause 75%
4 vivre un grand amour 68%
5 avoir beaucoup de temps libre 56%
6 gagner beaucoup d'argent 53%

Question 2: A votre avis, quels sont les problèmes à traiter en priorité?

1 le chômage 90%
2 le SIDA 71%
3 l'exclusion 38%
4 l'aide au Tiers-Monde 33%
5 la criminalité 30%
6 l'environnement 29%

1c Students compare their own results with those from France and, if there are any significant differences, consider why.

2a Students choose the correct verb to fill the gaps.

Answers: 1 D 2 E 3 H 4 B 5 C 6 G 7 A 8 F

2b To reflect their own opinions about what constitutes adulthood, students place the eight points in descending order of importance

2c Working in pairs, students compare their results.

Signes d'indépendance

pages 26–27

Grammar focus

- Verbs followed by an infinitive

Skills focus

- Taking notes when listening

Materials

- Students' Book pages 26–27
- Cassette 1 side 2, CD 1
- Grammar Workbook pages 70–71
- Feuille 9

1a Having read Juliette's, Olivia's and Thierry's texts, students complete the sentences with the correct person's name.

Answers: 1 T 2 J 3 J 4 O 5 O 6 O

1b Imagining that they are the parent of an adolescent, students consider what degree of independence they would allow them. They can refer back to the text as necessary to justify their answers.

1c This activity requires students to translate the sentences marked in italics in the text.

Answers:

I think I am (quite) independent (enough).

I believe/think that my parents have confidence in me.

Having a little freedom is the best way to learn to become an adult.

I am not allowed to go out during the week and, at the weekend, I must return home before midnight.

It is important for me to learn how to manage my free time.

I must still obey my parents about certain things.

I can go out with my friends when I want.

I have to/am obliged to tell my parents where I am going and with whom.

2 'Do you think you are independent enough?'
Students answer this question, using the *Expressions-clés* to explain why.

3a Pascal, Audrey and Emma talk about the pros and cons of their jobs. Play the recordings and ask students to fill out a form (along the lines of the one provided) for each of them.

Answers:

Pascal: 16 ans; vendeur dans un magasin de sport; horaires de travail: samedi 10.00–19.00; salaire: 228 euros par mois; aspect(s) positif(s): Il rencontre des gens sportifs et il gagne de l'argent pour payer ses sorties de sport et pour acheter de l'équipement.; aspect(s) négatif(s): Le magasin est très loin de chez lui.

Audrey: 18 ans; bibliothécaire; horaires de travail: 18.00–20.00 en semaine et 14.00–19.00 le samedi; salaire: 450 euros par mois; aspect(s) positif(s): Elle adore lire et l'emploi est tout près de chez elle.; aspect(s) négatif(s): Elle n'a pas assez de temps de libre pour étudier pour son bac.

Emma: 17 ans; elle fait des crêpes dans une crêperie; horaires de travail: 11.00–19.00 le samedi et le dimanche; salaire: 60 euros par week-end; aspect(s) positif(s): L'emploi ne demande pas d'efforts intellectuels.; aspect(s) négatif(s): Ce n'est pas intéressant et peut devenir stressant.

---

p 27, activité 3

1

– Bonjour, je m'appelle Pascal. J'ai seize ans et je travaille dans un grand magasin de sport tous les samedis de 10 heures à 19 heures.

– Est-ce que tu aimes ton petit boulot?

– Oui, j'adore ce job parce que je suis fou de plongée et de VTT et que cela me permet de rencontrer des gens sportifs comme moi.

– Tu gagnes combien?

– Je gagne environ 228 euros par mois que je dépense presque toujours en matériel de sport! En effet, comme mes parents n'ont pas beaucoup d'argent, travailler c'est le seul moyen pour moi de pouvoir payer mes sorties de sport et d'acheter le type d'équipement qu'il faut.

– C'est donc une expérience plutôt positive?

– Oui. Le seul problème avec ce petit boulot, c'est que le magasin est très loin de chez moi et qu'il faut que je me lève à sept heures et demie pour être sûr de ne pas rater le bus.

2

– Salut! Je m'appelle Audrey et j'ai dix-huit ans. Je viens de trouver un petit boulot dans la bibliothèque de mon quartier.

– Tu travailles combien d'heures par semaine exactement?

– Je travaille tous les soirs de 18 heures à 20 heures, plus le samedi après-midi de 14 heures à 19 heures.

Au total, je travaille quinze heures par semaine et je suis payée 450 euros par mois.

– Est-ce que tu aimes ton nouveau job?

– Oui, j'aime bien cet emploi parce que j'adore lire et qu'il ne me faut que cinq minutes pour aller sur mon lieu de travail. Par contre, c'est devenu beaucoup plus difficile pour moi d'étudier pour mon bac puisque j'ai moins de temps de libre.

– Tu penses que c'est important pour un jeune d'avoir un petit boulot?

– Oui. Personnellement, je crois que c'est très important d'avoir un petit boulot. C'est le meilleur moyen d'être indépendant financièrement et d'apprendre à travailler avec d'autres personnes.

3

– Bonsoir, je m'appelle Emma. J'ai dix-sept ans et je suis en première dans un lycée de Lyon.

– Pourquoi as-tu décidé de travailler?

– J'ai décidé d'avoir un petit boulot parce que je voudrais faire un grand voyage en Australie l'été prochain avec mes amis et il faut que j'économise beaucoup d'argent pour cela.

– Tu travailles où exactement?

– Mon petit boulot est dans une crêperie du centre-ville. Je travaille le samedi et le dimanche de 11 heures à 19 heures. C'est assez bien payé – 60 euros par week-end – mais ce n'est pas vraiment intéressant. Je passe des heures à faire des crêpes et quand il y a beaucoup de clients, cela peut devenir très stressant.

– Il y a quand même des avantages, non?

– Le seul avantage, c'est que cela ne demande pas beaucoup d'efforts intellectuels, alors c'est assez reposant par rapport au travail de l'école.

3b Play the recording again so that students can make a note of the reasons why the three young people have decided to have a job.

Answers:

Pascal: C'est le seul moyen de payer pour ses intérêts.

Audrey: Avoir un petit boulot, c'est le meilleur moyen d'être indépendant financièrement et d'apprendre à travailler avec d'autres personnes.

Emma: Elle voudrait faire un grand voyage en Australie, donc il faut qu'elle économise beaucoup d'argent.

Grammaire

A Students find in the text an example of: a verb followed directly by an infinitive; a verb linked to the infinitive by the preposition *à*; a verb linked to the infinitive by the preposition *de*.

Answers:

devoir; pouvoir; penser

à: rentrer à; commencer à; apprendre à

de: permettre de; refuser de; obliger de

29

B Students complete the sentences.

Possible answers:

a *sortir en semaine.* **b** *partir seule en vacances.*
c *être indépendant.* **d** *dire où je vais.* **e** *être souvent loin.*
f *sortir avec ses amis.* **g** *apprendre à gérer son temps libre.*
h *avoir de la liberté.* **i** *fumer.*

Compétences

This section gives students advice on taking notes when listening.

F 9 Feuille 9 gives further practice in note-taking.

4 Students write a short paragraph to explain what, in their opinion, the signs of independence are for a young person.

Les droits des jeunes

pages 28–29

Grammar focus

◆ Negatives

Skills focus

◆ Speaking from notes

Materials

◆ Students' Book pages 28–29
◆ Cassette 1 side 2, CD 1
◆ Grammar Workbook pages 68–69

1a Students decide whether the statements about the rights of young people in France are true or false.

Answers:

1 *Vrai* **2** *Vrai* **3** *Faux* **4** *Faux* **5** *Faux* **6** *Faux*
7 *Vrai* **8** *Faux* **9** *Vrai* **10** *Vrai*

 1b Play the recording so that students can check whether their answers are correct.

---

p 28, activité 1b

1 Vrai. Il faut avoir 18 ans pour pouvoir voter.
2 Vrai. On peut conduire une voiture à l'âge de 16 ans, à condition d'être accompagné d'une personne majeure qui a son permis de conduire.
3 Faux. Le tabac est en vente libre.
4 Faux. Il est interdit de fumer dans certains endroits.
5 Faux. La vente d'alcool est interdite aux moins de 14 ans.
6 Faux. Un jeune qui a entre 16 et 18 ans a le droit de boire du vin ou de la bière.
7 Vrai. On n'a pas le droit de boire de l'alcool dans les établissements scolaires.

---

8 Faux. Pour aller en boîte, il faut avoir au moins 16 ans.
9 Vrai. Dans les bars et les cafés, l'âge minimal est fixé à 16 ans.
10 Vrai. Au cinéma, certains films sont interdits aux moins de 13 ans, d'autres aux moins de 16 ans ou aux moins de 18 ans.

2a Students read the list of rights and decide which is the correct form of the verbs in parentheses.

Answers:

1 *est* **2** *existe* **3** *n'est pas* **4** *ne peut pas* **5** *ont*
6 *n'est pas* **7** *ne peut pas* **8** *ne peut pas*

 2b Play the recording so that students can verify their answers. Find out how many correct answers there are around the class.

---

p 28, activité 2b

1 L'instruction est obligatoire de 6 à 16 ans.
2 Le droit de publication (journaux, tracts, etc.) existe dans les lycées.
3 Pour les mineurs, l'autorisation des parents n'est pas nécessaire pour avoir un moyen de contraception.
4 Un mineur ne peut pas quitter le domicile familial sans la permission de ses parents.
5 Les parents ont l'obligation de nourrir, héberger, élever leur enfant jusqu'à sa majorité à 18 ans.
6 Le droit au secret du courrier n'est pas garanti avant l'âge de 18 ans.
7 Un mineur ne peut pas se marier sans le consentement de ses parents.
8 Légalement, un jeune ne peut pas faire de "petits boulots" avant l'âge de 14 ans.

En plus There is scope for discussion as students think up five new rights to add to the list.

3a Students read the extract on the rights of young people from the government Internet site and then answer the questions.

Answers:

1 *oui* **2** *oui* **3** *non* **4** *non* **5** *non*

3b A gap-fill exercise where students complete the pairs. The corresponding verb or noun can be found in the extract.

Answers:

1 *punir* **2** *gifle* **3** *privation* **4** *atteinte* **5** *maltraitance*
6 *autorisation*

4a Working in pairs, students think of three questions they would like to ask the Internet site.

4b Students anticipate what the responses to their questions might be.

5 Students write a quiz based on the theme of the rights of young people in the UK.

6 Using the material presented on pages 28–29, students explain what legal rights a 14-year-old, a 16-year-old and an 18-year-old have in France. This activity asks students to make suitable notes and then to use them as the basis for a talk.

Compétences

This section gives students advice on speaking from their notes.

Liberté d'expression

pages 30–31

Skills focus

◆ Writing a summary in English

Materials

◆ Students' Book pages 30–31
◆ Cassette 1 side 2, CD 1
◆ Feuille 10

1a This activity stimulates students to consider where the boundary between freedom of expression and irresponsible acts may lie. They should read the six sentences and decide which category the behaviour falls into. They can record their views as a list or a table.

1b Students extend the list in activity 1a with other ideas of their own.

2a This activity will help to build the skill of writing summaries in English. Having read the interview, students note in English the salient points in each paragraph.

Answers:
Paragraph 1
Jean-Pierre wants to be a journalist. He thinks young people should use their right of expression to the full. The school newspaper provides a good way to voice an opinion.
Paragraph 2
The newspaper, called La Loupe, *represents the work of a team of over 30 young people. It is published every two months and contains articles, poems, small ads and cartoon strips.*
Paragraph 3
An article about the standard of food in the cantine provoked a storm but resulted in an improved menu. Therefore the newspaper does have some influence in the school.

2b Students re-read the interview and then fill in the gaps in the summary.

Answers:
school Toulouse journalist 30 months by for articles rights cartoon strip advertisements food/cantine meals

F 10 En plus Students are referred to the *Compétences* box and Feuille 10.

Compétences

This section give students advice on writing a summary in English.

3a Students plug the gaps in the three texts with the correct verb, revising the grammar from page 27.

Answers:
Alfred: *dessiner, provoquer, de rester, d'embellir*
Pascal: *s'exprimer, d'être, à respecter, à faire*
Yassinda: *d'écrire, donner, chanter, à rester*

3b Each paragraph in activity 3a can be summarized in English.

Answers:
Although he knows it is illegal, Alfred likes to provoke a reaction by decorating the city walls and métro doors with graffiti.
The right to vote is, according to Pascal, the best means of self-expression as it allows a person both to respect others and to influence events.
Yassinda loves singing and writes rap to get her opinions about important issues across.

4a Students listen to the recording of an interview on the radio and answer the questions in English.

Answers:
1 *post office workers, teachers, students* **2** *Nantes* **3** *Marc*
4 *17, no* **5** *People march, shout, get worked up and publicize their problems in a ridiculous way.* **6** *a meeting room*

---

p 31, activité 4

– Depuis plusieurs jours, les manifestations se succèdent dans les rues de France pour protester contre les dernières mesures d'économie du gouvernement. Postiers, enseignants, lycéens, autant de groupes de personnes différents qui ont tous choisi le même mode d'expression: défiler dans les rues du pays pour se faire entendre.

   Aujourd'hui, nous avons dans le studio deux lycéens de Nantes qui ont des vues opposées sur la question. Marc, qui a déjà manifesté trois fois cette semaine, et Sophie qui pense que défiler dans les rues n'aide pas vraiment la cause des lycéens.

– Donc, Marc, tout d'abord. Bonjour.

– Bonjour.

– Pourquoi avez-vous choisi de défiler?

– Eh bien, je pense que c'est un droit très utile et qu'on doit pouvoir l'utiliser dans des cas extrêmes. Par exemple, dans mon cas, je n'ai que dix-sept ans, ce qui veut dire je ne peux pas encore voter. Donc, pour moi, manifester représente le seul réel moyen d'expression à ma disposition. De plus, l'union fait la force, et quand des milliers de personnes manifestent ensemble, le gouvernement est réellement obligé de les remarquer!

– Sophie? Vous êtes d'accord?

– Non, pas du tout. Je crois que Marc ne voit qu'une partie du problème. Certes, je pense que manifester est effectivement un droit important dans un pays démocratique. Cependant, je crois aussi qu'une manifestation ne fait pas vraiment avancer les choses. Les gens marchent, crient, s'énervent et exposent leurs problèmes souvent de façon caricaturale. A mon avis, une salle de réunion au calme est un bien meilleur endroit que le bitume d'une rue pour exprimer ses opinions!

4b Students note, in English, the arguments for and against demonstrations.

Answers:

For: *It is a right which is useful to exercise in extreme situations. For those who can't vote, it is the only means of conveying one's views. There is strength in numbers and the government has to take a crowd of thousands seriously.*

Against: *Demonstrations don't really influence events. People publicize their problems in a ridiculous way so they are not taken seriously.*

5 Having considered the material in the unit so far, and making use of the vocabulary and grammatical structures covered, students can give a talk on where, in their own opinion, the limits to one's freedom of expression should be.

Citoyens, citoyennes

pages 32–33

Grammar focus

◆ Partitive articles

Materials

◆ Students' Book pages 32–33
◆ Cassette 1 side 2, CD 1
◆ Grammar Workbook page 7

1a Students read the four extracts and summarize the young people's views in English. The *Compétences* box on page 31 is a useful reminder of the approach to take.

Answers:

Lionel: *A good citizen is law-abiding and has a helpful attitude to others, especially those who are vulnerable.*

Elisa: *A perfect citizen is one who involves themselves whole-heartedly in the issues surrounding them. Not to be involved is to refuse to accept one's civic responsibilities.*

Didier: *It is not possible to be perfect as we all make mistakes. However, it is important to try to make as few mistakes as possible and to consider the people around us.*

Paule: *People who help others and try to behave well are good citizens, while those who do the opposite and are racist or violent are not.*

1b A list has been started to help define qualities shared by good citizens and by bad citizens. Students can trawl through the texts again for further examples and also add their own ideas.

 2a Play the radio advertisement encouraging young people to do voluntary work. Students should listen to the recording and then link the key words into pairs.

Answers

nettoyer / plages   posters / SOS Racisme
médicaments / Tiers-Monde   personnes âgées / hôpital
repas / sans-abri   enfants / devoirs   jeunes / football
argent / cancer

p 32, activité 2

– Je collecte de l'argent pour la recherche sur le cancer.
– J'emballe des médicaments destinés au Tiers-Monde pour Médecins Sans Frontières.
– Je prépare des repas avec les Restos du Cœur pour des sans-abri.
– J'entraîne des jeunes des cités défavorisées à jouer au football.
– Je tiens compagnie le soir à des personnes âgées qui sont seules à l'hôpital.
– Je vais nettoyer des plages de la côte Atlantique le week-end.
– J'aide des enfants d'école primaire à faire leurs devoirs le samedi après-midi.
– Je pose des posters pour SOS Racisme dans mon quartier.
– Et vous? Que faites-vous pendant votre temps libre? Si la réponse est "rien" ou même "pas grand-chose", pourquoi ne pas essayer un peu de bénévolat? Parce qu'il y a sûrement quelqu'un, quelque part, qui apprécierait vraiment que vous lui donniez un peu de votre temps.

2b Play the recording again so that students have the chance to explain what each person does.

2c Students imagine that they are one of the young people in the advertisement and explain, in French, why they have chosen to do this voluntary work.

3a Having read Catherine's first reply, students answer the questions in English.

Answers:

1 *She works at an animal refuge every weekend.* **2** *Patience and courage.* **3** *Restoring the animals' confidence, washing them and stroking them.*

3b Students read Catherine's second response and summarize, in English, the reasons why she chose this work.

Answers:

She loves animals and finds it rewarding to know that she is helping them. She wants to be a vet and believes that work at the animal refuge will be good preparation.

4 Students consider what voluntary work they themselves might like to do and give reasons for their choice.

Grammaire

A Students list all the partitive articles in the interview with Catherine.

Answers: de la, du, des, de l'

B Students fill the gaps in the sentences with the appropriate partitive article.

Answers: **a** *du* **b** *des* **c** *de l'* **d** *de la*

Au choix

page 34

Materials

◆ Students' Book page 34
◆ *Elan en solo* cassette side 1
◆ Feuille 11

S 🔊 **1a** Students listen to an advertisement for a Youth Card and then answer the questions.

Answers:

1 *moins de 26 ans* **2** *des milliers d'avantages*
3 *la culture, le tourisme, la restauration, le transport, les loisirs*
4 *toute l'Europe*

> **p 34, activité 1**
>
> – Vous avez moins de 26 ans? Vous n'avez plus aucun souci à vous faire: grâce aux milliers d'avantages que vous propose la Carte Jeunes vous allez pouvoir vivre autrement! Qu'est-ce qui vous intéresse?

> La culture, le tourisme, la restauration, le transport, les loisirs ou encore la santé …? La Carte Jeunes est partout. Et parce qu'elle souhaite toujours aller plus loin, la Carte Jeunes ne s'arrête pas aux frontières de l'hexagone: elle vous ouvre toutes les grandes portes de l'Europe.

---

2 Students prepare a short presentation on one of the following subjects: the signs of independence for young people, young people's rights, freedom of expression, a good citizen's responsibilities. They will find it useful to refer to the *Compétences* box on page 29.

3 Students choose one or two of the activities suggested to do either or their own or with a partner. They could make a poster explaining ten rights young people have in France; write a leaflet to encourage youngsters to behave like good citizens; write the words for a rap about freedom of expression.

F 11 En plus This refers students to Feuille 11.

S 🔊 Phonétique

1 Students listen to words containing open and closed 'e' sounds and repeat them. Point out that there are various ways of spelling the sounds in words: open 'e' can be *è*, *ê*, *ère*, *ais*, *ait*, and closed 'e' can be *é*, *er*. The spelling *er* has a closed 'e' sound as a verb ending, but can also be an open 'e', e.g. in *ouvert, merci*.

> **p 34, Phonétique**
>
> é
> – liberté, réussir, métier, école, indépendant
> ai
> – faire, aide, maison, parfait, vraiment
> è
> – bibliothèque, système, succède, être, crêpes
> ère
> – chère, père, mère, frère, colère
> er
> – aller, donner, changer, essayer, expliquer

Copymasters

Feuille 9 Compétences en plus

🔊 **1a** Students listen to Helen outline how much freedom her parents allow her and answer the questions.

Answers:

1 *le vendredi soir* **2** *le samedi après-midi*
3 *le samedi soir* **4** *le dimanche soir* **5** *sa sœur* **6** *sa mère*
7 *ses amis* **8** *sa meilleure amie, Cécile*

F9, activité 1a

Hélène

Je sors plusieurs fois pendant le week-end. Le vendredi soir, je vais à la piscine avec ma sœur, le samedi après-midi, je fais du shopping en ville avec ma mère, le samedi soir je vais en boîte avec mes amis et, enfin, le dimanche soir je vais au cinéma avec ma meilleure amie, Cécile.

Par contre, je n'ai pas le droit de sortir en semaine et mes parents vérifient régulièrement mes résultats scolaires. D'habitude, j'ai de bonnes notes, mais s'il m'arrive d'avoir de mauvaises notes, ils m'interdisent de sortir pendant un week-end ou deux. Du coup, je travaille dur au lycée!

1b   Students listen to the recording again and circle the correct words.

Answers:

1 *n'a pas*   **2** *vérifient régulièrement*   **3** *bonnes*
4 *travaille dur*

2   Using the information in 1a, students give a short talk to convey what Hélène has said.

3   Students listen to Cédric describing an average week and then answer the questions.

Answers:

1 *17 ans*   **2** *une seule fois*   **3** *sa petite amie*   **4** *dans une discothèque*   **5** *le samedi après-midi*   **6** *son frère*   **7** *en forêt*
8 *il va à la pêche*   **9** *avec son père*   **10** *trop regarder la télé*
11 *'La Guerre des Etoiles'*   **12** *ils ont beaucoup de responsabilités*   **13** *de pouvoir sortir, danser, se détendre avec ses amis*   **14** *pas trop stricts*   **15** *avant minuit*   **16** *il ne peut pas fumer ou boire de l'alcool*   **17** *quand il veut*

F9, activité 2

Cédric

J'ai dix-sept ans et je sors une seule fois par semaine, le samedi soir. Ma petite amie vient me chercher en voiture et nous allons tous les deux passer la soirée dans une discothèque.

Le samedi après-midi, je fais aussi du vélo avec mon frère en forêt et je vais parfois à la pêche le dimanche avec mon père. Je n'aime pas trop regarder la télé, par contre j'adore aller au cinéma. Mon film préféré? "La Guerre des Etoiles", bien sûr!

Je pense que les jeunes d'aujourd'hui sont assez stressés parce qu'ils ont beaucoup trop de responsabilités. Je crois donc que c'est important pour un adolescent de pouvoir sortir, danser, se détendre avec ses amis. De fait, mes parents ne sont pas trop stricts. Ils veulent juste que je rentre avant minuit et ils ne veulent pas que je fume ou que je boive de l'alcool. Par contre, j'ai le droit d'inviter des amis à la maison quand je veux.

4   To reinforce work with numbers, students listen to the recording and note, in French, what they have heard.

Answers: *See tapescript.*

F9, activité 3

1 trois enfants
2 six août
3 260 000 personnes
4 14,75 %
5 1994
6 RN 15
7 deux amis
8 A320
9 vol BA 086
10 66 écoles

Feuille 10 Compétences en plus

1   Students read the text and choose which points are key and which are not.

Answers: a, b, c, d, f and h are key points.

2   Students re-read paragraph 2 and list the key points in English.

Answers: It is hard work; the end result is worth it; when they leave, the beach is clean.

3   Students re-read the text and then study the two summaries. They should decide which of the two is the best and say why.

Possible answer:

Résumé B is better as it covers all of the key points and is accurate. It is also good as it is not a direct translation.

Feuille 11 A vous!

1   Working in pairs, students use the two forms as the basis for an improvised dialogue. Student A pretends to be Laurent while Student B asks him questions about his job. Then they should change over roles with Student B taking the role of Béatrice.

2   Students consider who, in their opinion, has the more difficult job, Laurent or Béatrice. They write a short piece to compare the two jobs using phrases such as 'tandis que' and 'alors que'.

3   Students make a written response to the two questions. They should weigh up what degree of independence they have and say what they consider to be the main indicators of independence for a young person.

4 After extending the table with their own ideas, students should try to talk for two minutes on the topic, 'Strict parents: a blessing or a handicap?'.

5 Working in a similar way to activity 4, students can draw up their own list of pros and cons and then give a two-minute oral presentation on the topic, 'What are the advantages and disadvantages of having a job?'

Révisions Unités 1–2

1 Looking closely at the illustration of a family from the 1950s, students prepare a response to the questions. They should mention what is happening in the image; what the main differences are between a family of that era and nowadays; what the pros and cons of each era are; and what they feel would be their model of the ideal family.

2 Students listen to Bastien and Sylvie talking about their family life. Then, using the bullet points as a guide, they should summarize the item in English.

Possible answer:

Bastien is unhappy as an only child because he often feels lonely. His parents are still at work when he comes home from school and he thinks that if he had a brother or sister he would have someone to share his activities with. Sylvie, on the other hand, feels that she receives her parents' undivided attention. Having no brothers and sisters to compete with means that she has a larger bedroom and more clothes. She wouldn't like to be part of a large family as she believes that would entail more chores and arguments.

---

p 35, activité 2

Bastien
Je n'aime pas trop être fils unique. Quand je rentre le soir de l'école et que mes parents sont encore au travail, je me sens souvent très seul. Ce serait beaucoup mieux si j'avais une sœur, ou surtout un frère, parce qu'on pourrait par exemple discuter ensemble ou jouer au foot dans le jardin quand nos parents ne sont pas là.

Sylvie
J'adore être fille unique. Je peux profiter au maximum de mes parents, j'ai une grande chambre rien que pour moi, plus de vêtements que mes copines et surtout, je ne dois pas m'occuper d'un petit frère ou d'une petite sœur. Personnellement, je détesterais faire partie d'une famille nombreuse. A mon avis, quand il y a beaucoup de personnes dans une famille, il y a plus de disputes!

---

3 After listening to the recording, students fill the gaps in the summary with words from the box.

Answers:

vis, vingt, avons, nous marier, jeunes, a, concubinage, mariage, mairie, église, rituel, Laura, mariage, ensemble, divorcer.

---

p 35, activité 3

Olivier (27 ans) et Laura (25 ans) vivent ensemble depuis presque sept ans, et ils n'ont aucune intention de se marier. Comme beaucoup de jeunes Français, ils ont choisi l'option du concubinage, avec papiers officiels au commissariat mais sans les cérémonies d'un mariage à l'église ou à la mairie. Pour Olivier, "tout ça n'est qu'un rituel sans véritable signification". Pour Laura, "le mariage ne veut même plus dire qu'on sera ensemble pour toujours puisqu'on peut divorcer, alors à quoi bon?"

---

4 Referring to the table of statistics, students write a 50-word answer saying whether or not they believe that the family is in crisis in Britain.

5a Students read the five small ads and then correct the errors in the statements given.

Answers:

a Un surveillant de baignade avec un diplôme BEESAN gagne 1100 € bruts par semaine.
b Un contrôleur de cinéma touche le SMIC.
c Un équipier de fast-food travaille soit aux cuisines, soit à la caisse, soit au nettoyage.
d Les jeunes filles au pair doivent payer leur voyage.
e Le salaire d'un surveillant de cantine est maigre: 150 € par mois environ.
f Un équipier de fast-food travaille environ une vingtaine d'heures par semaine.
g Une jeune fille au pair fait un peu de ménage.
h Un contrôleur de cinéma travaille tard, même pendant les vacances de Noël.
i Un surveillant de baignade travaille surtout l'été et le week-end.
j Ce sont les municipalités qui recrutent les surveillants de cantine.

5b Working in pairs, students give some details from the small ads so that their partner can guess which job they are referring to. The partner should try to work out the answer as quickly as possible.

Contrôles Unités 1–2

The assessment activities for this section are written at a level between GCSE and AS level. All subsequent assessment is written at AS level.

Feuille 39 Contrôles Unités 1–2

1 Students listen to Alain talk about his family and then answer the questions in English. (10 marks)

Answers:

1 *Alain's twin sister*   **2** *16*   **3** *August 3rd*   **4** *28*
5 *Paris*   **6** *his girlfriend*   **7** *23*   **8** *Law*   **9** *Lyons*
10 *her best friend Pauline*

F39, activité 1

Alain
Dans ma famille, il y a six personnes: mes parents, mes deux sœurs, mon frère et moi. Je suis le cadet – avec bien sûr ma sœur jumelle, Alexandra – et nous venons tous les deux de fêter notre seizième anniversaire ensemble, le trois août dernier. Mon frère Jean-Paul a vingt-huit ans et il est l'aîné de la famille. Il habite à Paris avec sa petite amie Julie. Mon autre sœur, Annette, a vingt-trois ans et fait des études de droit à Lyon. Elle partage un appartement avec sa meilleure amie, Pauline. Mes parents sont vraiment supers et on fait beaucoup de choses ensemble pendant les week-ends et les vacances. Je crois que j'ai vraiment de la chance d'avoir une famille aussi cool!

Pascal
Nous sommes quatre dans ma famille et nous habitons dans la banlieue de Bordeaux, près de la mer. J'ai dix-sept ans et ma sœur Isabelle a quinze ans. On ne s'entend pas très bien ensemble et j'aimerais vraiment parfois être fils unique! J'aime le hockey sur glace et la lecture: elle aime la mode et regarder la télé pendant des heures. Bref, on ne fait jamais rien ensemble. Quant à mes parents, ils sont plutôt sympas et pas trop stricts, et ils me laissent généralement assez de liberté.

Sonia
J'ai dix-huit ans et je vis dans une famille recomposée. Mes parents ont divorcé quand j'avais dix ans et je vis maintenant avec ma mère, son nouveau mari, Marc, ma sœur Karine et mon demi-frère, Thierry. Karine a douze ans et Thierry a trois ans. Je m'entends assez bien avec mon beau-père, mais pas du tout avec Josette, ma belle-mère! En effet, mon père s'est aussi remarié et il a deux nouveaux enfants: Olivier, qui a huit mois et Sébastien qui a six ans. Je ne vais pas souvent leur rendre visite et parfois mon père me manque beaucoup.

---

2   After listening to Pascal describe his family, students answer the questions in English. (10 marks)

Answers:

1 *four* (1 mark)
2 *suburbs of Bordeaux, near the sea* (2 marks)
3 *his sister Isabelle* (1 mark)
4 *to be an only child* (1 mark)
5 *ice-hockey and reading* (1 mark)
6 *fashion and watching TV* (1 mark)
7 *friendly and not too strict* (2 marks)
8 *enough freedom* (1 mark)

3   Students listen to Sonia discussing her family and then complete the sentences in French. (10 marks)

Answers:

1 *huit ans*   **2** *trois*   **3** *sœur, douze ans*   **4** *trois ans, Marc*
5 *belle-mère, mal*   **6** *plus, six ans*

4   Students listen to the recording of all three young people once more and then answer the questions.

Answers: **1** *Alain*   **2** *Isabelle*   **3** *Pascal*   **4** *Jean-Paul*
5 *Pascal*   **6** *Karine*   **7** *Thierry*   **8** *Olivier*   **9** *Sonia*
10 *Alain*

Feuille 40 Contrôles Unités 1–2

1   Students read Antoine's account and tick the three correct statements. (3 marks)

Answers: 3, 6 and 7 are true.

2   Students read Madame Soulas' account and answer the four questions in French. Extra marks are given for the quality of their language.

Possible answers:

1 Any three of the following reasons in bold:
   *Elle pense que l'argent de poche les aide à comprendre **l'importance de l'argent**, à savoir **combien coûtent les choses**, à **faire des économies**, à ne **pas trop dépenser** tout en leur **donnant de la liberté**.*
2 Any two of the following items in bold:
   *Ils peuvent acheter **des CD**, **des livres**, et ils paient leurs sorties **au cinéma**.*
3 *Elle les empêche d'acheter de l'alcool et des cigarettes.*
4 *Elle pense que c'est une "bonne balance" parce qu'ils partagent les frais.*

(Mark scheme: 16 marks. 8 marks for answering the questions correctly. 8 marks for accuracy of language.)

Feuille 41 Contrôles Unités 1–2

1   This activity provides students with an opportunity to practise responding to questions on a piece of stimulus material. Allow students 20 minutes to prepare answers to the prompt questions. See the assessment criteria tables for Unit 3 provided in the AQA specification for how to allocate marks to this activity.

2   In pairs students imagine a telephone conversation between one of the young people mentioned on the page and someone working for the Ministry for Youth.

Unité 3 Les loisirs

Unit objectives
By the end of this unit students will be able to:
- Describe different hobbies and pastimes
- Discuss what French people like to do in their free time
- Describe various sports in detail
- Compare different types of holidays
- Discuss reasons for choosing different holidays
- Talk about the development of tourism in France

Grammar
- Use *venir de* + infinitive
- Use the perfect tense with *être* and *avoir*

Skills
- Understand statistics and comment on them
- Ask questions
- Pronounce French nasal vowels

page 37

1a Students work out which sections of the pie-chart reflect which French holiday destinations. They should read the clues and relate these to the percentages provided.

Answers:
campagne 32,3%   lac 4,3%   mer 24,6%
montagne 12,1%   ville 26,7%.

1b Students conduct a class survey to discover where their classmates went for their summer holidays. Then they compare their results with those of the French survey.

Les loisirs des français
pages 38–39
Grammar focus
- *venir de* + infinitive

Skills focus
- Understanding statistics

Materials
- Students' Book pages 38–39
- Cassette 1 side 2, CD 1
- Grammar Workbook page 71
- Feuille 12

1a Play the recording. Students note down which leisure pursuit each person prefers and when they tend to relax in this way.

Answers:
Philippe: *boîte, samedis soirs*
Michèle: *exposition d'art, au moins une fois par mois*
Kamil: *les jeux vidéo, une heure par jour*
Hélène: *cinéma, trois fois par semaine*
Fred: *manger dehors, une fois par mois*

---

p 38, activité 1

1 Philippe
J'adore aller en boîte. J'y vais tous les samedis soirs avec mes amis. C'est à mon avis le meilleur moyen de se détendre pour un jeune d'aujourd'hui. On peut rencontrer de nouvelles personnes, on peut danser sur de la bonne musique et on peut oublier tous les problèmes de la vie quotidienne.

2 Michèle
Au moins une fois par mois, je vais voir une exposition d'art. Cela peut être une expo d'art moderne, de photo ou d'arts primitifs. J'adore plus particulièrement les peintres contemporains comme Mirò et les expos sur l'art impressionniste. A mon avis, ce genre de loisir culturel est à la fois enrichissant et stimulant.

3 Kamil
Les jeux vidéo, c'est avec ça que j'aime me détendre. Je joue au moins une heure par jour, avec mes frères ou mes amis. J'adore les jeux de combat et de sport comme la Formule Un, le ski ou le hockey sur glace. Cela développe les réflexes, le sens de la compétition, la rapidité et permet de passer un bon moment avec des amis.

4 Hélène
Je suis fana de ciné. Je dois aller au cinéma en moyenne trois fois par semaine! J'aime tous les genres de films, sauf les westerns que je déteste. Pour moi, rentrer dans une salle de cinéma, c'est comme changer d'univers. Il y a une atmosphère différente, calme, intense. Ce n'est pas comme la télé: on peut vraiment se concentrer.

5 Fred
Ce que j'aime, c'est inviter des amis à manger. Mes parents ont un grand jardin et on peut tous manger dehors autour du barbecue. D'habitude, j'invite mes amis du volley une fois par mois, et comme on a les mêmes centres d'intérêt, ce sont généralement de super soirées: on peut discuter et plaisanter. Un moment de détente parfait!

1b Play the recording again so that students can note why each person likes their particular leisure pursuit.

Answers:

Philippe: On peut rencontrer de nouvelles personnes, on peut danser sur de la bonne musique et on peut oublier tous les problèmes de la vie quotidienne.

Michèle: [C'est] à la fois enrichissant et stimulant.

Kamil: Cela développe les réflexes, le sens de la compétition, la rapidité et permet de passer un bon moment avec des amis.

Hélène: C'est comme changer d'univers ... on peut vraiment se concentrer.

Fred: On peut discuter et plaisanter.

 1c Students listen to the recording once more and copy and complete the *Expressions-clés*.

Answers:

J'adore aller en boîte.

J'y vais tous les samedis soirs avec mes amis.

On peut rencontrer de nouvelles personnes.

J'adore plus particulièrement les peintres contemporains comme Mirò.

C'est avec ça que j'aime me détendre.

Je suis fana de ciné.

Ce que j'aime, c'est inviter des amis à manger.

D'habitude, j'invite mes amis du volley une fois par mois.

Grammaire

A Students complete the sentences with *venir de* followed by the infinitive form of the verb.

Answers:

1 *Elles viennent de lire le premier livre Harry Potter.*
2 *Tu viens de gagner mille francs à la Loterie?*
3 *Il vient de manger dans ce nouveau restaurant.*
4 *Nous venons de visiter le musée d'Art Moderne de Berlin.*
5 *Je viens d'entendre la dernière chanson de REM.*
6 *Vous venez de passer la soirée avec les amis de Richard?*

Compétences

This section gives students advice on understanding statistics.

2a Having appraised themselves of the statistics-handling skills in the *Compétences* box, students examine the four tables/graphs on pages 38–39 and answer the questions.

Answers:

a *Tableau 2* **b** *Tableau 4* **c** *Tableau 1* **d** *Tableau 3.*

2b Students decide whether the statements are true or false and correct any false ones.

Answers:

1 *Vrai*
2 *Faux. Sept fois plus des 15–25 ans vont au concert de rock que les 26 ans et plus.*
3 *Vrai*
4 *Vrai*
5 *Faux. Presque neuf sur dix Français avaient un téléviseur en 1973.*

3 Working in pairs, Student A offers a statement along the lines of those in activity 2b and Student B decides rapidly whether it is true or false and corrects those which are false. Then students change over roles.

4 Studying the four graphs of statistics, students write a commentary on each of them. They should endeavour to find as many positive and negative points as possible.

F 12 En plus Feuille 12 offers more practice of language related to leisure activities.

Activités sportives

pages 40–41

Grammar focus

◆ Asking questions

Materials

◆ Students' Book pages 40–41
◆ Cassette 1 side 2, CD 1
◆ Grammar Workbook pages 12–13
◆ Feuille 13

1a As stimulus for the material on sporting activities, students are asked to guess which sports are the most popular in France and to allocate a sport to each number of licences granted in a year.

Answers:

1 *football* 2 *tennis* 3 *ski* 4 *pétanque* 5 *judo*
6 *basket-ball* 7 *équitation* 8 *rugby* 9 *golf*
10 *handball* 11 *natation* 12 *voile.*

1b Students listen to the recording and verify whether they have ordered the sports in activity 1a correctly.

> p 40, activité 1b
>
> Maintenant, le sport. Chaque année en France, le nombre de licenciés permet de donner une bonne idée des sports populaires dans le pays, avec parfois quelques surprises. Alors, quels sont les sports qui ont le plus de licenciés cette année?

En première place: le football, avec 1 580 152 licenciés. En deuxième place, le tennis, avec 1 239 442 licenciés. En troisième place, le ski: 501 182 licenciés. En quatrième place, la pétanque: 476 186 licenciés. Le sport numéro cinq: le judo: 450 123 licenciés. Le sport numéro six: le basket-ball: 432 782 licenciés. Le sport numéro sept: c'est l'équitation: 286 291 licenciés. Le sport numéro huit, c'est le rugby: 222 680 licenciés. Numéro neuf, c'est le golf: 216 540 licenciés. Numéro dix, c'est le handball: 196 434 licenciés. Numéro onze, c'est la natation: 154 886 licenciés. Et enfin, en douzième place, il y a la voile: 73 685 licenciés.

1c Working in pairs, students make a list of what they think are likely to be the ten most popular sports in their own country and compare it with the French list.

2 Students reply orally to the three questions about their own sporting interests.

3 Having read the interview, students match the questions to Pascal's answers.

Answers:

Q1 h **Q2** f **Q3** c **Q4** d **Q5** b **Q6** e **Q7** g **Q8** e

4 Students read the interview again and answer the questions.

Answers:

1 *un casque, des coudières, des genouillères, la crème solaire, des lunettes de soleil*
2 *la pluie, la boue*
3 *du ski, du surf, le rafting, la randonnée*
4 *des forêts, des parcs naturels*
5 *la vitesse, le danger*

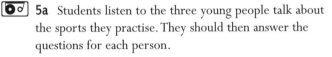 **5a** Students listen to the three young people talk about the sports they practise. They should then answer the questions for each person.

Answers:

Hervé:

1 *la planche à voile*
2 *près de Quiberon en Bretagne*
3 *avec trois amis*
4 *douze mois par an*
5 *une planche, une combinaison de plongée*
6 *On peut devenir très musclé et profiter au maximum de la nature. C'est difficile d'en faire si on habite loin de la mer ou d'un lac ou quand il n'y a pas assez de vent.*

Isabelle:

1 *l'escalade*
2 *dans les Pyrénées ou sur les murs en salle*
3 *avec le club de jeunes*
4 *tous les week-ends et pendant les vacances*
5 *des cordes, des mousquetons, des pitons, un casque*
6 *L'escalade développe la concentration et l'agilité. C'est un sport qu'on peut pratiquer seul ou à plusieurs, mais c'est assez dangereux.*

Pascal:

1 *rafting*
2 *les gorges de l'Aveyron*
3 *avec d'autres généralement*
4 *les mois de juillet et d'août*
5 *un casque, un gilet de sauvetage*
6 *C'est un sport très excitant mais on ne peut en faire que deux mois par an.*

p 41, activité 5

Hervé
J'adore faire de la planche à voile. J'habite en Bretagne, alors c'est facile pour moi de sortir pour m'entraîner. Je peux même voir la mer de la fenêtre de ma chambre! D'habitude, je fais de la planche à 10 kilomètres de Quiberon avec trois amis qui sont aussi fous que moi. Je m'entraîne hiver comme été, douze mois par an.

Pour faire de la planche à voile, il faut bien sûr une bonne planche – ce qui coûte assez cher – et une combinaison de plongée si on veut pouvoir s'entraîner quand il fait froid.

A mon avis, la planche à voile est un sport parfait. Cela permet d'être très musclé, surtout des bras, et de profiter au maximum de la nature. Aussi, cela donne d'excellentes sensations de vitesse et de liberté. Le seul problème? C'est difficile d'en faire quand on habite loin de la mer ou d'un lac, et c'est parfois très frustrant quand il n'y a pas assez de vent.

Isabelle
Mon sport préféré, c'est l'escalade. J'en fais tous les week-ends et pendant les vacances avec le club de jeunes dont je fais partie. On fait de l'escalade soit dans les Pyrénées, soit sur des murs en salle dans la région. Personnellement, je préfère escalader de vraies parois rocheuses, mais ce n'est pas toujours possible de se déplacer parce que cela coûte assez cher et que le temps est parfois trop mauvais.

L'escalade est un sport assez dangereux et c'est pourquoi on doit faire très attention à la qualité du matériel. Il faut des cordes, des mousquetons, des pitons et bien sûr un casque! Ainsi, on peut profiter des frissons de l'altitude en toute sécurité.

Pour moi, l'escalade est un sport pur, très physique, qui développe la concentration et l'agilité. C'est aussi un sport qu'on peut pratiquer seul ou à plusieurs: un excellent moyen pour se faire de bons amis!

Pascal

Je fais du rafting tous les étés dans les gorges de l'Aveyron où je passe les mois de juillet et d'août dans un camp de vacances. C'est une région superbe et tout le matériel est disponible pour pratiquer ce sport. Il y a une vingtaine de rafts, mais aussi des kayaks pour s'entraîner sur des portions calmes de rivière. Le rafting se pratique généralement à plusieurs et on doit obligatoirement porter un casque et un gilet de sauvetage. Il est aussi bien sûr indispensable de savoir nager!

J'adore le rafting parce que c'est un sport vraiment très excitant avec des sensations fortes. On a peur, on crie, on est très secoué et le sentiment de vitesse est incroyable. Aussi, cela permet d'aller dans des endroits où personne ne peut aller, avec de grandes falaises de chaque côté de la rivière.

Le seul aspect négatif: je ne peux faire du rafting que deux mois par an.

 5b Play the recording once more so that students can translate the phrases listed into French.

Answers:

1 *Je m'entraîne douze mois par an.*

2 *A mon avis, la planche à voile est un sport parfait.*

3 *Cela donne d'excellentes sensations de vitesse et de liberté.*

4 *Mon sport préféré, c'est l'escalade.*

5 *L'escalade est un sport assez dangereux.*

6 *C'est un sport qu'on peut pratiquer seul ou à plusieurs.*

7 *On doit obligatoirement porter un casque et un gilet de sauvetage.*

8 *Il est aussi indispensable de savoir nager.*

9 *Le seul aspect négatif: je ne peux faire du rafting que deux mois par an.*

6 Working in pairs, students imagine they are interviewing one of the three young people. Student A poses questions, making use of activity 3 and the Grammar section, while Student B replies, making use of activity 5. Then students reverse roles.

7 Students explain what their own preferred sport is and why. They will find it useful to refer to expressions drawn from activities 5 and 6.

F 13 **En plus** This refers students to Feuille 13.

Grammaire

A Students look back to the questions asked in activity 3 and work out which sort of question each one is.

Answers:

a C **b** D **c** D **d** B **e** D **f** D **g** D **h** D

Destinations: vacances!

pages 42–43

Materials

◆ Students' Book pages 42–43

◆ Cassette 1 side 2, CD 1

1a Students give an oral reply to the questions in the survey and explain the reasons for their choice.

1b Students compare their own results with that of the class. They discover whether there is a general trend and, if so, what it is.

1c Following the key information given, students describe the sorts of holiday that each person likes.

Answers:

a *Amanda aime passer des vacances seule, à l'étranger, en ville. Elle aime rester dans un hôtel et voyager en avion. Pendant ses vacances, elle aime visiter des endroits / des monuments.*

b *Marc aime partir en vacances avec des amies, prés de chez lui, à la mer. Il aime rester dans une auberge de jeunesse et voyager en train. Pendant ses vacances, il aime bronzer sur une plage.*

c *Thomas aime passer ses vacances avec son école, dans son pays, à la montagne. Il aime rester dans un camping et voyager en bus. Pendant ses vacances, il aime rencontrer des gens nouveaux.*

d *Gisèle aime passer ses vacances en famille, dans sa région, à la campagne. Elle aime rester chez des amis et voyager en voiture. Pendant ses vacances, elle aime aller en boîte / sortir le soir.*

2a Students read Sylvie's text and note why she likes organized holidays.

 2b Denis has a contrasting view. Play the recording so that students can listen and note why he likes adventure holidays.

p 42, activité 2b

Denis

Je déteste les vacances organisées! Ce que j'aime, c'est les vacances à l'aventure où l'on ne sait jamais ce qui va se passer. J'adore dormir à la belle étoile et me réveiller dans un endroit que je ne connais pas. Il y a plusieurs années, j'ai traversé l'Europe en train avec des amis et c'était vraiment de super vacances. On a visité plusieurs pays et, chaque jour, on pouvait choisir en toute liberté une nouvelle destination. Pour moi, c'est ça les vacances idéales. Bouger. Pas rester pendant des heures à bronzer sur une plage!

2c Students tabulate the pros and cons of adventure holidays compared with organized holidays, using the opinions of Sylvie and Denis and adding their own ideas.

3 Using the expressions drawn from activities 1 and 2, students have the opportunity to explain what sort of holiday they themselves prefer and why.

4 Students read the article on Center Parcs and answer the questions in English.

Answers:

1 The main attraction is a 'bubble' enclosing an artificial aquatic area with a tropical atmosphere, including heated water, jacuzzis, palm trees and water slides.
2 Two Center Parcs have been built in France; one in Normandy and one in Sologne.
3 Cars are only allowed into Center Parcs to unload luggage – within the grounds people can walk or cycle.
4 Insects, attacks, and sunstroke are usually associated with a tropical climate.
5 Center Parcs provides an alternative to a second home, winter sports and even long-haul holidays.

5a Students examine the figures given for tourist destinations internationally. They then try to work out the possible reasons behind tourists' choice of country.

5b Working in groups of three or four, students discuss the questions.

6 Students choose a holiday destination and then write a short paragraph explaining what type of person they think would enjoy spending their holiday there.

Le tourisme en France

pages 44–45

Grammar focus

◆ The perfect tense with *avoir* and *être*

Materials

◆ Students' Book pages 44–45
◆ Cassette 1 side 2, CD 1
◆ Grammar Workbook pages 38–43

1a Students read the article 'Les Français en vacances' and decide whether the statements given are true or false. They should correct any false ones.

Answers:

1 *Vrai*
2 *Faux. Une personne salariée passe aujourd'hui environ un cinquième de son temps à travailler et dans les transports.*
3 *Faux. En 1998, près des trois quarts de la population française ont voyagé en France ou à l'étranger.*

4 *Vrai*
5 *Faux. Ils ont passé au total 947 millions de nuits en vacances, dont 828 millions en France.*

2a Students listen to the recording and summarize the points in English.

Answers:

Around 10 million French people holiday abroad each year. The most visited countries are: Spain, Poland, Italy, the UK, Morocco, Germany, Austria and Tunisia. The improved standard of living and a reduction in the price of flights are factors which have made travelling abroad easier. Compared to their European neighbours, the French make comparatively few trips abroad.

---

p 44, activité 2a

Vacances à l'étranger.
Les séjours à l'étranger attirent chaque année environ 10 millions de Français. Les pays les plus visités sont l'Espagne, la Pologne, l'Italie, le Royaume-Uni, le Maroc, l'Allemagne, l'Autriche et la Tunisie. Les vacances à l'étranger sont facilitées par l'augmentation du niveau de vie et par la baisse des prix des billets d'avion. Cependant, comparés à leurs voisins européens, les Français voyagent relativement peu à l'étranger.

2b Students listen to the next passage and spot the information requested.

Answers:

1 *40%* 2 *62%* 3 *36 millions* 4 *20 millions*
5 *le ski, le natation, la marche à pied, la voile, le cyclisme*

---

p 44, activité 2b

Vacances d'hiver, vacances d'été.
Au début des années 60, un peu plus de 40% des Français partaient en vacances contre 62% aujourd'hui. Environ 36 millions de personnes partent ainsi aujourd'hui en vacances d'été et environ 20 millions en vacances d'hiver. Pendant leurs vacances – hiver comme été – les Français pratiquent souvent du sport comme le ski, la natation, la marche à pied, la voile ou encore le cyclisme.

Grammaire

A Students re-read the article and note six examples of verbs in the perfect tense and translate them.

Answers:

a continué has continued *est monté* has risen *ont calculé* have calculated *ont voyagé* (have) travelled *sont restés* (have) remained *sont allés* have gone/went *ont profité* (have) used *ont passé* have spent

B   An exercise in agreement of past participles. Students read the account and re-write it substituting Isabelle as the central character. Verbs are in the third person singular (feminine).

Answers:

elle est partie … elle a nagé … elle a rencontré … elle est allée … elle est restée

C   Students continue to practise making past participles agree, by re-writing the account with both girls in the limelight. This time the focus is on verbs in the third person plural (feminine).

Answers:

elles sont parties … elles ont nagé … elles ont rencontré … elles sont allées … elles sont restées

D   A gap-fill exercise where students complete the sentences with a verb in the perfect tense. Some of the past participles need to agree with the preceding direct object.

Answers:

1 *ont eues*   **2** *ont choisie*   **3** *a dormi*   **4** *ont rencontrés ont réservée*

E   Using the perfect tense, students describe a past holiday.

Au choix

page 46

Materials

◆ Students' Book page 46
◆ *Elan en solo* cassette side 1
◆ Feuille 14

1a   Students match the dates with the festivals.

Answers:

1 C   **2** F   **3** A   **4** D   **5** E   **6** B   **7** G

S 🔊 **1b**   Students listen to the recording about traditional festivals in France. They can confirm their answers to activity 1a and add an extra detail about each festival.

---

p 46, activité 1b

6 janvier – La Fête des Rois: on mange une galette dans laquelle est cachée une fève.
2 février – La Chandeleur: on mange des crêpes en famille ou entre amis.
1er mai – La Fête du Travail: c'est un jour férié pendant lequel on ne travaille pas.
8 mai – L'Anniversaire de l'Armistice de 1945: c'est un jour qui commémore la fin de la Seconde Guerre

---

mondiale. Jour férié avec des défilés militaires.
14 juillet – La Fête Nationale: c'est l'anniversaire de la Prise de la Bastille en 1789. Jour férié avec défilés militaires, bals populaires en plein air et feux d'artifice.
1er novembre – La Toussaint: c'est une fête catholique. On pose des fleurs sur les tombes des membres de sa famille qui sont morts.
11 novembre – L'Anniversaire de l'Armistice de 1918: c'est un jour qui commémore la fin de la Première Guerre mondiale. Jour férié avec des défilés militaires.

F 14   En plus   This refers students to Feuille 14.

2a   Students read the list of arguments for and against tourism. Then they should match the two halves of each sentence.

Answers:

1 A   **2** F   **3** E   **4** C   **5** D   **6** B

S 🔊 **2b**   Students listen to the six views on tourism.

---

p 46, activité 26

1 Le tourisme permet de créer des emplois dans plusieurs secteurs, surtout dans les hôtels, les restaurants, les cafés, etc.
2 L'augmentation du nombre de touristes est en grande partie responsable de l'augmentation du trafic aérien à travers le monde.
3 Le tourisme encourage les vacanciers et les gens qui les accueillent à apprendre des langues étrangères. En même temps, il y a un mélange de cultures à travers le monde.
4 Dans les grandes régions touristiques, de nombreux bâtiments ont été construits le long des plages pour pouvoir accueillir un grand nombre de touristes.
5 En Afrique du Sud, les safaris photos pour touristes dans des réserves d'animaux se multiplient.
6 En 1996, l'île d'Ibiza a accueilli plus d'un million de visiteurs, alors que sa population locale n'est que d'environ 60 000 personnes.

S 🔊 **2c**   Students play the recording again, noting down any vocabulary which may be useful for the presentation in activity 2d.

2d   Students give a short oral presentation on the advantages and disadvantages of tourism.

3   In 100–150 words, students describe their ideal holiday.

Phonétique

S 🔊 **1**   Students listen to words containing five French nasal sounds and repeat them.

p 46, Phonétique

in
– intéressant, international, matin
– important, impossible
– pain, plein, peinture

an
– vacances, océan, restaurant, pendant, blanc, chambre

on
– rencontrer, dont
– combien, nombreux, complet

un
– un, chacun, brun, opportun

en
– moment, enrichissant, alimentation
– empêcher, temps

Copymasters

Feuille 12 Passe-temps

 1 After reading the list of traditional leisure activities, students listen to the recording and note the number of the speaker next to each item in the list.

Answers:

1 *écriture* **2** *photographie* **3** *danse* **4** *collection*
5 *lecture* **6** *couture* **7** *cuisine* **8** *bricolage* **9** *théâtre*
10 *jeux de société* **11** *sculpture* **12** *pêche*
13 *musique/chant* **14** *peinture/dessin* **15** *jardinage*

F12, activité 1

1 J'écris plusieurs poèmes par semaine, surtout sur la nature.
2 Je prends des photos noir et blanc quand je vais en vacances à l'étranger.
3 Je prends des cours de salsa et de tango tous les vendredis soirs avec mon mari.
4 Je collectionne des timbres du monde entier depuis plus de quarante ans.
5 Je dois lire environ trois ou quatre livres par semaine et beaucoup plus en vacances!
6 Je fais des jupes et des robes avec ma nouvelle machine à coudre.
7 J'adore préparer de grands repas de famille, surtout pour Noël et le Nouvel An.
8 Je bricole souvent dans la maison et au garage le soir et le dimanche après-midi.
9 Je prends des cours de théâtre dans le centre socio-culturel de mon quartier.
10 Je joue au Scrabble tous les week-ends avec ma voisine Monique.
11 Je sculpte des objets en bois et je viens de commencer une statue de deux mètres!

12 Je vais à la pêche à la truite tous les week-ends avec mon petit-fils.
13 Je fais partie de la chorale de l'église de mon village et je joue aussi du piano.
14 Je viens de commencer à faire de la peinture à l'huile et de l'aquarelle.
15 J'adore jardiner dans mon jardin et planter chaque année de nouvelles fleurs.

1b Students listen to the recording again and note down some extra details for each speaker.

2 Working in pairs, each student writes down short accounts of the sports in their list, along the lines of those in activity 1a, and describes them one by one to their partner, who reorders the list to match the order heard.

3a Students listen to the recording and match the opinions with the titles given.

Answers:

1 D **2** F **3** C **4** A **5** E **6** B

F12, activité 3

A Je pense que l'Internet est un moyen de communication à double tranchant: d'un côté il permet aux gens du monde entier de communiquer entre eux très facilement, d'un autre il pousse ceux qui l'utilisent à rester tout seuls derrière un écran d'ordinateur – au lieu par exemple de sortir avec des amis.
B Je crois que l'Internet est quelque chose de vraiment dangereux. Des enfants peuvent surfer des sites pornographiques ou racistes par accident, voire volontairement dans le dos de leurs parents! Ils peuvent envoyer des emails à l'autre bout du monde sans même savoir à qui ils ont à faire.
C A mon avis, l'Internet est la plus belle invention du 20ème siècle! On peut trouver des informations sur absolument tout grâce à un simple ordinateur. C'est utile pour les élèves, les étudiants, les profs, mais aussi pour n'importe qui qui a besoin de renseignements – sans même avoir à aller dans une bibliothèque!
D J'aime bien utiliser l'Internet, surtout pour me détendre et envoyer des messages électroniques. Le seul problème, c'est que j'ai parfois un peu peur de télécharger des documents sur l'ordinateur de la maison. Juste au cas où … Je pense qu'il y a quand même assez de risques avec les virus et les numéros de cartes bancaires.
E L'Internet sera sans aucun doute un puissant moyen de distribution dans les années qui viennent. On pourra acheter des livres, des vêtements, une voiture, une maison, rien qu'avec son ordinateur.

Je pense même qu'on pourra regarder des films et jouer en direct avec des personnes à des milliers de kilomètres de distance.

F J'utilise aujourd'hui le courrier électronique presque autant que le téléphone, et bien plus que la poste! On peut envoyer des messages à n'importe quelle heure du jour et de la nuit, sans déranger la personne qu'on veut contacter, et pour communiquer avec les Etats-Unis c'est moins cher que la poste et que le téléphone!

3b Students listen to the recording again and make a list of the arguments put forward for each opinion.

4 Students give their own views on the Internet. They should make a list of positive and negative aspects.

Feuille 13 Lire en plus

1 Students read the magazine article and then find the sports listed.

Answers:

1 *le VTT, la randonnée*   2 *le saut à l'élastique, le rafting*
3 *le football, le tennis*   4 *le surf*   5 *le deltaplane, la plongée sous-marine*   6 *le ski*

2 Looking in the first paragraph of the article, students find words which mean the opposite of those listed.

Answers:

1 *naturel(le)*   2 *essor*   3 *différentes*   4 *extérieur*
5 *moderne*   6 *attirent*

3 Searching through the second paragraph, students find translations for the words listed.

Answers:

1 *vitesse*   2 *les courses*   3 *stage de formation*
4 *engouement*   5 *la peur*   6 *le défi*

4 The third paragraph contains words which match the definitions listed. Students comb through the paragraph to find them.

Answers:

1 *la mode*   2 *célèbre*   3 *faire du hors-piste*   4 *bariolé*
5 *provoquer*   6 *champion*

5 Students write a summary of the article in English.

Possible answer:

As a nation, vast numbers of French people enjoy sports such as football, tennis or cycling. However, there are other sports which, although they receive less media attention, answer new needs such as the desire to be close to nature, to experience strong sensations or to be part of a particular youth culture.

The end of the 90s was marked by a growth in open air sports such as mountain biking, climbing and rambling. These sports appeal to people wishing to escape the stresses of modern life and enjoy nature. They require little in the way of equipment and training and are not competitive. With its varied terrain, including mountain ranges, rivers, gorges, coasts, parks and forests, France is an ideal country for outdoor sports.

The growth in sports where sensations are strong is linked to the craze for adventure sports. Sports such as bungy-jumping or rafting may be based in fear; while skiing involves the sensation of speed. Other sports such as hang-gliding or deep-sea diving allow people to move in an exciting element such as air or water. Gliding sports such as surfing give a sensation of fluidity. As these sports require a degree of courage, they tend to be practised by younger people. However they are sometimes used by organizations who wish to train their employees in team building or overcoming personal challenges.

Some sports, such as surfing or basketball, are an integral part of youth culture. The snowboarders' colourful dress style has become a part of the street scene and plays a role in rap music, while their champions are also celebrated for their alternative life-style. However, probably because of their attitude, youngsters who practise certain fashionable sports are also criticized, as is the case with snowboarders who deliberately collide with skiers or who provoke avalanches by 'surfing' off-piste.

Feuille 14 Une lutte à mort

1a Working in groups of three, students cut out the boxes with the 16 leisure pursuits and then select them 'blind' one by one. Placing the cards in the first column of the table, students should choose which out of every two leisure pursuits they prefer and explain why. The object is that students should speak as spontaneously as possible. They should then continue the process with each successive column until only one leisure pursuit card remains.

1b Using the format of the game in activity 1a, students create a new game using 16 elements. They may like to use, for example, 16 television programmes, 16 famous films, 16 sports or 16 tourist destinations. As with activity 1a, students should aim to speak as spontaneously as possible.

Unité 4 La santé

Unit objectives

By the end of this unit students will be able to:

◆ Compare different lifestyles
◆ Discuss reasons for starting to smoke and ways of stopping
◆ Debate whether smoking in public should be banned
◆ Compare different types of drugs and their effects on users
◆ Understand statistics on health in France
◆ Describe the French health system

Grammar

◆ Use comparatives and superlatives
◆ Use the imperfect tense
◆ Use synonyms and antonyms

Skills

◆ Write a paragraph
◆ Structure an argument for a debate
◆ Use liaisons when speaking

page 47

1   Students match the photos with the captions.

Answers:

1 a **2** c **3** e **4** f **5** d **6** b

2a Working in pairs, one student asks their partner the health questions given and then they swop roles.

2b In a few sentences, students describe their way of life in terms of their health.

Mode de vie et santé

pages 48–49

Grammar focus

◆ Comparatives
◆ Superlatives

Skills focus

◆ Writing a paragraph

Materials

◆ Students' Book pages 48–49
◆ Cassette 2 side 1, CD 2
◆ Grammar Workbook page 10

1a Four young people outline how healthy their way of life is. Students read the texts and answer the questions.

Answers:

1 *Noémie, Julien*   **2** *Florence*   **3** *Patrick*   **4** *Noémie*
5 *Julien*

1b Students read the texts again and note down what each person does that is good for their health and bad for their health.

	Bon	**Mauvais**
Noémie	dors 10 heures chaque nuit fais de la natation ne fume pas ne bois pas d'alcool ne prends pas de drogue	
Patrick		bois le samedi soir fume 10 cigarettes par jour dors 5 heures par nuit
Julien	fais du vélo 3 heures par jour régime alimentaire strict	
Florence		mange souvent au MacDo fume 3 ou 4 cigarettes par jour ne fais pas de sport

2 Students consider who has the least healthy way of life and who has the most healthy and why. They then compare their views with those of their partner.

Grammaire

A Students find five examples of comparatives in the texts.

Answers:

meilleur que, plus tard que, plus strict que, plus active que, aussi mauvais que

B Students write five sentences comparing the young people in the texts.

Possible answers:

Julien est plus sportif que Florence. Noémie dort plus que Patrick. Patrick fume plus de cigarettes que Florence. Noémie boit moins d'alcool que Patrick. Florence a une alimentation moins saine que Noémie.

C   Students search the texts for two examples of superlatives and one irregular superlative.

Answers: *la chose la plus importante   les deux choses les plus dangereuses   le pire*

3a   Play the recording on 'L'obésité'. This is the first of three recordings on the connections between diet and health. Students listen carefully and note down the facts requested.

Answers:

1 *30%*   **2** *Le taux de personnes obèses et de 22% chez les femmes et 29% chez les hommes.*   **3** *un manque d'activité physique, une mauvaise alimentation, une prédisposition génétique héréditaire*   **4** *maladies cardio-vasculaires, diabète, des problèmes respiratoires, cancers*

---

p 49, activité 3a

L'obésité
L'obésité est un problème de plus en plus grave dans la plupart des pays occidentaux. Aux Etats-Unis, sur dix enfants âgés de 6 à 11 ans, trois sont obèses – et ces proportions ne font qu'augmenter d'année en année.

En France, le taux de personnes obèses est de 29% chez les hommes et 22% chez les femmes.

L'obésité est généralement causée par trois grands facteurs:
– un manque d'activité physique
– une mauvaise alimentation
– une prédisposition génétique héréditaire.

L'obésité est un problème de santé parfois très grave qui peut augmenter le risque de maladies cardio-vasculaires, déclencher un diabète, causer des problèmes respiratoires, même certains cancers.

3b   Students listen to the next passage on 'Le régime crétois' and answer the questions.

Answers:

1 *La Crète est une île située au sud de la Grèce.*

2 *Plusieurs études ont montré que c'est probablement grâce à leur régime alimentaire que les habitants de la Crète ont la meilleure santé de toute l'Europe.*

3 *Le régime se compose de beaucoup de fruits et légumes, d'huile d'olive, de poisson; et de peu de viande, de pain et de fromage.*

4 *Le Japon.*

---

p 49, activité 3b

Le régime crétois
Plusieurs études ont montré que c'est probablement grâce à leur régime alimentaire que les habitants de la Crète (une île au sud de la Grèce) sont les personnes en meilleure santé de toute l'Europe!

Le désormais célèbre régime crétois se compose de beaucoup de fruits et légumes, d'huile d'olive, de poisson, de peu de viande, de pain et de fromage. C'est-à-dire plein de vitamines, de fibre et peu de graisses animales.
De même, l'alimentation traditionnelle des Japonais avec beaucoup de fruits, de légumes et de soja explique en grande partie pourquoi le Japon a un taux très bas de maladies cardio-vasculaires.

3c   Play the third passage, 'Avoir la forme'. Students make a note of the advice given under each heading.

Answers:

1 *Manger de tout, en quantité raisonnable, avec un maximum de fruits et de légumes.*

2 *Manger trois repas par jour.*

3 *Boire au moins un litre et demi d'eau par jour – ou de boissons non sucrées et non alcoolisées.*

4 *Pratiquer régulièrement une activité sportive.*

---

p 49, activité 3c

Avoir la forme
Pour avoir la forme, l'idéal est de manger de tout, en quantité raisonnable, avec si possible un maximum de fruits et de légumes frais. Il est aussi indispensable de faire trois repas par jour et de ne jamais en sauter un – surtout le petit-déjeuner! Il est aussi essentiel de boire au moins un litre et demi d'eau (ou de boissons non sucrées et non alcoolisées) par jour.

Enfin, pour améliorer l'état de santé général, la pratique régulière d'une activité sportive est extrêmement utile. L'idéal est de pratiquer un sport d'endurance (marche, cyclisme, natation) qui fait bien travailler le cœur et les muscles.

---

4   Using information from activity 3, students make a list of things which are good for the health and things which are bad.

5   'What should you do to be fit?' 'What are the consequences of a bad diet?' Students write a paragraph to address these questions. They can refer to the *Compétences* and use the *Expressions-clés*.

Compétences

1   Students study the paragraph given and identify the elements which give it structure.

2   Re-reading the paragraph, students look out for the words which link sentences.

Possible answers:

ainsi, et, de fait, ou, c'est que, contrairement à

Le tabagisme

pages 50–51

Skills focus

◆ Structuring an argument for a debate

Materials

◆ Students' Book pages 50–51
◆ Cassette 2 side 1, CD 2

1a Three young smokers give their testimonies. Students read the texts and then summarize each one in English.

Answers:

Léopold started smoking at 14. For him it began as a game, something done in secret at school, and which he concealed from his parents. Smoking made him feel more grown up. However, it quickly became a habit and he was shocked to find out how quickly a person could become addicted to cigarettes.

Sophia has only smoked for a few months and believes she could stop if she wanted to. She feels smoking helps her image and her concentration and keeps her slim. Smoking is very much a part of her social life as most of her friends smoke.

Given that Jacques grew up in a family of smokers, he believes his becoming a smoker at 13 was almost inevitable. He is concerned about the effect of nicotine and in particular passive smoking. He wants to give up smoking next year when he is away at university.

1b Students give their opinions in answer to questions about the three smokers.

2a Students listen to six young people explain why they do not smoke. Then they link the sentences to the speaker. However, a few sentences are distractors and were not said by anybody.

Answers:

1 *Alex* 2 *Serge* 3 *Alex* 4 *Béatrice* 5 *no one* 6 *Pierre*
7 *Karine* 8 *no one* 9 *Serge* 10 *no one*

---

p 50, activité 2

Béatrice
Je déteste le goût et l'odeur du tabac. J'ai essayé de fumer une fois, quand j'avais quatorze ans, et après une bouffée de fumée, j'ai cru que j'allais m'étouffer!

Serge
Je ne comprends pas les gens qui fument. Le tabac sent mauvais, il est dangereux pour la santé et les cigarettes coûtent cher. En plus, je pense que fumer est un acte très anti-social: les fumeurs polluent l'air que les non-fumeurs respirent et ils remplissent les hôpitaux avec leurs maladies!

Alex
Je ne fume pas parce que je fais beaucoup de sport. C'est quasiment impossible pour un athlète de fumer: cela réduit la capacité respiratoire, augmente le risque de bronchite et de maladies pulmonaires, etc.

Pierre
Pour moi, c'est assez difficile d'imaginer pourquoi les fumeurs mettent volontairement leur santé en danger. Les risques du tabagisme sont maintenant bien connus et les gens savent que la nicotine rend accro. Je trouve tout à fait incroyable qu'autant de personnes fument dans le monde!

Karine
Je n'ai jamais essayé de fumer parce que j'ai de l'asthme. Je ne peux même pas rester longtemps en compagnie de fumeurs! Inimaginable donc de fumer.

Fatima
Ma tante est morte d'un cancer des poumons il y a deux ans et je sais maintenant à quel point le tabagisme peut être dangereux. Elle fumait environ vingt cigarettes par jour et elle serait probablement encore en vie aujourd'hui si elle n'avait pas fumé autant, pendant tant d'années.

2b Students consider which views they are in accord with.

3 'Are you a smoker or a non-smoker?' Students answer this question, giving their reasons and using any useful expressions drawn from activities 1 and 2.

4a Students read the article on the French anti-smoking law and then the reactions to it. They should note the positive and negative aspects.

Possible answers:

Positif: fait comprendre que fumer est un acte anti-social; cette loi permet aux non-fumeurs d'avoir le droit légal de respirer de l'air pur **Negatif:** *difficile à faire respecter; ridicule – on doit sortir de son lieu de travail pour fumer; un espace non-fumeur dans un café est inutile; fumer est un choix individuel*

4b Students consider whether the anti-smoking law is more postive or more negative and give their reasons. A class debate can be held on the subject. The *Compétences* box prepares students for this by offering advice on structuring an argument for a debate.

Compétences

This section offers some techniques helpful in structuring an argument for a debate.

1 Students think of issues related to smoking in public and note ideas, words and phrases in a spidergram.

2 Students find arguments both for and against suggestions 1–5 from arguments A–F.

La toxicomanie

pages 52–53

Grammar focus

◆ The imperfect tense

Materials

◆ Students' Book pages 52–53
◆ Cassette 2 side 1, CD 2
◆ Grammar Workbook pages 44–47
◆ Feuille 15

1a To stimulate thought on the variety of drugs available, students construct a list of all the drugs and addictive substances they can think of which are available legally as well as those which are illegal. They can work in pairs and use a dictionary.

1b Looking at their list, students work out which drugs, in their opinion, are 'hard' drugs and which are 'soft' and make a list of the two groups.

2 Students read the description of lawful drugs and match the products mentioned with the definitions given.

Answers:

1 *tabac* **2** *thé* **3** *médicaments contre l'insomnie*
4 *l'alcool* **5** *médicaments contre l'angoisse/contre la dépression* **6** *Coca-Cola*

3a Students read the story of Audrey, a former drug addict.

3b Having read Audrey's story, students answer the questions in English.

Answers:

1 *marijuana*
2 *a shared appartment in a suburb of Lyon*
3 *Her parents said that it could become a very serious problem but she felt very distant from their concern, almost as if they were talking about someone else.*
4 *She rapidly became addicted and realized that she was going to need money to support her habit.*
5 *She stopped using drugs when a friend died from an overdose and she realized it could happen to her.*

4 Nabila, Audrey's best friend, gives an account of Audrey's drug dependence. Students listen to the recording and then decide whether the statements given are true or false.

Answers:

1 *Faux* **2** *Faux* **3** *Vrai* **4** *Vrai* **5** *Vrai* **6** *Faux*
7 *Vrai* **8** *Vrai*

p 53, activité 4

Nabila

J'ai remarqué que quelque chose n'allait pas quand Audrey est partie vivre dans cet appartement, à Lyon. C'était juste après son dix-neuvième anniversaire, alors qu'elle commençait la fac.

Au début, elle n'utilisait que du cannabis et on pouvait déjà voir qu'elle était plus distante, plus détachée qu'avant … Et puis, rapidement, son état de santé est allé de pire en pire. Elle avait des réactions violentes, elle était toujours stressée … probablement à cause de la cocaïne.

A cette époque, elle était tellement accro que je pensais que rien ne pourrait jamais la faire changer. Jusqu'au jour où notre copain Dominique est mort d'une overdose. Là, je crois que ça a été un moment décisif pour elle. Elle est allée dans un centre de désintoxication pendant plusieurs mois et depuis, la drogue, c'est complètement fini. Audrey est enfin redevenue ma meilleure amie.

5 Imagining that they have a friend who takes drugs, students write a letter to the advice column of a magazine for young people. They should mention such things as how and why their friend began to take drugs, what drugs they take, and what effect this has had on their health.

Grammaire

Answers:

A *nous vivions   je trouvais   je fumais   je n'avais pas
me disait   ça pouvait   je regardais   ils parlaient
je ne savais pas   c'était   j'allais   je passais   risquait
prenait   je ne voulais pas*

B **Perfect tense:** *j'ai commencé, je me suis mise, j'ai eu, j'ai réalisé, il a pris, mon ami est mort, j'ai arrêté*

C **1b** *conduire* → *nous conduisons* → *conduis-* → *conduisions*
2a *savoir* → *nous savons* → *sav-* → *savais*
2c *sortir* → *nous sortons* → *sort-* → *sortiez*

F 15 En plus This refers students to Feuille 15.

La santé en France

pages 54–55

Skills focus

◆ Synonyms and antonyms

Materials

◆ Students' Book pages 54–55
◆ Cassette 2 side 1, CD 2
◆ Feuilles 16,17

1a Students read the statistics and then decide whether the statements given are true or false.

Answers: **1** *Faux* **2** *Faux* **3** *Vrai* **4** *Faux*

1b Students read the statistics again and then choose the correct word in parentheses to complete the sentences.

Answers:

1 *longue* **2** *plus* **3** *supérieur* **4** *augmenté* **5** *baisse*

2 Each paragraph from the text 'La Santé en France' can be summarized in English.

Answers:

Life expectancy in France is the highest in Europe and one of the longest in the world. On average, French women live 81.8 years while French men live 73.6 years.
Cardio-vascular illnesses cause about a third of the deaths in France. This is a much lower figure than in most other developed countries.
Over 200 000 people contract cancer each year. It is thought that smoking causes about a third of these and alcohol about a tenth. Bad diet is believed to play a role in around 20–30% of cases.
France is one of the European countries most affected by AIDS. In 1995, Spain had a higher number of cases than France and Italy while the figures for the UK, Germany and Ireland were much lower.
Since 1982, the number of suicides has outstripped the number of road fatalities. It is estimated that there are around 10 000 suicides each year in France. Suicide is the main cause of death in the 25–34 age group.

The number of road fatalities has been lower over the last few years (just under 10,000 per year) but France has a very heavy toll of dead and injured for the 20 years between 1975 and 1995.

3a Steve is an Englishman living in Paris. Students listen to what he thinks of the French health system and note in English what he says about the subjects listed.

Answers:

1 *there aren't any* **2** *it seems to function well*
3 *are ultramodern* **4** *one can see other specialists as well*
5 *must be paid for* **6** *will reimburse people for visits to the doctor* **7** *must be paid for up front and a lot of paperwork done to claim back the money spent*

---

p 55, activité 3a

Steve
La première chose que j'ai remarquée en France, c'est qu'il n'y a pas de listes d'attente dans les hôpitaux! Le système de santé a l'air de bien fonctionner, avec beaucoup d'argent et des hôpitaux ultramodernes.

Aussi, on peut aller voir différents médecins spécialisés en plus de son "GP", ou médecin de famille comme on dit ici.

Le côté négatif, c'est que contrairement au Royaume-Uni, il faut payer quand on va voir un docteur. On peut se faire rembourser après par la Sécurité Sociale, mais il faut toujours avancer l'argent. C'est la même chose pour les médicaments: il faut payer et remplir plein de papiers pour se faire rembourser. C'est très compliqué et l'on doit parfois payer une partie soi-même.

3b Gisela, a German woman living in Paris, has also recorded her views on the French health system. Students listen to the recording and answer the questions in English.

Answers:

1 *The amount of medicine people take.* **2** *French people should use fewer medicines or try more natural remedies.*
3 *It is very easy to find a pharmacy.*

---

p 55, activité 3b

Gisela
Ce qui me choque le plus en France, c'est le nombre de médicaments que les gens avalent! Dans n'importe quelle famille, il y a toujours une grosse boîte remplie de médicaments quelque part. Les gens sont réellement obsédés par leur santé! Personnellement, je pense que les Français pourraient utiliser moins de médicaments chimiques, ou alors prendre à la place des remèdes naturels.

Le seul côté positif ici? C'est extrêmement facile de trouver une pharmacie! Quand on se promène par exemple à Paris en hiver, on peut voir des enseignes de pharmacies qui brillent tout le long de certaines rues: il y en a parfois quatre ou cinq les unes après les autres!

---

4 Students organize the information given by Steve and Gisela into positive and negative aspects. They can decide for themselves what the best and worst aspects of the French health system are and give their reasons.

5 Students prepare and give a short presentation on the French health system.

F 17 En plus Students are referred to Feuille 17.

Compétences

1 Students search the French health statistics given on page 54, looking for synonyms.

Answers:

différence/écart année/an nourriture/alimentation mort/décès diminue/baisse possède/détient affecté/touché à peu près/environ

2   Students try to extend the list of antonyms started for them in activite 1b. *Suggestions: facile/difficile, plus bas/plus haut, lourd/léger.*

 En plus   This refers students to Feuille 16.

Au choix

page 56

1   Students refer to the advice given on structuring a paragraph in the *Compétences* box on page 49. Then they write a short paragraph (100–150 words) about vegetarians, referring to the facts listed if necessary.

 2   Students listen to the recording about the influence of alcohol on road accidents. They then decide whether the statements given are true or false and correct the false ones.

Answers:

1 *Faux. On estime que l'alcool entre en cause dans 40% des accidents mortels.*

2 *Vrai*

3 *Faux. Il a du mal a contrôler son véhicule et réagit de façon anormale.*

4 *Vrai*

5 *Vrai*

6 *Faux … trois verres, bonjour les dégâts.*

---

p 56, activité 2

Boire et conduire
En France, on estime que l'alcool entre en cause dans environ 40% des accidents mortels.
   Un conducteur en état d'ivresse a des réflexes plus lents et une vision limitée. Il est souvent la cause d'accidents graves car il a du mal à contrôler son véhicule et réagit de façon anormale.
   Pour lutter contre l'alcool au volant, le gouvernement français a établi des limites d'alcoolémie – c'est-à-dire un taux maximum d'alcool dans le sang – qui peut être vérifié grâce à un Alcootest ou une prise de sang. Ainsi, un conducteur au-dessus de cette limite est officiellement en infraction avec la loi et peut recevoir une amende, un retrait de permis ou une peine de prison si des personnes sont mortes dans l'accident qu'il a provoqué.
   Pour pousser les automobilistes français à ne pas boire d'alcool avant de conduire, il y a eu en France de grandes campagnes publicitaires avec des slogans désormais célèbres comme par exemple: "boire ou conduire, il faut choisir" ou encore, "un verre ça va, trois verres, bonjour les dégâts".

---

3   In the manner of the example provided, students compare the lifestyle of two of their classmates.

4   Students organize a debate around the topic: 'Is it a good idea to ban alcohol completely?' They can refer to the skills on structuring an argument in the *Compétences* box on page 51.

Phonétique

 1   Students focus on the liaisons made when the last letter of one word is linked with the first letter of the second word. They read the sentences aloud, paying particular attention to the linked words.

---

p 56, Phonétique

Les liaisons

1 Je dors dix heures par nuit et je ne vais jamais en boîte.

2 Je pense qu'il y a de plus en plus de végétariens dans les pays occidentaux.

3 De nombreux accidents de la route sont tout à fait évitables.

4 Il y a un écart de huit ans entre l'espérance de vie des hommes et des femmes.

5 J'ai de plus en plus de problèmes d'argent et je dors de moins en moins.

6 A trois heures dix, six voitures entraient en collision sur l'autoroute du soleil.

7 A Paris, il y a parfois quatre ou cinq pharmacies les unes après les autres.

8 Ceux qui veulent utiliser des drogues illicites risquent des peines de prison.

Copymasters

Feuille 15 Les drogues illicites

1a   A gap-fill exercise where students read the article on drugs and then choose words from the box to complete the sentences.

Answers:

A *plante; feuilles; marijuana; mémoire*   **B** *chimique; pilules; rythme; mort*   **C** *opium; fumée; veines; plaisir; santé; overdose*   **D** *poudre; nez; cœur; nerveux*   **E** *crack; comportements*

 1b   Students listen to the recording to confirm whether their answers to activity 1a were correct.

F15, activité 1b

Les drogues illicites

Le cannabis est une plante qui permet de produire deux grands types de drogues: les feuilles et les fleurs séchées donnent la marijuana; la résine donne le haschisch. Le cannabis est généralement fumé pur ou mélangé avec du tabac. Il provoque des sensations d'euphorie mais aussi des hallucinations et des problèmes de mémoire et de concentration.

L'ecstasy est un produit chimique proche des amphétamines qui se présente sous forme de pilules. L'utilisation d'ecstasy entraîne des troubles du comportement et du rythme cardiaque. Dans certains cas, l'absorption d'une seule pilule peut provoquer la mort.

L'héroïne provient d'une plante – le pavot – dont sont aussi extraits l'opium et la morphine. L'héroïne peut être fumée, aspirée par le nez ou injectée dans les veines. L'utilisation d'héroïne provoque une sensation de plaisir intense mais brève qui pousse à l'augmentation progressive des doses. Cette drogue entraîne une dégradation progressive de la santé de ceux qui la consomment et une overdose peut entraîner la mort.

La cocaïne est une poudre blanche extraite de la feuille d'une plante – la coca. La cocaïne peut être "sniffée" par le nez ou injectée. Elle provoque de fortes sensations brèves, et endommage le cœur et le système nerveux. Une overdose peut aussi causer la mort.

Le crack est un mélange de cocaïne et de produits chimiques particulièrement dangereux. Il se présente sous forme de cristaux qui dégagent des gaz toxiques en brûlant. Le crack provoque une stimulation très forte qui peut entraîner des comportements extrêmement violents.

Feuille 16 Compétences en plus

1a Students read the paragraph about suicide and then look for synonyms for the words listed.

Answers: **1** *l'avenir* **2** *précis* **3** *choisissent de* **4** *incurable* **5** *se donner la mort*

1b Combing through the paragraph again, the students look for words meaning the opposite of those listed.

Answers: **1** *à la fin de* **2** *difficiles* **3** *questions* **4** *longue* **5** *la vie*

2a Students match the pairs of sentences and note whether the pairs express the same view or a contradictory one.

Answers: 1 d✗ 2 e✓ 3 ✗ 4 f✗ 5 b✓ 6 c✗

2b Students change the "no" sentences so that all pairs express the same view.

Answers: *... il y a plus de décès parmi les hommes que parmi les femmes; Les médicaments qui aident à dormir ... ; Les végétariens sont contre la consommation de viande; Le tabagisme est dangereux pour la santé.*

Feuille 17 Troubles de l'alimentation

1 After reading the passage on anorexia, students decide whether the statements are true or false.

Answers: **1** *faux* **2** *faux* **3** *vrai* **4** *faux* **5** *vrai*

2 The second passage is about bulimia. Students read it through and then complete the sentences.

Answers: **1** *beaucoup plus* **2** *s'arrêter* **3** *jeûnent* **4** *mince* **5** *d'anorexie*

3 Working in pairs, students listen to the recorded questions and answer them orally.

Possible answers:
Anorexie
1 *L'anorexie touche essentiellement les jeunes filles, avec neuf filles anorexiques pour un garçon.* **2** *La plupart des anorexiques viennent de milieux sociaux plutôt favorisés.* **3** *Elles sont obsédées par l'idée de perdre du poids.* **4** *Dans la plupart des cas, l'anorexie disparaît après quelques mois ou années.* **5** *Il y a un grand débat au sujet de l'anorexie et de l'image des femmes dans les médias.*

Boulimie
1 *La boulimie touche des personnes qui trouvent un grand confort dans la nourriture.* **2** *Elles mangent beaucoup plus que la normale en peu de temps.* **3** *Elles décident de se faire vomir ou de jeûner pour essayer de ne pas trop grossir.* **4** *Oui, certaines personnes peuvent souffrir de boulimie et rester très minces.* **5** *La boulimie s'arrête quand les problèmes personnels de la personne diminuent ou disparaissent.*

F 17, activité 3

L'anorexie
1 Qui sont les plus touchés par l'anorexie: les filles ou les garçons?
2 De quel milieu social viennent la plupart des anorexiques?
3 Par quoi sont-elles obsédées?
4 Est-on anorexique pour la vie?
5 Sur quoi porte le grand débat actuel?

La boulimie
1 Quel genre de personnes sont touchées par la boulimie?
2 Quelles sont les habitudes alimentaires d'une personne boulimique?
3 Que font les boulimiques pour ne pas trop grossir?
4 Peut-on être boulimique et rester mince?
5 La plupart du temps, quand s'arrête la boulimie?

Révisions Unités 3–4

1a Students read the article and then answer the questions.

Possible answers:
a *Marc regardait des séries télé quand il était jeune.* (1 mark)
b *Il vient de commencer son premier stage en entreprise.* (1 mark)
c *Il étudie l'informatique à Montpellier.* (1 mark)

d *Il veut devenir concepteur de jeux vidéo et faire un voyage au Japon.* (2 marks)

e *Les dessins animés japonais sont arrivés sur les chaînes de télévision françaises dans les années 80.* (4 marks)

f *On peut décrire une bande-dessinée manga type comme des cartoons japonais avec des personnages stylisés dont les aventures sont publiées en séries.* (3 marks)

g *Les enfants et les adultes lisent les mangas au Japon.* (2 marks)

h *Marc aime les mangas a cause de l'étrangeté exotique et le réalisme des scénarios. 'C'est l'anti-Walt Disney,' dit-il.* (3 marks)

1b Students comb through the article looking for translations for the words given. (6 marks)

Answers: **a** *la télécommande* **b** *magnétoscope* **c** *des années 70* **d** *gavé* **e** *la patrie* **f** *au seuil de* **g** *personnages* **h** *en chœur*

2 Students listen to Christine talk about her preferred sport and choose the correct answers to the questions. (8 marks)

Answers: **1** b **2** a **3** c **4** a **5** b **6** b **7** c **8** c

---

p 57, activité 2

Christine

Mon sport à moi, c'est le kickboxing. Ce n'est pas exactement un art martial, mais plus un sport de défense qui permet d'apprendre différents moyens de réagir en cas d'attaque. Je pense que c'est un sport que beaucoup de gens – et surtout de filles – devraient pratiquer. Cela développe de bons réflexes et on apprend une certaine discipline.

En plus, il faut très peu d'équipement: on s'entraîne pieds nus, en short et en t-shirt, et la seule chose qu'il faut acheter, c'est une paire de gants. On s'entraîne seul ou à deux et, contrairement à ce que les gens pensent, ce n'est pas un sport dangereux. On utilise des protections contre les coups et, l'essentiel du temps, on répète seulement des mouvements avec des coups de poings et des coups de pieds. Moi, je m'entraîne dans un club deux fois par semaine, de 18 à 20 heures.

De fait, depuis que je fais du kickboxing, je me sens plus forte et je contrôle mieux certaines situations difficiles.

---

3 Students look at the image and prepare answers to questions about it. They should cover: what is happening in the picture; why so many people like to travel on organised holidays; what their own preferences are and whether they prefer organised or adventure holidays; what, in their opinion, are the pros and cons of tourism in a country. (5 marks)

4 Students should write approximately 150 words on the subjects given:

a) A prospectus from a leisure centre offering various outdoor sporting activities at the weekend. Students should describe five different sports, their benefits and whatever equipment may be necessary. (20 marks)

b) Students imagine that they have just found out that their friend is a drug addict. They write a letter to a newspaper for young people giving as many details about the situation as possible and asking precise questions. (20 marks)

c) Imagining that they work for the above newspaper, students write a response to the letter in b, answering the questions and giving some general advice about drug addiction. (20 marks)

5 Students give an oral response to the questions.

a) They should say whether they prefer team sports or sports practised as an individual. (5 marks)

b) Choosing a country which is a tourist destination, students should explain why so many people like to spend their holidays there. (5 marks)

c) Students give their opinions on how one should keep fit. (5 marks)

d) They say whether they feel smoking should be forbidden in public places. (5 marks)

e) They offer their views on what pushes certain young people to take drugs. (5 marks)

6a Three controversial methods which may help combat drug abuse are tabulated. Students read the arguments for and against each measure and note in the appropriate column whether the arguments are for or against.

	pour	contre
1 la distribution gratuite de seringues	C	F
2 l'utilisation de produits de substitution comme la méthadone	D	E
3 la légalisation de la marijuana	A	B

6b Using the completed grid, students note whether they personally are for or against each measure.

Contrôles Unités 3–4

Feuille 42 Contrôles Unités 3–4

1 Students listen to the three interviews about health with people in the street and then fill in the gaps with the appropriate expression. (3 marks)

Answers: **a** iii **b** i **c** ii

F42, activité 1

A
– Pour vous, c'est quoi avoir la forme?
– Pour moi, avoir la forme c'est faire beaucoup de sport et manger une nourriture saine. Je fais du jogging tous les matins avant d'aller travailler et je vais à la piscine tous les vendredis soirs. Je pense que les gens ne font pas assez d'activités sportives. Ils passent trop d'heures à regarder la télé et ils mangent souvent des repas surgelés au lieu de cuisiner eux-mêmes quelque chose.

B
– Je vois que vous fumez … Vous ne pensez pas que c'est quelque chose de dangereux?
– Oui. Je sais bien que c'est dangereux pour la santé et j'ai déjà essayé de m'arrêter plusieurs fois – mais sans succès. J'ai commencé à fumer quand j'avais quinze ans et maintenant c'est très difficile d'arrêter. Cependant, je fais bien attention de ne pas fumer dans les magasins ou les restaurants pour respecter les personnes qui ne fument pas.

C
– Bonjour! Vous êtes en train de manger un hamburger: vous n'essayez donc pas de faire attention à votre alimentation?
– Non, pas vraiment … Je suis souvent très pressé et je n'ai pas vraiment le temps de cuisiner ou d'aller dans un restaurant pour déjeuner. D'habitude, je mange des sandwichs, des snacks ou des repas dans des restaurants fast-food. C'est très pratique et je suis un client régulier du MacDo de mon quartier! Je sais que ce n'est pas de la nourriture particulièrement bonne pour la santé, mais la vérité c'est que je n'aime pas les légumes ou les fruits! Frites et hamburger, voilà mon repas préféré!

2 Students listen to the recording once more and then answer the questions in French. (4 marks)

Answers:
a *Elle fait du jogging et de la natation.*
b *Personne B ne fume pas dans les magasins ou les restaurants.*

3 Students listen to person C again and fill in the five blank spaces with the appropriate verb in the correct form. (5 marks)

Answers: *est; mange; fréquente; peut; préféré*

Feuille 43 Contrôles Unités 3–4

1 Students read the ten descriptions of various sports and then work out which sports they refer to. (10 marks)

Answers:
1 *le ski* **2** *le surf* **3** *le basket* **4** *le football* **5** *le karaté*
6 *le roller* **7** *la natation* **8** *le hockey sur glace*
9 *l'escalade* **10** *le tennis*

2 Following the model of activity 1, students give a description of two of the five sports listed.

Possible answers:

1 *athletics; C'est un sport individuel où on pratique des exercices physiques comme la course, le lancer (du disque, du poids, du javelot), le saut.*
2 *badminton; C'est un sport qui ressemble au tennis mais qui utilise un volant.*
3 *fencing; C'est un sport très historique, plutôt un art, qui utilise des épees.*
4 *golf; Utilisant des cannes, on doit pénétrer des balles, par le plus petit nombre de coups possible, dans des trous.*
5 *cricket; C'est un sport d'équipe qui se pratique avec des battes de bois et une balle.*

(Mark scheme: 8 marks. 2 marks for each correct description. 2 marks for accuracy of language in each description.)

Feuille 44 Contrôles Unités 3–4

The activities on this copymaster follow the style of the AQA Unit 3 assessment 'People and Society'.

See the assessment criteria tables for Unit 3 provided in the AQA specification for how to allocate marks to the activities on this copymaster.

The activities provide an opportunity for students to practise responding to questions on a piece of stimulus material. Allow students 20 minutes to prepare answers to the prompt questions given.

1 Looking at the two postcards, students answer the questions. They should: 1 Say what each one shows; 2 Compare both places; 3 Give their opinion on what sort of person is likely to want to spend their holidays in Santorini; 4 Give their opinion on what sort of person would like to holiday in Ibiza; 5 Say which location they themselves would prefer and why.

2 As if they had just come back from two weeks in Santorini or Ibiza, students talk for two minutes about their holiday.

3 Students reply orally to the survey questions about holidays.

Unité 5 L'éducation

Unit objectives

By the end of this unit students will be able to:

◆ Compare the French and British education systems
◆ Describe their own education
◆ Talk about their plans for future studies
◆ Discuss mixed vs single sex schools
◆ Discuss equal opportunites for boys and girls

Grammar

◆ Use the future tense
◆ Use *y* and *en*
◆ Use demonstrative adjectives and pronouns

Skills

◆ Linking phrases together using conjunctions
◆ Improving writing skills
◆ Using correct intonation in questions and exclamations

page 59

1   Students compare their own school timetable with the French student's and see whether they keep to the same schedule or have the same subjects. This activity makes a suitable introduction to school vocabulary and might be suitable for brainstorming as a class.

2a   Students identify their own strongest and weakest subjects and say which their preferred subjects are and why. They explain how they came to choose their subjects.

2b   Working as a class, students compare the girls' answers with the boys'. They should see whether any differences can be noticed.

3   Looking closely at the photos, students note the difference between French and British schools. They can add any other differences they may know of.

Le parcours scolaire

pages 60–61

Grammar focus

◆ Pronouns *y* and *en*

Materials

◆ Students' Book pages 60–61
◆ Cassette 2 side 1, CD 2
◆ Grammar Workbook page 25

1a   Having read the table, students listen to the recording and work out which year each speaker is in.

Answers:

1 *en seconde*   **2** *en troisième*   **3** *en première année au lycée professionnel*   **4** *en première*   **5** *en terminale*
6 *en quatrième*

---

p 60, activité 1

1 L'année dernière, j'étais dans un petit collège. Cette année, je suis dans un grand lycée. Ça a été un choc!
2 Cette année, c'est ma dernière année au collège. L'année prochaine, je vais au lycée.
3 Je vais passer mon CAP d'électricien dans deux ans.
4 Je vais passer le bac de français à la fin de l'année.
5 L'année dernière, j'ai passé les épreuves du bac de français.
6 Dans un an, je vais passer le brevet des collèges. J'ai un peu peur!

1b   Play the recording again so that students can note down any expressions to do with time.

Answers:

l'année dernière, cette année, ma dernière année, l'année prochaine, dans deux ans, à la fin de l'année, dans un an

2a   Students should read and then copy out and complete the text explaining the stages of education in France.

Answers:

1 *l'école maternelle*   **2** *l'école primaire*   **3** *sixième*
4 *lycée professionnel*   **5** *brevet des collèges*   **6** *seconde*
7 *BEP*   **8** *première*   **9** *terminale*

2b   Students listen again to check their answers.

---

p 60, activité 2b

Le parcours scolaire en France
On va à l'école maternelle à l'âge de deux ans et demi ou trois ans. On y reste jusqu'à l'âge de six ans. Ensuite, on entre à l'école primaire, à l'âge de six ans. Puis, à onze ans, on va au collège, où on entre en sixième. Après la cinquième, on peut soit continuer au collège, soit faire un CAP dans un lycée professionnel. Si on reste au collège, on va en quatrième, puis en troisième et on passe le brevet des collèges.
   A 15 ans, on quitte le collège et on entre en seconde dans un lycée ou bien dans un lycée professionnel pour préparer un BEP. En première, on choisit une filière (littéraire, scientifique, etc.) et on passe le bac de français à la fin de l'année. A la fin de la terminale, on passe le bac.

Ensuite, il y a de nombreuses options: ou faire des études longues (université, grandes écoles) ou faire des études plus courtes (certains lycées, instituts, écoles spécialisées), ou alors trouver un emploi.

3   Students write about the typical progress made through the education system in their own country. They can follow the format of the article and make use of the *Mots-clés*. They could also make a recording.

4a   Having read Lea's account, students number the events of her educational progress to put them into chronological order.

Answers:

1 A **2** H **3** E **4** G **5** F **6** C **7** B **8** D

4b   Students summarize the text in French, in the third person.

Example: *Elle est allée à l'école maternelle à trois ans. A six ans, elle est entrée à l'école primaire …*

4c   Students answer the questions as if they were Lea.

Possible answers:

1 *Je l'aimais beaucoup parce que l'ambiance était bonne.*
2 *Je me suis habituée facilement au collège. J'ai trouvé les langues intéressantes.*
3 *Ça me plaît bien. En première, j'ai trouvé le travail motivant et j'ai obtenu de bonnes notes au bac de français.*

5a   Yvan's experiences of schooling were very different. Play Yvan's recording so that students can make notes about his progress and impressions.

---

p 61, activité 5

– A quel âge es-tu allé à l'école maternelle, Yvan?
– Je suis allé à la maternelle à deux ans et demi. J'étais petit mais je m'en souviens encore un peu!
– Et donc après, tu es entré à l'école primaire …
– Oui, j'y suis entré à l'âge de six ans. En primaire, j'avais de bons copains, alors ça allait! C'est après que j'ai eu des problèmes.
– Tu as quitté l'école primaire à 11 ans …
– Oui, c'est ça, et je suis entré en sixième dans un collège. C'était horrible!
– Pourquoi horrible?
– D'abord parce que l'ambiance n'y était pas bonne et puis je ne me suis pas habitué facilement aux changements. Je n'étais plus avec mes copains, je n'aimais pas les profs et les nouvelles matières, comme l'anglais, ça ne m'intéressait pas du tout! Alors, je ne travaillais pas et j'ai redoublé la sixième et la quatrième!

– Tu as obtenu le brevet des collèges?
– Oui, oui, parce que quand j'étais en troisième, j'ai commencé à travailler. Alors, j'ai eu le brevet … juste!
– Tu as quitté le collège à quel âge?
– Euh … à 17 ans. J'y suis resté six ans au lieu de quatre puisque j'ai redoublé deux fois!
– Et tu es allé dans un lycée après?
– Oui, je suis allé en seconde dans un lycée. Alors là, catastrophe! Je n'ai pas trouvé le travail motivant et j'avais toujours de mauvaises notes, et ça, c'est très décourageant. Après la seconde, j'ai suivi une autre filière: je suis allé dans un lycée technique où j'ai fait de l'électronique. En juin dernier, j'ai obtenu un BEP. J'en suis content, de mon BEP, mais les études, ça ne me plaît pas, alors maintenant, je vais chercher un emploi.

5b   Using their notes, students give a oral description of Yvan's educational progress. They can refer to the *Compétences* box on page 29 which covers speaking from notes.

Possible answer:

En primaire, tout allait bien pour lui. Il a commencé à avoir des problèmes au collège. Il a obtenu le brevet des collèges mais il a redoublé la sixième et la quatrième. Il a quitté le collège à 17 ans et il est allé en seconde dans un lycée. Ça ne s'est pas bien passé et après la seconde il est entré dans un lycée technique où il a fait de l'électronique. Il a obtenu son BEP et il en est content. Maintenant il cherche un emploi.

6   In a paragraph of 150 words, students can give an account of their own schooling. They should answer questions a–c in activity 4c and make use of *y* and *en* and the *Expressions-clés*.

Grammaire

A   Students re-read Lea's text and find an example for each of the different uses of *y* and *en*.

Answers:

a *j'y suis restée*
b *pour y arriver, je m'y suis habituée*
c *on en avait*
d *je voulais en faire trois*
e *je ne m'en souviens pas*

B   Students rewrite the two sentences using *y* or *en* and say which of uses a–e they represent.

Answers:

1 *Les horaires? Je ne m'y habitue pas.* (b)
2 *Les sciences? Moi, je n'en fais plus.* (d)

Projet personnel

pages 62–63

Grammar focus

◆ The future tense

Materials

◆ Students' Book pages 62–63
◆ Cassette 2 side 1, CD 2
◆ Grammar Workbook pages 54–55
◆ Feuille 18

1a Students read the text and then match numbers 1–6 with the career advisor's questions a–f.

Answers:

1 a **2** d **3** c **4** b **5** e **6** f

1b Discussing in pairs or in groups, students consider which of factors 1–6 in activity 1a are most important in enabling someone to be successful in their studies and why.

2 Students can either read Sandrine's and Mathieu's texts and listen to their accounts on the recording, or simply listen to the recording. They then answer questions a–f in activity 1 for each person.

Answers:

Sandrine

a *Je voudrais devenir présidente de la République.*

b *Au lycée, j'aime bien la philo, le français, l'histoire-géo et l'éducation civique. La politique, ça me passionne.*

c *Je suis très ambitieuse, déterminée, organisée et j'aime diriger.*

d *Je suis forte dans toutes les matières (sauf en EPS) mais surtout en maths.*

e *Après avoir passé le bac à la fin de l'année, je voudrais étudier les sciences politiques dans une grande école.*

f *Je compte travailler pendant les vacances pour financer mes études et mes parents m'aideront aussi.*

Mathieu

a *J'aimerais bien être moniteur de ski ou bien prof de tennis.*

b *Au lycée, mes matières préférées sont l'EPS et les sciences.*

c *Je suis calme et responsable.*

d *Je suis assez fort en biologie, mais je n'ai pas de bonnes notes dans les autres matières.*

e *Si j'ai le bac à la fin de l'année, j'irai dans une école spécialisée.*

f *Je vais travailler le soir ou le week-end pour payer mes études. Je vais essayer de trouver des stages payés.*

---

p 62, activité 2

Sandrine

Mon projet personnel? Je voudrais devenir présidente de la République, tout simplement! Au lycée, mes matières préférées sont la philo, le français et

---

l'histoire-géo. J'adore aussi l'éducation civique. Je suis forte dans toutes les matières (sauf en EPS!) mais surtout en maths, où j'ai 18/20 de moyenne. La politique, ça me passionne. En plus, je suis très organisée et j'aime diriger, commander!

Je vais passer le bac à la fin de l'année et j'espère avoir la mention très bien. Si je l'ai, je pourrai passer le concours pour entrer dans une grande école. J'envisage alors d'aller soit à Sciences Po soit à l'ENA.

Je compte travailler pendant les vacances pour financer mes études. Mes parents m'aideront aussi. Comme je suis ambitieuse et déterminée, je vais y arriver!

Mathieu

J'aimerais bien être moniteur de ski ou bien prof de tennis parce que j'adore le sport. Je suis très sportif et j'aime bien le contact avec les gens. Je suis calme et responsable.

Au lycée, mes matières préférées sont l'EPS, bien sûr, et les sciences, surtout la biologie où je suis assez fort. Par contre, je n'ai pas de bonnes notes dans les autres matières.

Si j'ai le bac à la fin de l'année, j'irai dans une école spécialisée. Je ne pense pas faire des études longues parce que ça ne m'intéresse pas. Moi, j'ai envie d'entrer dans la vie active.

J'ai l'intention de travailler ou le soir ou le week-end parce que je ne veux pas demander à mes parents de payer mes études. Si j'ai une bourse, ce sera plus facile. Je trouverai aussi peut-être des stages payés.

3 For each of the *Expressions-clés*, students write a sentence about either Sandrine or Mathieu.

Possible answers:

J'irai dans une école specialisée.

Je vais passer le bac à la fin de l'année.

Je voudrais devenir présidente.

J'aimerais bien être moniteur de ski.

J'espère avoir la mention très bien.

Je compte travailler pendant les vacances.

J'ai envie d'entrer dans la vie active.

J'ai l'intention de travailler …

J'envisage alors d'aller soit à Sciences Po soit à l'ENA.

Je ne veux pas demander à mes parents …

Je ne pense pas faire des études longues.

4a Students listen to Clément's plans for the future and note his answers to questions a–f of activity 1.

Answers:

a *J'aimerais bien travailler dans le cinéma.*

b *Ce qui me passionne, c'est aller au cinéma et faire des films au club-vidéo du lycée.*

c *J'ai l'esprit assez créatif, j'ai beaucoup d'imagination et je suis très travailleur.*

d *J'ai la moyenne en français et philo, mais je suis nul dans les autres matières.*

e *Si j'ai le bac, je passerai le concours pour entrer dans une école de cinéma.*

f *Je compte travailler pendant mes études.*

---

p 63, activité 4

– Clément, quel est ton but pour l'avenir?

– Ben moi, j'aimerais bien travailler dans le cinéma.

– Dans le cinéma? Ah! Qu'est-ce qui t'intéresse au lycée et en général?

– Mes matières préférées, ce sont français, musique et dessin. Le reste ... bof, ça ne m'intéresse pas! Moi, ce qui me passionne, c'est aller au cinéma et faire des films au club-vidéo du lycée.

– Quel caractère as-tu?

– Euh ... ben, j'ai l'esprit assez créatif, j'ai beaucoup d'imagination et je suis très travailleur ... mais seulement quand ça m'intéresse!

– Comment sont tes notes au lycée?

– En français et en philo, ça va, j'ai la moyenne mais je suis nul dans les autres matières, surtout en maths!

– Quel genre d'études voudrais-tu faire?

– Je n'ai pas l'intention de faire des études longues. Je ne veux pas aller à l'université. Si j'ai le bac, je passerai le concours pour entrer dans une école de cinéma ... mais ça coûte cher!

– Comment vas-tu payer tes études?

– Je compte travailler en même temps. Si j'ai de la chance, je trouverai peut-être des stages payés en entreprise ou alors je serai serveur chez Macdo le week-end!

4b In about 60 words, students summarize Clément's plans for the future in English.

5a Students work in pairs to role-play an interview, Student A being 'Julien' and Student B being 'Elodie'. Students can use the character details on the cards, questions a–f and the *Expressions-clés*.

5b Play the recording of the interview between Julien and Elodie. Students can compare this with their own interview.

---

p 63, activité 5b

Julien

– Quel est ton but pour l'avenir?

– Euh, ben, moi, j'aimerais bien être programmeur.

– Qu'est-ce qui t'intéresse au lycée et en général?

– Ben, plutôt l'informatique et euh… les technologies nouvelles.

– Quel caractère as-tu?

– Ah! Eh bien, je dirais que je suis sérieux et plutôt organisé.

– Et comment sont tes notes au lycée?

– Mes notes? Alors, je suis relativement fort en maths, et en sciences et en techno aussi.

– Et quel genre d'études voudrais-tu faire?

– J'espère pouvoir entrer dans un institut universitaire de technologie.

– Comment vas-tu payer tes études?

– Ben, je compte bien avoir une bourse.

Elodie

– Quel est ton but pour l'avenir?

– Euh, ben, moi, j'ai envie de travailler dans le tourisme.

– Qu'est-ce qui t'intéresse au lycée et en général?

– Au lycée, surtout le français et l'informatique, et en général, ben, les voyages.

– Quel caractère as-tu?

– Ah! Eh bien, je suis quand même dynamique et puis très sociable.

– Et comment sont tes notes au lycée?

– Ben, je suis assez forte en français, mas alors pas en anglais. Là, je suis nulle!

– Et quel genre d'études voudrais-tu faire?

– J'ai l'intention de faire une école spécialisée, peut-être à l'étranger, hein, ça ouais, ça serait bien.

– Et comment vas-tu payer tes études?

– Je pense que j'aurai une bourse et puis, et puis j'essaierai de trouver un job, peut-être en au pair, en Angleterre, pour améliorer mon anglais.

---

6 Students give an oral presentation on their own personal plans. They should refer to questions a–f in activity 1, the texts on page 62, and the *Expressions-clés*. Having prepared their notes they can make a one- or two-minute recording.

F 18 En plus This refers students to Feuille 18.

Grammaire

A Students identify the three kinds of future tense in the texts on page 62.

Answers:

Je vais passer le bac; Je vais y arriver …

Mes parents m'aideront; Je trouverai …

Si je l'ai, je pourrai passer …; Si j'ai le bac, j'irai …, Si j'ai une bourse, ce sera …

B Students rewrite the extract changing *aller* + infinitive to the future tense.

Answer:

Si j'ai le bac, j'irai à l'université. Là, je ferai des études de français. Ensuite, je partirai dans un pays francophone. Là, je trouverai un job: je serai soit au pair soit serveur. Puis, je reviendrai ici et je deviendrai prof de français. Le rêve!

Vive la mixité?

pages 64–65

Skills focus
◆ Using conjunctions

Materials
◆ Students' Book pages 64–65
◆ Cassette 2 side 1, CD 2

1a Students consider whether they believe there are differences between the attitudes and capabilities of the sexes. Using the adjectives given, and adding others, students follow the format of the table shown, being careful to make any adjectives agree.

1b As a class, students discuss and agree on the stereotypical male and female student.

1c Working as a class, students conduct a survey in the school. How far do the other students agree with the stereotypes of boys and girls? The results should be presented as percentages.

2a Students match the beginnings of the sentences with the ends.

Answers:
1 e 2 f 3 b 4 a 5 d 6 c

2b Students sort out the arguments for and against mixed schools.

2c Students listen to the recording to verify their answers to activity 2a. They say which arguments they agree with.

---

p 64, activité 2c

1
– Excuse-moi, tu peux me dire ce que tu penses de la mixité du lycée? Tu es pour, contre?
– La mixité? Ben euh … moi, je pense que euh … les garçons et les filles euh … ben … on a envie d'être ensemble, quoi, même si des fois on dit le contraire, hein …. Donc, oui, moi, je suis pour!

2
– Est-ce que je peux te demander si tu es pour ou contre la mixité du lycée?
– Pour ou contre? Ben, moi, je crois qu'on devrait nous séparer en cours, parce qu'on se concentrerait mieux. Alors, moi, je suis contre.

3
– Bonjour, tu peux me dire ton opinion sur la mixité de l'école?
– Mon opinion sur la mixité? Ah oui, moi, je suis tout à

---

fait pour! A mon avis, ce ne serait pas naturel d'être séparés quand on est ensemble à l'extérieur!

4
– Et toi, qu'en penses-tu? Pour ou contre la mixité?
– Ben, moi aussi, je suis pour, bien sûr! Pour moi, on doit apprendre à être ensemble dès le lycée, sinon on ne se comprendra pas plus tard, dans la vie! Donc oui, pour!

5
– Pardon, mais tu as une minute pour me donner ton avis sur la mixité de l'école? Tu préférerais un lycée mixte ou non-mixte?
– Ben, personnellement, je préférerais un lycée non-mixte … oui, parce que je trouve que les filles et les garçons, on apprend de façons différentes, donc il faudrait des cours différents, des cours pour filles et des cours pour garçons.

6
– Excuse-moi … dis-moi, à ton avis, la mixité au lycée, c'est bien ou pas? Tu es pour ou contre?
– Alors là, les filles au lycée, moi, je trouve que c'est sympa pour la drague, hein, mais pas du tout pour les études! Alors finalement, je serais plutôt contre. Oui … enfin, j'en sais rien!

Compétences

In this section, students are given advice on how to add interest to their writing by using conjunctions.

A Students compare two extracts and consider which is the more interesting to read and why.

Answer:
The second one is more interesting because it has better sentences. The points made are linked together with conjunctions which make the writer's ideas clearer. It is less abrupt, flows better.

B Student copy and complete the text, using suitable conjunctions to fill the gaps.

Answers:
mais; donc; Parce qu'; même s'; quand

3a Students listen to the discussion between Julien and Elodie and note each person's arguments and the expressions they use to give their opinions.

---

p 65, activité 3

– Moi, je suis pour le lycée mixte. Je pense que c'est plus intéressant parce que l'ambiance est meilleure. Personnellement, je n'aimerais pas être dans une école de filles!
– Ben moi, j'aimerais mieux être dans un lycée de garçons. Je suis plutôt contre les lycées mixtes.
– Ah bon? Pourquoi?

– Ben, j'aimerais mieux avoir des cours non-mixtes. Je pense qu'on ne travaille pas de la même façon. Les garçons discutent beaucoup plus. Vous, les filles, vous êtes trop calmes!

– Bof! Ça, ce n'est pas toujours vrai!

– Et puis, on ne s'intéresse pas vraiment aux mêmes choses.

– Justement, je trouve que c'est intéressant d'être ensemble. On apprend plus de choses comme ça.

– Peut-être, mais à mon avis, sans filles dans la classe, les garçons se concentrent mieux! On ne pense pas à la drague!

– Ah ça, vous ne pensez qu'à ça! Moi, je crois que c'est bien pour les garçons d'être avec des filles, parce que les filles travaillent plus en général. Du coup, vous travaillez plus aussi!

– Bof, peut-être. En tout cas, moi personnellement, je trouve que les filles sont bizarres des fois. On ne les comprend pas toujours!

– Justement! Si on est séparés, on ne se connaît pas et si on ne se connaît pas, on ne se comprend pas!

– Toi, tu es bien une fille, tu veux toujours avoir le dernier mot!

– Ce n'est pas vrai! Ça, c'est encore un cliché …

3b Students consider whether they are more in sympathy with the views of Julien or Elodie and give their reasons. They write a paragraph of about 60 words explaining their point of view.

4 As a class, students organize a debate on the subject of mixed sex schools. Students should align themselves with one side or the other and then prepare arguments for and against. They should refer to the vocabulary and ideas on pages 64–65 and the advice on structuring an argument for a debate on page 51. Students will find it useful to use conjunctions and the *Expressions-clés*.

En plus Students give an account of how the debate went. In 150 words, they should explain the two points of view and the conclusion reached.

Egalité des chances

pages 66–67

Grammar focus
◆ Demonstrative adjectives and pronouns

Skills focus
◆ Improving writing skills

Materials
◆ Students' Book pages 66–67
◆ Cassette 2 side 1, CD 2
◆ Cassette 2 side 1, CD 2 for Feuille 19

◆ Grammar Workbook pages 11 and 28
◆ Feuilles 19 and 20

1a Students read the text and answer the questions.

Answers:

1 *Parce qu'elles suivent des filières qui mènent à des carrières "généreuses" mais bouchées.*

2 *Des recherches montrent qu'elles sont souvent conditionnées par l'environnement; l'influence de la société, des parents et des professeurs.*

3 *Elles devraient suivre les filières scientifiques ou techniques.*

2 As a class, students discuss why girls make the career choices they do and whether boys are really given more favourable treatment at school.

F 19 En plus Students are referred to Feuille 19.

Compétences

This section gives students advice on improving their writing skills.

A Students find examples of tips a–d in the text on page 66.

B Comparing two versions of the text on the role of education, students spot the techniques which have improved the second one. They find examples of tips a–d.

C Students write a paragraph of 100 words in response to the statement 'On ne choisit pas son orientation, elle nous est imposée'.

F 20 En plus Students are referred to Feuille 20.

Grammaire

A Students search for the demonstrative pronouns on page 66 and say what they refer to.

Answers:

ceux-ci = les garçons; celui-ci = le choix de carrière; celle des parents = l'influence; celle des professeurs = l'influence; celles que l'on dit masculines = les filières scientifiques ou techniques; celui qui = le problème

B Students rewrite the sentences, replacing the underlined words with a demonstrative pronoun.

Answers: **1** *celles-ci* **2** *celui*

Au choix

page 68

Materials
◆ Students' Book page 68
◆ *Elan en solo* cassette side 1

S[🔊] 1a Students listen to the interview with M. Bertin on the school radio. They note the reasons why he chose his career, his path through the education system, and the qualities he believes necessary to be a good teacher.

---

p 68, activité 1

– Bienvenue sur Radio-Lycée Montaigne. Ici Nathalie Daniel et la rubrique Vie Active. Aujourd'hui, nous allons parler du métier de professeur de lycée avec M. Bertin, professeur de français. Bonjour, M. Bertin.

– Bonjour Nathalie, et bonjour à tous!

– Pouvez-vous rapidement nous dire pourquoi vous êtes devenu prof de français?

– Eh bien, d'abord parce que j'adore la langue française et j'adore lire. J'aime aussi beaucoup les jeunes et j'ai de bons rapports avec eux, alors j'ai pensé au métier de professeur de français. Voilà.

– D'accord. Et pouvez-vous nous expliquer brièvement le parcours scolaire typique pour devenir professeur de lycée?

– Oui, bien, personnellement, je suis allé dans une section littéraire au lycée. J'y ai étudié le français et la philosophie, bien sûr, mais aussi le grec et le latin, et puis bien sûr les maths et l'histoire-géo. J'ai eu mon bac et ensuite, je suis allé à l'université pendant cinq ans. Là, j'ai préparé une licence puis une maîtrise de lettres. J'ai ensuite obtenu le CAPES et l'agrégation qui sont des concours, et me voici, au lycée Montaigne depuis deux ans!

– Et pour finir, pourriez-vous nous dire quelles sont les qualités nécessaires pour être prof?

– Hum … dure, cette question! Eh bien, tout d'abord, il faut être strict, mais aussi compréhensif, parce qu'il faut imposer une certaine discipline en classe mais aussi comprendre et aimer ses élèves.

– Donc strict, compréhensif … Quoi encore?

– Euh … eh bien, il faut être à la fois sérieux et amusant: sérieux parce qu'il faut travailler en classe et préparer les élèves aux examens et tout ça, et puis amusant … parce que si les élèves s'ennuient, ils n'apprendront rien!

– Donc strict, compréhensif, sérieux, amusant … que de contradictions!

– Oui, c'est vrai, il y en a d'autres! Il faut aussi être optimiste et réaliste, calme et dynamique … Il faut aussi être très bon psychologue, pour bien comprendre ses élèves. Mais je crois que la meilleure qualité à avoir pour être prof, c'est d'être flexible, de savoir s'adapter.

– Optimiste, réaliste, calme, dynamique, psychologue, flexible … Bref, il faut être superman, quoi!

– Oui, un peu, comme moi, hein!

– Eh bien, merci beaucoup, M. Bertin.

– Merci de m'avoir invité!

– Alors, chers auditeurs, si le métier de prof vous intéresse, passez voir Mme Gaillard, la conseillère d'orientation qui pourra vous donner plus de renseignements. Vie Active est finie pour aujourd'hui, nous nous retrouverons la semaine prochaine avec un autre invité.

1b Students consider whether they would want to be a teacher and why, bearing M. Bertin's answers in mind.

2 Students prepare and then speak for two minutes, either on school as the students imagine it will be in 100 years, or imagining they are Paul explaining to his parents that he wants to pursue a course as a trilingual secretary.

3 Having chosen either of the two subjects given, students write about 200 words. They may either interview a young French person about their education and ambitions or prepare a document to put into a 'time capsule' on the theme 'Notre école au 21ème siècle'.

Phonétique

S[🔊] 1 Students listen to the rising and falling intonations used to convey questions et exclamations.

2 Students read the sentences aloud. Then they confirm the intonation by listening carefully to the recording and repeating.

---

p 68, Phonétique

1

Les questions simples:
– Tu vas au lycée?

– Aimez-vous votre lycée?

Les questions avec un interrogatif:
– A quel âge es-tu allé au lycée?

– Que pensez-vous du lycée?

Les questions-énumération:
– Tu es pour ou contre?

– Tu envisages des études longues, des études courtes

    ou la vie active?

Les exclamations:
– Alors là, catastrophe!

– Moi, j'adore mon lycée!

1

– En quelle année es-tu entré en sixième?

– Tu es allé dans un lycée après?

– Tu préfères les maths ou le français?

– Moi, je vais y arriver!

– Tu fais anglais, allemand ou italien?

– Je déteste ça!

Copymasters

Feuille 18 Lire en plus

1 Students read Eric's letter outlining his plans regarding his studies and future line of work.

2 In this activity, students decide whether the statements are true or false. They should correct those statements which are false.

Answers:

1 *Vrai* **2** *Faux. Il a choisi cette filière parce que c'est sa passion.* **3** *Vrai* **4** *Faux. Il est un peu inquiet à cause du chômage des jeunes.* **5** *Vrai* **6** *Faux. Il espère! Il connaît des gens qui ont fait des stages chez Renault et qui y ont été pris après le bac.*

3 Students answer the questions.

Answers:

1 *Parce que la mécanique, c'est sa passion et qu'il ne veut pas faire d'études longues.*
2 *Il a fait un stage en entreprise de deux mois chez Renault et il en refera peut-être un autre.*
3 *Il est un peu pessimiste à cause du chômage chez les jeunes mais assez optimiste parce qu'il sait qu'on peut trouver du travail si on a fait des stages.*
4 *Il aime la construction automobile, a de l'expérience chez Renault et il connaît des gens employés chez Renault.*

4 Concentrating on style points, students search Eric's letter for the phrases listed.

5 Using the text as a model, students write a letter of about 150 words.

Answers:

1 *je n'ai pas envie de; j'envisage; j'ai l'intention de; j'espère que*
2 *on en a imposé une (une filière); d'en trouver (du travail); j'en referai un autre (un stage); j'y prépare (au lycée); j'y ai un peu d'expérience (dans le secteur de la construction automobile); qui y ont été pris (chez Renault)*
3 *sera (être); referai (refaire); permettront (permettre)*

Feuille 19 Ecouter en plus

🔊 **1** Students listen to the interview with Vanessa and then fill the gaps with words from the box.

Answers:

1 *une filière typiquement féminine* **2** *architecture navale*
3 *ingénieur spécialisé* **4** *un chantier naval*
5 *ses études et compétences techniques*

F19, activité 1

– Aujourd'hui, nous allons parler de l'orientation et surtout de celle des filles qui, selon les experts, s'orientent mal. Elles ne s'intéressent pas aux formations scientifiques et techniques, comme celles des écoles d'ingénieurs. Ce qui semble être bien dommage parce qu'on les y attend et elles y auraient toutes leurs chances! Nous allons parler aujourd'hui à deux jeunes femmes qui ont justement choisi ces filières dites "masculines" et font aujourd'hui carrière dans des métiers d'hommes! Vanessa Rosenthal, bonjour.
– Oui, bonjour.
– Vanessa, vous avez 29 ans et vous êtes architecte navale.
– Oui, c'est cela. C'était mon rêve! J'adore l'architecture et les bateaux.
– Vous n'avez pas vraiment suivi les filières typiquement féminines, si je comprends bien.
– Non! Au lycée, j'étais bonne en maths, en science et en technologie, alors j'ai opté pour une section technique et après le bac, j'ai préparé un diplôme d'architecture. J'ai fait une spécialisation d'architecture navale et j'ai obtenu un diplôme d'ingénieur spécialisé.
– Ça ne devait pas être facile comme études quand même!
– Non, ce n'était pas facile, loin de là, mais je suis très sérieuse et très travailleuse. Les études étaient aussi très chères alors pour les payer, j'ai fait du babysitting.
– Et maintenant, vous êtes chef d'un chantier naval.
– Oui, c'est ça. Grâce à mes études et mes compétences techniques, j'ai réussi à m'imposer, moi, femme, dans un milieu réputé très "macho"!
– Eh bien, félicitations, Vanessa!

🔊 **2** Students listen to the recording again and imagine what Vanessa's personal goals were at school. They should then fill in the form.

Possible answers:

a *Objectif: architecte navale*
b *Goûts et intérêts: l'architecture et les bateaux*
c *Résultats scolaires: bons en maths, sciences et technologie*
d *Filières: bac section technique; diplôme d'architecture spécialisation architecture navale, diplôme d'ingénieur spécialisé*
e *Qualités personnelles: sérieuse et très travailleuse*
f *Moyens financiers: petits boulots.*

3 The interview continues with Sylvie, another woman who has ventured into a traditionally male career. Students listen carefully and then answer the questions, supplying the number of details noted in brackets.

Answers:

1 *Elle a une passion pour les avions. Elle a appris à piloter très tôt avec son père.*

2 *Sa mère a essayé de la décourager. Son père l'a aidée financièrement.*

3 *Elle est mariée avec un pilote et a deux enfants (4 et 6 ans).*

4 *Inconvénients: ça pose des problèmes d'organisation à cause des voyages. Avantages: c'est un métier fabuleux qui la passionne.*

5 *Elle encourage toutes celles qui veulent faire un métier "d'hommes" à le faire.*

F19, activity 3

– Nous avons aussi en studio Sylvie Manin. Sylvie, bonjour.

– Bonjour.

– Sylvie, vous avez 30 ans et vous êtes pilote de ligne sur un Boeing 767.

– Oui, c'est ça.

– Pourquoi pilote de ligne?

– Eh bien, j'ai une passion pour les avions, comme mon père. Avec lui, j'ai appris à piloter très jeune et j'adore ça. Alors, j'ai voulu transformer ma passion en métier.

– Comment vos parents ont-ils réagi?

– Eh bien, ma mère a essayé de me décourager en me disant que les études étaient longues et difficiles, que c'était un métier d'hommes, pas un métier de femme. Mon père, lui, était pour et m'a aidée financièrement pendant mes études.

– Vous n'avez donc pas écouté votre mère!

– Non! Comme j'étais très bonne dans toutes les matières – sauf en histoire! – j'ai pu suivre une filière technique. Après le bac, je suis allée dans une école spécialisée. Oui, c'était long, c'était dur, mais comme je suis très têtue et très dynamique, j'ai réussi! Et voilà.

– Maintenant, Sylvie, vous êtes une femme pilote. Vous êtes aussi une femme mariée …

– Oui, à un pilote!

– … et vous avez deux jeunes enfants de 4 et 6 ans. Ce n'est pas trop dur la vie d'une maman pilote?

– Si, c'est dur! Ça a des inconvénients: ça pose des problèmes d'organisation à cause de mes voyages, mais finalement peut-être pas plus que si j'étais infirmière ou secrétaire. Par contre, il y a un gros "plus", c'est que je fais un métier fabuleux qui me passionne. Et ça, c'est super!

– Alors, un conseil pour les jeunes qui vous écoutent, et surtout pour les filles?

– J'encourage toutes celles qui veulent faire un métier "d'hommes" comme on dit, à le faire. Elles ne le regretteront pas!

– Merci, Sylvie. Nous allons maintenant prendre des appels d'auditeurs …

---

4 Listening to Sylvie's account again, students complete the form to show what her personal plan at school would have been.

Answers:

a *Objectif: pilote d'avion*

b *Goûts et intérêts: les avions, piloter*

c *Résultats scolaires: bonne en toutes les matières (sauf en histoire)*

d *Filières: bac technique; école spécialisée*

e *Qualités personnelles: têtue, dynamique*

f *Moyens financiers: aide financière du père*

Feuille 20 Compétences en plus

After revising the points which help to improve their writing style, students try to incorporate these tips in a paragraph of about 150 words. They address the topic, 'In the UK, too, women face handicaps in their working lives' and can use and add to the ideas suggested.

Unité 6 Les métiers

Unit objectives

By the end of this unit students will be able to:
◆ Talk about job choices and pros and cons of different jobs
◆ Write a CV and job application letter
◆ Prepare for a job interview
◆ Talk about the choices faced by working mothers

Grammar
◆ Use emphatic pronouns
◆ Use the pluperfect tense
◆ Use prepositions

Skills
◆ Structure an oral presentation
◆ Use reported speech
◆ Pronounce the French 'r'

page 69

1a A variety of occupations are presented in the photos. Students look carefully at the images and work out which jobs these people have.

1b Choosing one of the photos, students use their imagination and invent details about the life of the person shown. They should characterize them by giving them a name, age and family, and mention the work they do, why they chose the job and their opinions about it.

2 Referring to the list of jobs and their own general knowledge, students can tabulate the masculine and feminine forms and give the English translation.

3 Working in pairs, students discuss which jobs are typically masculine or feminine. They can refer back to page 66 for ideas on equal opportunities if necessary.

Quel métier choisir?

pages 70–71

Grammar focus
◆ Emphatic pronouns

Skills focus
◆ Structuring an oral presentation

Materials
◆ Students' Book pages 70–71
◆ Cassette 2 side 1, CD 2
◆ Grammar Workbook page 26

1a Students read the list of factors which influence people's career choices. They choose the six criteria which are most important to them and put them in order of importance.

1b Students compare their own ideas with those of their partner. This discussion presents a perfect opportunity to use emphatic pronouns, as in the example.

2 Five young people talk about their career aspirations. Play the recording so that students can note each person's preferred job, three reasons for their choice, and any other details.

Answers:

1 *Vétérinaire. Elle adore les animaux, le travail en plein air, et elle veut avoir un travail intéressant. Son père est agriculteur et elle pourrait travailler près de chez elle.*

2 *Pilote de ligne à Air France. Elle veut voler, chaque jour est différent, on voyage partout dans le monde. Le salaire est élevé et elle préférerait travailler pour une grande entreprise.*

3 *Il veut devenir footballeur professionnel. C'est un sport qui le passionne. Un footballeur a la possibilité de jouer à l'étranger, et de devenir célèbre et riche. On dit qu'il a du talent.*

4 *Opticien. Il est fort en sciences, aime parler avec les gens, et il voudrait être entrepreneur. Il voulait devenir médecin mais il croit que c'est trop difficile.*

5 *Travailler pour une société de production multimédia. Elle s'intéresse à l'informatique, aime travailler en équipe et avec des jeunes. C'est un travail où il faut être dynamique et créatif.*

---

p 60, activité 2

1
Moi, je veux devenir vétérinaire. J'adore les animaux, et j'aime le travail en plein air. Je sais que la formation est longue, mais je veux avoir un travail intéressant. Mon père, lui, est agriculteur, donc je connais bien ce milieu. Et comme vétérinaire, je pourrais travailler près de chez moi.

2
Mon ambition, c'est d'être pilote de ligne à Air France. Pourquoi? Tout simplement parce que je veux voler. Les conditions de travail m'attirent aussi: chaque jour est différent, on voyage partout dans le monde, et on a un salaire élevé. En plus, moi, je préférerais travailler pour une grande entreprise, pour la sécurité.

3

Mon rêve, c'est de devenir footballeur professionnel. Je joue au foot depuis l'âge de six ans et c'est un sport qui me passionne. On dit que j'ai du talent donc je m'entraîne chaque jour. De nos jours, un footballeur a la possibilité de jouer à l'étranger pour quelques années, et ça m'intéresse beaucoup. Et bien sûr, j'aimerais bien devenir célèbre et riche!

4

Moi, je veux être opticien. Quand j'étais jeune, je voulais devenir médecin, mais c'est trop difficile, alors j'ai choisi une autre profession médicale. Je suis fort en sciences et j'aime parler avec les gens. Un opticien doit aussi gérer son magasin, il est entrepreneur, et cet aspect m'intéresse beaucoup.

5

Moi, je voudrais plus tard travailler pour une société de production multimédia. Pourquoi? Eh bien, parce que je m'intéresse beaucoup à l'informatique, et j'aime bien travailler en équipe. En plus, c'est un secteur en pleine expansion où il y a beaucoup de jeunes. Il faut être dynamique et créatif pour réussir dans ce domaine, et pour moi, cela représente un grand avantage.

Grammaire

A   Students fill the gaps with an emphatic pronoun.

Answers:

a elle **b** nous **c** moi **d** lui **e** eux

B   Students translate the phrases into French.

Answers:

a avec nous **b** sans lui **c** après moi

d pour toi (vous) **e** près d'eux (elles) **f** derrière elle

3   Having read the article about Karim on page 71, students then answer the questions for him.

Answers:

1 *Je suis coursier à roulettes.*
2 *Je me passionne pour le roller.*
3 *J'ai fait mon BEP d'électricien.*
4 *Je n'ai jamais un horaire fixe.*
5 *C'est un travail fatigant qui peut être dangereux à cause de la circulation. Quand il y a des commissions urgentes, je fais beaucoup d'heures supplémentaires.*
6 *J'aime mon métier et je suis en bonne forme. J'aime le roller.*
7 *Je pourrais travailler dans le bureau de l'entreprise, ou devenir prof de rollers ou bien sûr devenir électricien.*
8 *Oui.*

4a   Fabrice Moreau gives an account of a typical day's work at the bakery. Students listen to the recording and take notes about his working hours, the work he does, his choice of job, and the pros and cons of his work.

Possible answer:

Fabrice has worked as a baker for the past 40 years. He typically gets up at 2 a.m. each morning and starts work on the pastries and cakes. At 3.30 a.m. Pierre, his employee, arrives and begins to make the bread. Fabrice's wife, Marie-Louise, joins them at 6.30 a.m. and displays the goods in the window. The bakery is open from 7 a.m. until 1 p.m. and Fabrice and Pierre continue to bake bread while Marie-Louise serves the customers. The shop is closed between 1 p.m. and 4 p.m. and then reopens to serve fresh bread for dinner time. The shop usually closes for the day at 8.30 p.m. but, being his own boss, Fabrice still needs to attend to the paperwork.

Fabrice followed in his father's footsteps and continued with the family business, as was the norm in those days. He learned on the job and never studied at college like young people today.

Fabrice thoroughly enjoys his work — he likes to work with his hands, enjoys the team spirit and contact with his customers. However, the working hours are gruelling and now that he is 58 he is finding it more and more tiring and he would prefer to get up a little later in the morning.

---

p 71, activité 4

Ce matin, je me suis levé à 2 heures, comme d'habitude. Je suis descendu tout de suite à la boulangerie et j'ai commencé à préparer la pâtisserie. J'ai un ouvrier, Pierre, qui m'aide avec le travail; lui, il est arrivé à 3 heures et demie pour préparer le pain. Ma femme Marie-Louise nous a rejoints vers 6 heures et demie et elle a mis les tartes fraîches dans la vitrine. A 7 heures, on a ouvert la boulangerie, et les premiers clients sont venus chercher les baguettes pour le petit-déjeuner. Pendant toute la matinée, Pierre et moi, nous avons cuit du pain frais, selon la demande, tandis que Marie-Louise a servi les clients.

Comme tous les jours, nous avons fermé de 13 heures à 16 heures. Puis les clients sont venus chercher de la pâtisserie et le pain frais pour le dîner. Il a fallu cuire des baguettes, des gros pains, jusqu'à 19 heures à peu près. Enfin, nous avons fermé le magasin à 20 heures 30, comme d'habitude. Le soir, j'essaie de faire un peu de travail administratif; quand on est son propre patron, il y en a toujours.

J'exerce ce métier depuis 40 ans, alors pour moi, c'est tout ce que je connais. Moi, je n'ai pas fait d'études au lycée comme les jeunes d'aujourd'hui. Mon père, lui, était boulanger, alors je l'ai suivi dans ce métier. A l'époque, c'était normal. J'ai appris mon métier ici, dans la boulangerie.

C'est un travail qui me fait toujours plaisir. J'aime travailler avec les mains, créer quelque chose. Et le pain frais – que ça sent bon! J'apprécie en plus le contact humain; on travaille en équipe, et on bavarde avec les clients dans le magasin. Marie-Louise et moi, nous connaissons tous les gens du quartier. Je suis de nature assez indépendant, et j'aime le sentiment d'être mon propre patron.

Mais d'autre part, je trouve le travail de plus en plus fatigant. L'horaire surtout est très dur. J'ai 58 ans maintenant, et je commence à en avoir assez de me lever à 2 heures du matin. Pendant toute la journée, c'est un travail continu, car les gens veulent avoir du pain frais à chaque repas. Nous, on vend 500 baguettes par jour, 6 jours par semaine. On profite d'un peu de repos l'après-midi, c'est vrai, mais je préférerais me lever un peu plus tard le matin.

4b Students listen to the recording again and note down any other details.

4c Working in pairs, students role-play an interview with Fabrice. Student A pretends to be Fabrice while Student B asks him questions 1–8 from activity 3.

5a Reinforcing the skills used in activity 4c, students go on to interview a member of their family, a friend or a French person about their job. They can ask questions 1–8 from activity 3 and note down the answers.

5b Once they've read the *Compétences* section on structuring an oral presentation, students can present the results of their interview to the class.

Compétences

This section covers the skills needed to structure an oral presentation.

La chasse à l'emploi

pages 72–73

Materials

◆ Students' Book pages 72–73
◆ Cassette 2 side 1, CD 2
◆ Feuilles 21, 22

1a Students read the diverse views on the reality of finding a job and working life today. They give their own opinions and say whether they agree with the views presented.

1b Working in pairs, students compare their own opinions with those of their partner.

2a Students listen to Caroline's testimony and read the text to accompany it.

p 72, activité 2

Je m'appelle Caroline Morice, j'ai 20 ans et j'habite à Béthune dans le nord de la France. Je suis au chômage depuis deux ans. Je n'ai jamais eu de poste fixe, et bien sûr, c'est déprimant.

Au collège, j'étais toujours bonne élève, et j'ai eu le brevet des collèges sans trop de problèmes. Mais au lycée j'ai trouvé le travail trop difficile. J'ai quitté le lycée au bout d'un an, sans bac.

Au début, tout s'est bien passé. J'ai obtenu un poste comme serveuse dans un restaurant, mais au bout de quatre mois on m'a congédiée. Le patron m'a dit que j'avais bien travaillé, mais qu'il ne pouvait plus me payer. Je me suis donc inscrite au chômage. J'ai essayé de trouver un autre poste dans l'hôtellerie, mais ici dans la région il n'y en a pas. En été, j'ai travaillé comme monitrice dans une colonie de vacances au bord de la mer – ça m'a beaucoup plu, parce que j'aime les enfants. Je l'ai fait deux années de suite. Mais un boulot en colonie n'existe qu'en juillet et août; à la rentrée, c'est fini.

Chez nous à la maison, il n'y a que ma mère qui travaille à mi-temps dans un supermarché. Mon père, lui, est au chômage depuis dix ans, et ma sœur cadette n'a rien trouvé. Par contre, mon frère aîné, qui a osé quitter la région, a bien réussi. Lui, il travaille dans l'informatique à Lyon. C'est un secteur en pleine croissance, donc lui, il n'a pas peur du chômage. La plupart de mes copains n'ont pas d'emploi, eux non plus. Même ceux qui ont réussi à avoir leur bac n'ont pas trouvé d'emploi fixe.

Moi, j'ai bien réfléchi, et j'ai décidé de faire un dernier effort pour trouver un emploi. J'aime Béthune, mais je suis prête à quitter ma ville, même ma région pour plusieurs années. Pour l'été, je vais me présenter pour un poste saisonnier au Club Med, soit en France, soit à l'étranger. Et en automne? J'ai une copine qui travaille dans un grand hôtel à Londres, et qui m'a dit qu'on recherche toujours du personnel là-bas. J'ai toujours aimé l'anglais, alors je pense que je vais essayer. J'ai fait un stage à Brighton en avril 98, et j'ai atteint un bon niveau. Je sais me débrouiller en espagnol aussi, ce qui pourrait être utile.

C'est un choix difficile, mais je ne veux pas être au chômage toute ma vie!

2b Studying the text on page 72, students work out who amongst Caroline's circle of family and friends is being referred to.

Answers:

1 *son père*   **2** *sa copine*   **3** *son frère aîné*   **4** *Caroline*

2c Students search the text for phrases which mean the opposite of those listed.

Answers:

1 *un poste fixe*   2 *le chômage*   3 *un secteur en croissance*
4 *un poste saisonnier*

3a   Students list the problems which affect Caroline.

Possible answers:

1 *Elle a quitté le lycée sans bac.*
2 *Elle a perdu son premier emploi au bout de quatre mois.*
3 *On ne peut pas trouver d'emploi dans la région.*
4 *Presque toute sa famille et tous ses copains sont au chômage.*

3b   What solutions could be offered to Caroline to change her situation? Students use the *Expressions-clés* and the ideas from activities 1 and 2 to give her advice.

4a   Club Med is advertising a number of vacancies. Students read the advertisement and decide which position would be suitable for Caroline.

Answer:

serveuse de restaurant ou de bar

4b   Students consider which position they themselves would prefer and which would not interest them at all. They can discuss their views with a partner, giving their reasons and making use of the *Expressions-clés*.

5   Referring back to the text on page 72, students complete Caroline's CV.

Answers:

Diplômes: le brevet des collèges
Postes occupés: serveuse dans un restaurant, monitrice dans une colonie de vacances
Langues étrangères: anglais, espagnol

F 21   (En plus) Students are referred first to the activities on Feuille 21 (see notes, page 71). This will help them to prepare a CV and covering letter to apply for one of the positions advertised with Club Med.

F 22   (En plus) Students are referred to Feuille 22 (see notes, page 71).

L'interview

pages 74–75

Grammar focus
◆ The pluperfect tense

Skills focus
◆ Reported speech

Materials
◆ Students' Book pages 74–75
◆ Cassette 2 side 2, CD 2
◆ Grammar Workbook pages 48–49

1a   Caroline has been invited to attend an interview and is preparing for it. Working in pairs, students make a note of the questions which she will probably be asked and which she could ask the interviewer. Stimulus notes are given for these. Students then role-play the interview, with Student A as Caroline and Student B as the head of personnel.

2a   Students read the CVs for two other candidates and then decide who the statements listed refer to.

Answers:

1 *Sophie*   2 *Daniel*   3 *Sophie*   4 *Daniel*   5 *Caroline*

2b   In groups, students discuss which two candidates should be offered a job and why.

3   After the interview, the three candidates reflect on their experience. Students listen to their accounts and fill the gaps in the sentences. They should listen again and make a note of any other factor which may have affected each person's success or otherwise.

Answers:

a *Sophie: au Club Med; en Amérique; Caroline: dans la restauration, une bonne lettre d'introduction; avant l'interview; Daniel: à l'étranger; en retard pour l'interview; dans ma lettre d'introduction.*
b *Sophie: j'avais beaucoup voyagé; Caroline: j'avais fait preuve de bonnes connaissances en langues; Daniel: je n'avais pas travaillé dans un restaurant; je n'avais pas eu de bonnes notes.*

---

p 74, activité 3

Sophie – J'ai obtenu un poste parce que j'avais déjà travaillé au Club Med et parce que j'avais fait un stage en Amérique, où j'avais beaucoup parlé anglais. En plus, j'avais beaucoup voyagé.

Caroline – J'ai obtenu un poste surtout parce que j'avais déjà travaillé dans la restauration. Je pense que c'était aussi parce que j'avais écrit une bonne lettre d'introduction et parce que je m'étais bien préparée avant l'interview. Et j'avais fait preuve de bonnes connaissances en langues.

Daniel – Moi, je n'ai pas réussi cette fois. On m'a dit que c'était parce que je n'avais pas travaillé dans un restaurant et parce que je n'avais jamais été à l'étranger. C'était aussi parce que je n'avais pas eu de bonnes notes en anglais au collège. Je n'ai pas fait bonne impression non plus parce que j'avais fait des fautes d'orthographe dans ma lettre d'introduction et parce que j'étais arrivé en retard pour l'interview.

Grammaire

A   Students find examples of the pluperfect tense in activity 3.

B   A gap-fill exercise where students supply the missing verbs in the pluperfect tense.

Answers:

a *avais raté*   **b** *avait fait*   **c** *avait passé*
d *m'étais, préparé*   **e** *s'était levé*

C   Students write an explanation of why each person did or did not get the job.

Compétences

This section gives students advice on using reported speech.

1   Students rewrite the sentences as if they were reported speech.

Answers:

a *Il a dit qu'il avait travaillé à l'étranger.*
b *Elle a expliqué qu'elle n'avait pas vu l'annonce dans le journal.*
c *J'ai répondu que j'étais venu à l'interview en taxi.*
d *Il a dit qu'il avait voulu passer un an en Allemagne.*
e *Il a dit qu'il avait appris l'espagnol à l'école.*

4   In pairs, students practise using reported speech by imagining a conversation between one of the candidates and their friend after the interview. Students can prepare for this by re-reading their answers to activity 3 and by doing the grammar exercises.

En plus   Students write and then act out a dialogue over the telephone where someone recounts a conversation. This activity presents another opportunity to report speech using the pluperfect tense.

Les mères qui travaillent

pages 76–77

Grammar focus
◆ Prepositions

Materials
◆ Students' Book pages 76–77
◆ Cassette 2 side 2, CD 2
◆ Grammar Workbook pages 18, 20 and 30
◆ Feuille 23

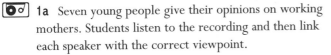 **1a**   Seven young people give their opinions on working mothers. Students listen to the recording and then link each speaker with the correct viewpoint.

Answers:

1 *c*   **2** *e*   **3** *a*   **4** *f*   **5** *d*   **6** *g*   **7** *b*

---

p 76, activité 1

1 – Moi, je suis d'avis qu'un bébé a besoin de sa mère. Si elle continue de travailler à l'extérieur, l'enfant en souffre.
2 – Une femme qui fait une carrière, qui veut accéder à un poste dirigeant, ne peut pas tout abandonner même pour quelques mois. Si les femmes désirent avoir les mêmes possibilités de promotion que les hommes, elles doivent travailler comme eux, sans interruptions.
3 – Il y a des femmes qui veulent avoir un enfant mais qui ne sont pas faites pour être mère au foyer. Elles ont fait des études à l'université, elles ne veulent pas sacrifier leur vie professionnelle pour s'occuper des enfants.
4 – Les mères de famille devraient continuer de travailler, mais à temps partiel. Comme ça, elles ne risquent pas de négliger leurs enfants.
5 – Carrière ou enfants – beaucoup de mères n'ont pas le choix! Elles sont obligées de travailler pour des raisons financières. De nos jours, être mère au foyer, c'est un luxe.
6 – Du point de vue économique, il faut encourager les mères à exercer une activité professionnelle. Mais pour y arriver, il faut établir des crèches d'entreprise et accepter des horaires de travail beaucoup plus souples.
7 – On parle toujours des mères actives – pourquoi pas des pères? Il est temps de partager les responsabilités.

1b   Students are asked to consider whether they believe mothers should hold down a job outside the home. They can discuss their opinions briefly with a partner.

Grammaire

A   Students find the prepositions in opinions a–g and note the opinion without any prepositions.

Answers:

a *au*   **b** *(none)*   **c** *à*   **d** *de, des, pour*   **e** *en*   **f** *pour, à*
g *d', de, aux, de*

B   A gap-fill exercise where students supply the missing prepositions.

Answers:

a *à, de*   **b** *en, de, avec, du*   **c** *de, dans, de, en*   **d** *à, à, dès*

C   Students translate the phrases containing prepositions.

a *loin de la maison*   **b** *la plupart des mères*
c *en congé maternel*   **d** *un travail à temps partiel*
e *selon les experts*   **f** *en cas d'urgence*   **g** *au bout de six mois*

2a   Sophie Roy is expecting a baby and talks about her plans for the future. Students link the interview questions with the printed extracts from Sophie's answers.

Answers:

1 *f*   **2** *b*   **3** *a*   **4** *e*   **5** *g*   **6** *d*   **7** *h*   **8** *k*   **9** *i*
10 *j*   **11** *l*   **12** *c*

2b Play the recording of the interview with Sophie. Students can verify their answers to activity 2a.

p 77, activité 2

– Qu'est-ce que vous faites dans la vie?
– Je suis professeur de français en Angleterre. J'enseigne aux enfants âgés de 11 à 18 ans.
– Et votre mari?
– Mon mari exerce la même profession que moi mais dans un établissement scolaire différent.
– Hmm. Allez-vous reprendre votre poste après la naissance de votre enfant?
– J'ai pleinement l'intention de reprendre mon poste après la naissance de mon enfant, mais à mi-temps.
– Pourquoi ne voulez-vous pas travailler à plein temps?
– Je ne veux pas retravailler à plein temps car l'enseignement en Angleterre est une profession très exigeante. Il faut s'y consacrer à fond pour obtenir des résultats. Je souhaite pouvoir profiter de mon enfant entièrement, je ne veux rien manquer dès sa naissance. Je ne pense pas que je pourrais être une bonne mère ou un bon prof en travaillant à plein temps.
– Connaissez-vous des mères qui sont toujours actives à plein temps? Cela leur plaît?
– Pas en ce moment, mais j'en ai rencontré trois, toutes les trois d'ailleurs enseignantes. Une d'entre elles était même chef de département. Elles ont essayé de cumuler les deux, mais au bout de six mois, elles ont réalisé que c'était trop ambitieux. Je ne veux pas commettre la même erreur.
– Qui va garder votre enfant quand vous travaillez?
– Je vais dépendre d'une nourrice, puisque je n'ai pas de famille dans la région. Ma belle-famille habite dans le nord de l'Angleterre et ma famille est en France.
– Et si votre enfant est malade, qu'est-ce que vous allez faire?
– Si mon enfant est malade un jour, je serai obligée de rester à la maison.
– Pensez-vous que votre mari va partager les responsabilités?
– Mon mari fait déjà beaucoup de choses à la maison. Il cuisine pratiquement tout le temps et m'aide avec le ménage et la lessive. Je suis donc assez confiante pour l'avenir.
– Est-ce que le travail à mi-temps vous posera des problèmes financiers?
– Travailler à mi-temps ne devrait pas poser de problèmes financiers dans les prochaines années. Toutefois, quand mon enfant sera plus grand, il voudra faire partie de clubs ou sera plus exigeant, ce sera alors peut-être un problème.
– Pensez-vous que la situation est meilleure en France?
– L'aide financière en France est meilleure. Les allocations familiales représentent une assez grosse somme d'argent lorsque l'on a trois enfants.
– Selon les politiciens, les mères de famille devraient travailler. Etes-vous d'accord?

– Je pense qu'être mère au foyer, c'est essentiel pendant un certain temps. Je ne pense pas rester à la maison toute ma vie mais je veux donner une chance à mon enfant dès le départ. En même temps, je pense qu'il est important de garder le contact avec le marché du travail.
– Quelle serait pour vous la solution idéale?
– Ma solution idéale: je voudrais que mon mari et moi puissions travailler à mi-temps. Partager un emploi dans la même école, ce serait formidable.

2c Re-reading the viewpoints offered in activity 1, students consider which ones may represent Sophie's attitude.

Possible answers: b, f

2d Students summarize what Sophie said about her job, her husband, her family and a mother's role.

2e Students consider whether Sophie is likely to succeed in maintaining both a professional life and a family life.

F 23 En plus Students listen to other parents talking about their lives. They are then referred to Feuille 23 (see notes, page 70).

3 Students give their own opinion on whether mothers should work. They should discuss their ideas with a partner and then write a summary. They should make use of the *Expressions-clés* and the structure given.

Au choix

page 78

Materials
◆ Students' Book page 78
◆ *Elan en solo* cassette side 1

S **1** Students listen while Olivier, a sports instructor in a holiday village, recounts a typical day. They fill out his timetable with the details he gives.

Answers:
09h il a donné son premier cours de tennis, en anglais
10h il a donné un cours de tennis à des Français
12h il a déjeuné avec les collègues et les clients
14h il a organisé des jeux à la plage avec les autres moniteurs
16h il a donné un cours de voile puis un cours de planche à voile
18h il a rangé tout le matériel
19h il s'est reposé
20h il a dîné
21h30 il a regardé un spectacle
23h il a dansé avec les autres
02h il s'est couché

> p 78, activité 1
>
> Ici on fait des journées non-stop. Aujourd'hui, par exemple, je me suis levé à 8 heures et j'ai pris le petit-déjeuner au resto avec les clients. A 9 heures, j'ai donné mon premier cours de tennis … en anglais. Je parle quatre langues, moi: c'est très important dans ce métier.
>
> A 10 heures, j'ai donné un cours de tennis à des Français qui étaient vraiment nuls, eux, mais j'ai dû les encourager quand même. C'était dur, ça. Ensuite, j'ai eu des Allemands qui n'étaient pas mauvais.
> J'ai déjeuné avec les collègues et les clients à midi, puis à partir de 14 heures, on a organisé des jeux à la plage. Tous les moniteurs y ont participé, comme toujours.
>
> A 16 heures, les élèves sont arrivés pour les sports nautiques. J'ai donné un cours de voile, puis une heure de planche à voile. Il faisait beau, donc c'était bien agréable. A 18 heures, j'ai dû ranger tout le matériel, puis j'ai profité d'une heure de repos.
>
> A 20 heures, on a dîné, puis à 21 heures 30, les animateurs ont présenté un spectacle. Cela a bien amusé tous les clients.
>
> Après, vers 23 heures je suppose, on a ouvert la discothèque. Nous, les animateurs et les moniteurs, nous avons dansé aussi, nous avons essayé de créer une bonne ambiance. Maintenant il est une heure du matin; je ne vais pas me coucher avant 2 heures, je pense.
>
> Ce que je trouve le plus fatigant dans ce métier, c'est le rythme. On ne se couche généralement pas avant une heure du matin, et on n'a pas de jours de congé pendant 5 à 6 mois. Mais ça me plaît, on apprend à gérer son temps et on fait la connaissance de gens sympas qui viennent de tous les pays d'Europe.

1b Students listen to the recording again and make a note of any extra details.

1c Listening once more to Olivier's opinions, students note the pros and cons of his job.

Possible answers:
Avantages
Il apprend à gérer son temps.
Il fait la connaissance de gens qui viennent de tous les pays d'Europe.
Inconvénients
Le rythme est fatigant.
Il ne se couche pas avant une heure du matin.
Il n'a pas de jours de congé pendant 5 à 6 mois.

2 Students imagine that they interviewed Olivier at the disco at one in the morning. They go on to write an article about his day, using the pluperfect tense and reported speech covered on page 75.

3 Students imagine that they are being interviewed for a summer job in France. They choose a job and then prepare an oral presentation lasting several minutes covering why they want to work in France, their work experience, their interests and personal qualities. Students can either record their presentation or deliver it to the class. They should look back at the vocabulary and ideas on pages 70–73, prepositions on page 76 and the *Compétences* on page 71.

4 Students summarize the meaning of the article in English.

Possible answer:
Working from home is an attractive option for many French people today. If their professional work would permit it, 54% would be ready to work from home with the help of a computer or fax. More people (54%) believe this would be an improvement in their lives than the number who believe it would be disruptive (40%).

Phonétique

 1 Students listen to and repeat words containing the French 'r'.

> p 78, Phonétique
>
> **le 'r' français**
> 1 rouge, rythme, rollers, repas, relax, racontez
> 2 arrêtez! je suis arrivé
> 3 c'est fermé, moderne, le chef du personnel
> 4 j'ai travaillé, j'ai préparé, j'ai créé
> 5 Robert m'a raconté qu'elle avait regardé les répétitions.
> 6 Valérie rentre en France au printemps.

Copymasters

Feuille 21 Lettre d'introduction

1 Students read Caroline's letter applying for the job with Club Med. Using it as a guide, and referring to the advice given on the sheet, students prepare their own CV and write a covering letter to apply for a job with Club Med.

Feuille 22 Le chômage

1 Students are challenged to consider their own attitudes to unemployment. They read the five viewpoints and decide whether each one is optimistic or pessimistic.

Answers:
Optimiste: *Thierry, Fabienne*
Pessimiste: *Danielle, Yannick, Sébastien*

2   Referring to the viewpoints offered in activity 1, students match the statements with the speaker.

Answers:

1 *Danielle*   **2** *Yannick*   **3** *Fabienne*   **4** *Thierry*
5 *Sébastien*

3   Reading the texts and statements again carefully, students find expressions meaning the direct opposite of those listed.

Answers:

1 *un emploi précaire*   **2** *le chômage*   **3** *la situation s'améliore*   **4** *un chômeur*   **5** *un secteur en croissance.*

4   Looking at arguments which support both viewpoints on employment, students tabulate them as optimistic and pessimistic.

5   Working in pairs, Student A takes the optimistic view on the employment while Student B takes a pessimistic one. Together they come up with a dialogue and then record it.

6   Students write a letter to a French newspaper to say whether they are worried about unemployment.

Feuille 23 Les parents au travail

1   Three working parents talk about how they manage their responsibilities. Students listen to the recording and then answer the questions.

Answers:

Nadia

1 *Elle travaille quatre jours par semaine.*

2 *Il a des horaires plus souples que Nadia, qui lui permettent d'aller chercher leur fille à la crèche.*

3 *En cas d'urgence, les grands-mères gardent l'enfant.*

4 *Vrai*

5 *Nadia pense que les entreprises ne favorisent pas le télétravail.*

Céline

1 *19 heures*

2 *mauvaise mère*

3 *pleurait*

4 a *le temps partiel*   **b** *la flexibilité*   **c** *les jobs indépendants*

Bernard

1 *la moitié*

2 *Parce qu'elle gagnait plus que lui.*

3 *Il les conduit a l'école, il déjeune avec elles, il s'occupe de l'intendance en général.*

4 *Elles trouvent que sa femme a beaucoup de chance.*

5 *Il ne regrette pas du tout sa décision.*

---

p 23, activité 1

Nadia

Moi, je travaille quatre jours par semaine dans un cabinet d'avocats parisien. Mon mari, lui, a des horaires plus souples que moi, qui lui permettent parfois d'aller chercher notre fille à la crèche. Mais le plus souvent, ce sont les grands-mères qui viennent la soigner en cas d'urgence. Sans elles, je ne pourrais pas mener une vie professionnelle.

Mon seul problème, c'est que le trajet jusqu'au boulot me prend deux à trois heures par jour. Je rêve du télétravail, mais dans mon domaine ce serait difficile. Et les entreprises françaises ne s'y intéressent pas.

Céline

Moi, je suis mère célibataire, je travaille à plein temps, et mon fils va à la crèche tous les jours. Mais puisque j'ai un poste important, il y a toujours des problèmes. Hier soir, je suis arrivée à la crèche à 19 heures, où la directrice m'attendait, mon petit sur son bras. Elle m'a fait comprendre que j'étais une mauvaise mère, qu'il pleurait depuis plus d'une demi-heure. Ce soir-là, j'ai éclaté en sanglots.

A la crèche, c'est toujours le même problème. Les rythmes de garde ne prennent en compte ni le temps partiel, ni la flexibilité, ni les jobs indépendants. Comme si on finissait toutes à 17 heures…

Bernard

Après la naissance de nos deux filles, on les a confiées à une nourrice agréée et ma femme Virginie a repris son travail. Mais ce n'était pas facile. On travaillait tous les deux comme des fous, on payait plus de 6 000 francs par mois de frais de garde … La moitié de mon salaire y passait. Alors, comme ma femme gagnait plus que moi, le choix a été simple. J'ai démissionné pour m'occuper des enfants. Je les conduis à l'école, je déjeune avec elles, bref, je m'occupe de l'intendance en général.

Les amies de ma femme trouvent qu'elle a beaucoup de chance. Du côté des hommes, la réaction est moins positive. Mais moi, ça me fait plaisir de regarder mes enfants grandir. Je ne regrette pas du tout ma décision.

---

2   This is a speaking activity. Working in pairs, students choose one of the three situations and then role-play the conversation. They should try to be resourceful in resolving the problems.

Révisions Unités 5–6

pages 79–80

1   Students imagine that they wish to live abroad for a year. They prepare a one- or two-minute presentation to convince their parents to let them go, making notes and recording it. (5 marks)

2 Students respond orally to the questions. They should make notes and record their answers. a) What interests them most at school? (2 marks) b) Whether their studies at school will be useful later? (3 marks) c) What career they would like to follow and why. (2 marks) d) What can be done to avoid being out of work? (3 marks)

3 Students prepare a response to the issues raised in the cartoon. They should cover: what the cartoon is about; which clichés are denounced; whether they would align with the views of the boy or the girl shown and give their reasons; what could be done to improve the situation. (5 marks)

 4 After listening to the recording, students answer the questions.

Answers:

1 *a* 2 *b* 3 *a* 4 *a* 5 *b*. (5 marks)

---

p 80, activités 4, 5, 6

– La formation en alternance, qu'est-ce que c'est au juste? On l'appelait autrefois apprentissage. C'est se former à la théorie et à la pratique d'un métier. On suit des cours et on prépare un diplôme tout en travaillant. Le contrat d'apprentissage permet aux jeunes de 16 à 25 ans d'avoir 400 heures de cours théoriques par an dans un centre spécialisé, un centre de formation d'apprentis. En même temps, ces jeunes apprentis travaillent pour un employeur et ils sont payés un pourcentage du salaire minimum. Un contrat peut durer de un à trois ans.

J'ai interviewé Jonathan, 16 ans, qui fait un contrat d'apprentissage en boulangerie: il travaille chez un boulanger et il prépare un CAP, c'est-à-dire un Certificat d'Aptitudes Professionnelles.

Jonathan, d'après toi, quels sont les avantages et les inconvénients de l'apprentissage?

– Euh …les avantages: eh ben, on prépare un diplôme, on apprend un métier, on est payé – pas beaucoup mais c'est mieux que rien – et puis on est plus ou moins sûr d'avoir un emploi après, quoi.

– Donc on a le côté théorique et pratique en même temps, c'est ça?

– Oui, tout à fait … Bon ben, pour les inconvénients: ben alors euh … c'est dur quand même, hein, l'apprentissage. Les horaires, surtout, hein. En boulangerie, il faut se lever tôt, alors, les jours où je vais en cours, et ben moi, je suis quand même fatigué. Ça m'arrive de m'endormir en cours des fois!!

– Pour faire un bon apprentissage, il faut être motivé et travailleur, si je comprends bien.

– Oui oui, c'est ça, mais pour moi, c'est pas un problème hein, parce que j'adore, moi, la boulangerie, alors … c'est ce que j'ai toujours voulu faire depuis que je suis tout petit.

---

 5 Replay the interview with Jonathan. Students then answer the questions.

Answers:

a *Une formation en alternance c'est se former à la théorie et la pratique d'un métier.* (2 marks)

b *Il faut avoir entre 16 et 25 ans.* (1 mark)

c *Un contrat peut durer de un à trois ans.* (1 mark)

d *Il est payé un pourcentage du salaire minimum, donc pas beaucoup.* (1 mark)

6 Students summarize in English the interview with Jonathan. They should cover: what training he is doing; what he thinks the advantages of this type of training are; what he thinks the main drawback is; why he does it. (5 marks)

Possible answer:

16-year-old Jonathan is employed as a baker's apprentice. While he works at the bakery he is also studying for his CAP certificate. This kind of 'on the job' training is open to young people between the ages of 16 and 25. A contract typically lasts between one and three years and apprentices would also expect to attend a specialised training centre for about 400 hours of theory. For Jonathan, learning good practice while studying for a qualification is an advantage, as is the small salary and hope of future employment. On the minus side, though, the hours are long and exhausting. However he is very motivated as he has always wanted to be a baker.

7 Students read the text and answer the questions.

Answers:

a *Même s'ils ont un diplôme, des jeunes sont pessimistes. Il y a des diplômés qu'aucun employeur ne veut, et ceux qui sont 'sur-diplômés' et ne peuvent pas trouver un boulot. Des jeunes ont peur du chômage.* (3 marks)

b *Les statistiques citées par Alternatives Economiques preuvent qu'un diplôme peut protéger du chômage. Un tiers de non-diplômés sont au chômage contre environ un cinquième chez les diplômés.* (2 marks)

c *Les employeurs préfèrent les diplômes BAC, les BTS et les DUT.* (1 mark)

d *En dehors des diplômes, les employers aiment voir un bon curriculum vitae avec évidence d'expérience pratique et des qualités personnelles.* (1 mark)

8 Using (amongst others) the arguments given in the extract *'A quoi ça sert d'avoir un diplôme?'*, students write a paragraph of around 80 words to convince a friend to continue with their studies. (6 marks)

Contrôles Unités 5–6

Feuille 45 Contrôles Unités 5–6

🔊 **1**   Students listen to the recording about jobs in the tourist industry. Then they read the sentences and choose the correct word or phrase to fill the gaps. (5 marks)

Answers:

1 a   **2** b   **3** b   **4** b   **5** a

F45, activité 1

Les voyages vous font rêver et pour cela vous voulez travailler dans le tourisme? Attention! Les rêves de voyage se terminent souvent derrière un bureau: 80% des emplois sont sédentaires et seule une minorité des diplômés jouent les globe-trotters. Certes, il y a des réductions sur les transports, mais hors saison touristique. Quant aux voyages d'études, ils se font rares et sont souvent retenus sur les jours de congé. Et il n'y a pas assez d'offres d'emploi dans le secteur du tourisme pour absorber la masse des diplômés qui sortent chaque année des écoles et des universités. Le meilleur passeport pour intégrer ce secteur reste, non pas le diplôme universitaire mais le bac + 2, le BTS tourisme–loisirs en particulier.

🔊 **2**   After listening to the recording about Robert Garzunel's *Ecole de la Deuxième Chance*, students write a summary of the main points in English. They should cover: Why the school was created (2 marks); Who goes there (2 marks); What the students do there (3 marks); The success rate (2 marks); The future of the project (1 mark). (10 marks in total)

Possible answer:

Every year more than 60 000 young people leave the education system without any qualifications. In 1998, Robert Garzunel established Ecole de la Deuxième Chance to encourage students between the age of 18–22 – who may be demotivated or have learning difficulties – to get a qualification. Some relearn basic skills like reading or grammar which they missed out on at school, others improve technical skills and do an apprenticeship. Only 20% leave L'Ecole de la Deuxième Chance without having gained any qualification, most of the other young people go on to find a job. Robert Garzunel plans to create ten more schools.

F45, activité 2

Plus de 60 000 jeunes sortent chaque année en France du système scolaire en situation d'échec, sans aucun diplôme ni qualification. C'est pour cela qu'en 1998, un professeur d'université, Robert Garzunel, crée à Marseille l'Ecole de la Deuxième Chance, un établissement expérimental qui vise à redonner à ces

---

jeunes confiance en eux et l'envie de faire une formation. Ils ont entre 18 et 22 ans, ils ont pour la plupart des difficultés scolaires, ils sont démotivés. A l'Ecole de la Deuxième Chance, ils apprennent ce qu'ils n'ont pas réussi à apprendre au collège ou au lycée: pour certains, c'est la lecture ou la grammaire, d'autres améliorent leur compétences techniques et font une formation en alternance.

Cette école connaît le succès qu'elle mérite: seuls 20% des jeunes abandonnent et quittent l'école sans rien. Parmi les autres, beaucoup trouvent un emploi, comme Christophe, 22 ans, fou de rap et désormais vendeur au rayon rap chez Virgin. Robert Garzunel continue à se battre pour trouver de quoi financer une dizaine d'autres écoles, en projet dans d'autres régions de France.

🔊 **3**   Play the recording of the interview with a nurse. Students listen and then answer the questions in French, aiming to use complete sentences. There are five extra marks for the quality of the language used.

Answers:

1 *Il en faut trois* (1 mark)
2 *C'est une combinaison de cours théoriques et de stages en hôpitaux* (2 marks)
3 *Il faut le baccalauréat ou un équivalent* (1 mark)
4 *Il faut aussi passer un entretien oral, un examen écrit de culture générale et des tests psycho-techniques* (3 marks)
5 *Le salaire des infirmières est plutôt bas et varie selon les équipes. Il existe quand même la possibilité de se spécialiser et, par conséquent, d'être mieux payé.* (3 marks)
6 *Elle a fait une spécialisation d'infirmière de salle d'opération* (1 mark)
7 *Elle pouvait continuer à toucher son salaire* (1 mark)
8 *On peut devenir surveillante (générale), ou bien professeur en école d'infirmières, et même directrice d'école* (3 marks)
(Mark scheme: 23 marks. 15 marks for answering the questions correctly. 8 marks for accuracy of language.)

F45, activité 3

– Florence, vous êtes infirmière. Parlez-nous de votre métier. Quelle est la formation pour devenir infirmière?
– La formation d'infirmière est de trois ans minimum après le baccalauréat dans une école d'infirmières. C'est une combinaison de cours théoriques et de stages en hôpitaux et cela dès la première année.
– Que faut-il pour s'inscrire dans une école d'infirmières?
– Pour s'inscrire, il faut le baccalauréat ou un titre équivalent. Il faut aussi passer un entretien oral et un examen écrit de culture générale, ainsi qu'une série de tests psycho-techniques.
– Le métier d'infirmière n'est pas très rémunérateur ...

– Non, les infirmières ne sont pas bien payées. Les salaires varient selon les équipes: si l'on travaille de jour ou de nuit, par exemple. Et puis, il existe des possibilités d'évolution professionnelle: on peut faire une spécialisation et être un peu mieux payé.
– Avez-vous une spécialisation?
– Oui, moi, j'ai fait une spécialisation d'infirmière de salle d'opération. La formation a duré neuf mois et demi. J'ai fait cette formation dans une école où je pouvais continuer à toucher mon salaire, ce qui était très appréciable!
– Y a-t-il des possibilités de promotion pour une infirmière?
– Oui, on peut devenir surveillante ou surveillant générale; on peut aussi devenir professeur en école d'infirmières et même directrice d'école.
– Florence, merci de votre temps.
– Je vous en prie.

Feuille 46 Contrôles Unités 5–6

1   Students read the article about Céline and tick the six statements which are correct. (6 marks)

Answers:

1, 3, 4, 6, 9

2   Having read the extract from an article about work experience abroad, students answer the questions. They should aim to use complete sentences. Ten extra marks are allocated for the quality of the language.

Answers:

1 *C'est aussi important d'avoir fait un stage en entreprise/à l'étranger.* (1 mark)

2 *Les avantages sont la pratique de l'anglais et l'ouverture à l'international.* (1 mark)

3 *L'absence de stage peut être éliminatoire chez Peugeot-Citroën.* (1 mark)

4 *Ils vont en stage à l'autre bout du monde.* (1 mark)

5 *On peut prendre un job d'été.* (1 mark)

6 *Il a pris un job entre le bac et son entrée en IUT.* (1 mark)

7 *Il préparait les plateaux pour les serveurs dans une cafétéria pendant 10h et demie par jour.* (1 mark)

8 *David en a 'bavé' c'est-à-dire qu'il a eu une période difficile.* (1 mark)

9 *Il était maigre.* (1 mark)

10 *Il l'a amélioré en parlant avec les autres employés.* (1 mark)
(Mark scheme: 20 marks. 10 marks for answering the questions correctly. 10 marks for accuracy of language.)

Feuille 47 Contrôles Unités 5–6

The activities on this copymaster follow the style of the AQA Unit 3 assessment 'People and Society'.

See the assessment criteria tables for Unit 3 provided in the AQA specification for how to allocate marks to the activities on this copymaster.

Both *carte* A and B activities provide an opportunity for students to practise responding to questions on a piece of stimulus material. Allow students 20 minutes to prepare answers to the prompt questions given for each stimulus piece.

1   After studying *Carte A*, students answer the questions orally. They should cover: What the cartoon is about; What they think of the boy's attitude; Whether the illustration reflects reality; How to explain the situation; What they would say to the boy if they were the girl.

2   Students read the advertisement for hotel jobs through L'Adlepe in *Carte B* and then answer the questions orally. They should mention: What the advertisement is for; Who the advertisement targets; Whether they would apply for the work experience; Whether this kind of experience would interest them, and why; Why work experience like this is important.

Unité 7 Les médias

Unit objectives
By the end of this unit students will be able to:
- Debate the relevance of radio today
- Describe French newspapers and magazines
- Discuss tabloid and broadsheet styles
- Talk about advertising and its effects
- Discuss the role of television in young people's lives

Grammar
- Use the passive
- Avoid the passive
- Use the imperative

Skills
- Research a topic using the Internet
- Write a structured response
- Relate events using different registers
- Pronounce words with silent consonants

page 81

1   To stimulate thought on the different types of media, students connect each image with the appropriate caption.

Answers:
1 *A* **2** *C* **3** *E* **4** *B* **5** *D*

2a To introduce the topic and use known vocabulary, students answer the questions and say whether they read a newspaper regularly or any magazines and, if so, which ones.

2b Working in pairs, students compare their answers with a partner.

3   Researching some particulars about the French media, students name: three French newspapers; three French radio stations; three French television channels.

Possible answers:
1 *Le Monde, Le Figaro, Libération, Ouest France*
2 *France Inter, France Info, RTL*
3 *TFI, France 2, France 3.*

La radio
pages 82–83
Grammar focus
- The passive

Materials
- Students' Book pages 82–83
- Cassette 2 side 2, CD 2
- Grammar Workbook pages 80–81

1   Working in pairs, students ask each other the questions listed to discover what they listen to on the radio.

2   Students read the article then copy and complete the sentences.

Answers:
1 *populaire* **2** *France-Info* **3** *écouté la radio au moins une fois dans la journée* **4** *au moins un type de radio*
5 *stations.*

  3   Eight young people give their opinions on the radio. Students note who likes the radio ✓, who doesn't like it ✗, and whose attitude is more ambiguous ?.

Answers:
1 ✓ **2** ✓ **3** ✗ **4** ✓ **5** ✗ **6** ? **7** ✓ **8** ✗

---

p 82, activité 3

1 La radio, c'est pratique. On peut faire autre chose pendant qu'on écoute.
2 Il n'y a rien de plus relaxant que d'écouter sa station préférée dans un coin ensoleillé du jardin.
3 Les informations sans images – ah non, ce n'est pas intéressant du tout!
4 C'est souvent à la radio que j'entends les nouvelles chansons pour la première fois. Je peux faire le tri et décider si je veux acheter quelque chose.
5 La radio m'énerve, surtout la radio d'information continue. Il y a un rappel des titres toutes les quinze minutes. Après une demi-heure, on est totalement saturé.
6 Pour la musique pop, oui ça va. Mais pour les choses plus sérieuses comme les infos, je préfère la télé: les images aident à comprendre.
7 Je peux écouter les infos dans la voiture quand je vais au travail. Donc je suis toujours au courant de ce qui se passe dans le monde.
8 Pour moi, la radio, ce n'est pas pour le troisième millénaire. Je préfère de loin découvrir les dernières musiques sur Internet.

4a A matching exercise where students link the activity to the appropriate technology.

Answers:
a *3* **b** *2* **c** *5* **d** *4* **e** *1*

4b By reading the article on page 83, students can double-check their answers to activity 4a.

4c Students copy and complete the table. The missing verbs or nouns can be found in the article, '*Médias à la carte*'.

Answers:

le choix; accéder; animation; simulation; le jeu; discussion; achat.

5 The class splits into three groups and holds a debate on the topic '*La radio, est-elle démodée au début du troisième millénaire?*'. Group A prepares a one- to two-minute presentation on the value of the radio today, Group B prepares a one- to two-minute presentation to support the view that radio is outdated, Group C comes up with questions to ask. At the end of the debate, ask the class to vote.

6 Students give their own personal opinion on the debate topic in activity 5. They should write down their ideas on whether radio is still useful or not.

Grammaire

A Students re-read the text '*Médias à la carte*'. They find five examples of active sentences and five examples of passive sentences and translate them into English.

B Students translate the passive sentences into English.

Answers:

1 *A huge choice of computer games is offered to us.*
2 *CD-Roms are very useful but books will never be entirely replaced.*
3 *Encyclopeadias have always been used by students with homework to do.*
4 *In the past, the business world was hardly affected by the Internet.*

La presse écrite

pages 84–85

Skills focus
◆ Researching a topic on the Internet

Materials
◆ Students' Book pages 84–85
◆ Cassette 2 side 2, CD 2
◆ Feuilles 24, 25

1a This is a matching exercise which introduces the basic vocabulary (quotidien, hebdomadaire, etc.).

Answers:
1 *d* **2** *a* **3** *b* **4** *c*

1b Students sift through the words in the box to divide them into two groups: people who play a role in journalism, and columns in a newspaper.

Answers:
Roles: *le rédacteur, le secrétaire de la rédaction, l'envoyé spécial, le lecteur, le correspondant, l'éditorialiste, le journaliste, le photographe*
Columns: *fait divers, les actualités, en bourse, les loisirs, la politique, les informations, la société, les annonces classées, le courrier des lecteurs, le monde.*

1c Ask the students to flick through several English and French newspapers and add to the list of columns they started in activity 1b. They could, for example, pick out the French for features such as the crossword (mots croisés) or situations vacant (offres d'emploi).

2a Play the recording. Seven people talk about their favourite newspaper or magazine. Referring to the list given, students should note down the names of two daily, two weekly and one monthly publication.

Answers:
Quotidiens: *La Croix, Le Monde*
Hebdomadaires: *Le Journal des Enfants, L'Express, Le Canard Enchaîné*
Mensuels: *Phosphore*

---

p 84, activité 2

1 Le mensuel *Phosphore* est sous-titré "l'univers des années lycée". Il offre un tas de choses aux jeunes de mon âge. Dans celui-ci, par exemple, il y a un spécial orientation, c'est-à-dire un dossier où l'on présente toutes les informations sur les filières, les options et les études. En plus, il y a des articles sur la boulimie, l'immigration, etc., et aussi des trucs comme "le film du mois" et "les trois CD de ma vie".

2 Pour moi, le journal français de référence par excellence, c'est *Le Monde*. Je le lis tous les jours et je l'apprécie surtout pour le sérieux et la variéte de ses informations et ses commentaires.

3 Je n'ai pas le temps de lire un journal tous les jours, mais je ne manque jamais mon hebdomadaire préféré, *Le Canard Enchaîné*. C'est un journal satirique, vraiment une des plus solides institutions de la presse française, admiré surtout pour son indépendance et son ton ironique.

4 Pour moi, il est important de savoir ce qui se passe dans le monde et pour aller au fond des choses, je choisis *L'Express*. C'est un hebdomadaire d'informations dont le style se base sur les newsmagazines américains comme *Time*.

> 5 Mon fils lit *Le Journal des Enfants* en classe. C'est un journal d'actualité destiné aux enfants d'environ 8 à 10 ans, et qui est publié chaque semaine. Il explique les grands événements de manière simplifiée, mais en même temps sans condescendance.
>
> 6 Qui a le temps de lire tout un journal tous les jours? Pas moi! Je lis quelquefois les titres à la une et si vraiment il y avait quelque chose qui m'attirait, je lirais peut-être l'article complet mais très vite.
>
> 7 Je lis régulièrement *La Croix*. C'est le grand quotidien catholique français qui accorde bien sûr une importance aux informations religieuses, mais offre aussi des articles sur les grands problèmes politiques.

2b Students listen to the recording again and decide which group of key words belong to each speaker. Then students summarize the content of each extract in one sentence which will reinforce the key words.

Answers:

a 3 **b** 6 **c** 1 **d** 7 **e** 2 **f** 5 **g** 4

Possible summaries:

1 Phosphore *est un mensuel destiné aux lycéens qui offre des articles sur des sujets qui touchent les jeunes.*

2 Le Monde *est un journal de référence qui offre des articles d'information et des commentaires.*

3 *L'hebdomadaire* Le Canard Enchaîné *est un journal avec un ton ironique qui est vraiment une institution.*

4 L'Express *est un hebdomadaire du style américain qui offre des informations mondiales.*

5 *Publié chaque semaine,* Le Journal des Enfants *est un journal simplifié visé aux enfants de 8 à 10 ans.*

6 *On ne lit que les titres à la une et quelquefois un article en tout.*

7 La Croix *est le grand quotidien catholique français qui offre des informations religieuses mais aussi des articles sur les grands problèmes politiques.*

F 24 En plus Students are referred to Feuille 24.

3a Students read the article and write a description in English about the French press. They should write one sentence on each of the following points: national newspapers, regional dailies, news magazines, sensationalist press.

Possible answer:

French national newspapers each have a different slant – Le Monde *offers readers a serious view,* Le Figaro *is for those who lean politically to the right and* Libération *tends to be for young readers concerned with social issues. Many French people prefer to read the regional dailies, although these tend to devote only a few pages to national and international events. The best*

known news magazines are L'Express *and* Le Nouvel Observateur *which are American in style. While there are publications such as* Paris Match *and the satirical newspaper* Le Canard Enchaîné, *the sensationalist press is much less developed in France than in Britain.*

3b Students trawl through the article looking for and recording useful phrases in preparation for the following activity.

3c Imagining that their penfriend is researching the media in Europe, students write a description for them of the press in the UK. Students should refer to the vocabulary in activity 1 and the expressions drawn from activities 2 and 3b.

F 25 En plus Students are referred to Feuille 25 for help in writing a newspaper article.

Compétences

This sections gives advice on doing research via the Internet.

A Students use a particular search engine to locate issues of various French publications.

B Students answer questions about one of these.

C If possible, students download a page from their chosen publication.

D Using the language from pages 84–85 and referring to the Compétences box on page 71, students present their publication to the rest of the group.

La presse à sensation

pages 86–87

Grammar focus
◆ The passive

Skills focus
◆ Using different kinds of language

Materials
◆ Students' Book pages 86–87
◆ Cassette 2 side 2, CD 2
◆ Grammar Workbook pages 80–81
◆ Feuille 26

1 This activity helps students to recognise how the content differs between information and sensational reporting. Students divide the list of possible articles into two categories: *'Information sérieuse'* or *'Histoires à sensation'*.

Answers:
Information sérieuse: 2, 3, 5, 6, 7.
Histoires à sensation: 1, 4, 8.

2a The two articles about the death of Diana are in contrasting styles. Students read them both and note which subjects are covered in each article.

Answers:
'Jamais plus, Diana': 1, 2, 3, 4, 6, 7.
'Chronique sur la mort de Lady Diana': 2, 4, 5, 6, 8.

2b Re-reading *'Jamais plus, Diana'*, students say whether the statements are true or false according to the article.

Answers:
1 *Vrai* **2** *Faux* **3** *Vrai* **4** *Vrai* **5** *Vrai*

2c Students re-read *'Chronique'* and complete the sentences.

Possible answers include:
1 … *dans un tragique accident de voiture.*
2 … *mais elle a succombé.*
3 … *de journaliste.*
4 … *la vie privée des stars.*
5 … *de ses œuvres charitables.*

F 26 En plus Students are referred to Feuille 26 for a role-play activity discussing the role of the tabloid press.

Grammaire

A Students locate the sentences noted in the article *'Jamais plus, Diana'* and explain how the passive is avoided.

Compétences

This section points out the differences in contrasting kinds of language.

1 From the list given, students decide which words aptly describe each of the articles.

2 Students find the remaining four phrases used to describe Diana in *'Jamais plus, Diana'*.

Answers:
la tendre fiancée, la princesse la plus élégante, mère exemplaire, notre princesse adorée

3 Students note the two phrases used to describe her in *'Chronique sur la mort de Lady Diana'*.

Answers:
la princesse de Galles, Lady Diana.

4 Students identify how the two sets of phrases are different from each other.

Possible answer:
The phrases used in 'Jamais plus, Diana' *describe Diana especially in terms of her romantic and maternal roles, using superlatives and emotive words.* 'Chronique sur la mort de Lady Diana' *refers to Diana strictly by her titles.*

5 Analysing the articles, students find examples to show which article uses more emotive language, which gives more hard facts, and which one analyses the meaning of her life and the effect of her death.

6 Using details from the box, students write about the death of an actress in two different ways – a brief factual report and a 'human interest' report for a tabloid newspaper.

La publicité

pages 88–89
Grammar focus
◆ The imperative

Skills focus
◆ Persuasive language

Materials
◆ Students' Book pages 88–89
◆ Cassette 2 side 2, CD 2
◆ Grammar Workbook pages 58–59

1 Working in pairs, students study the two advertisements. For each advertisement, they establish what can be seen, the slogan, the product, the target market, whether they like the ad or not and why.

2a *'Qui peut resister?'* is an article analysing the strategy behind advertising. Students match the sub-titles with the paragraphs.

Answers:
A *D'abord la stratégie* **B** *Les techniques*
C *Viser les clients* **D** *Le pouvoir de la publicité.*

2b Students explain in English the four possible objectives of an advertisement as outlined in paragraph A.

Possible answer:
An advertisement may:
– *seek to persuade you to buy another brand,*
– *or make you desire something luxurious which you do not really need.*
It may try to:
– *convince you to discover a new product*
– *or reassure you that your own preferred brand remains the best available.*

2c To summarize the content of paragraphs B–D, students complete the sentences.

Answers:

B *l'angle d'attaque, comment créer l'impact voulu*
C *séduit les clients*
D *on vous promet des choses désirées par tout le monde (le bonheur, une belle ligne, etc.).*

2d Searching carefully through the article again, students find the words which match the definitions given.

Answers:

1 *le consommateur*   2 *l'équipe créative*   3 *la marque*
4 *le message caché*

2e Students find synonyms in the text for the words listed.

Answers:

riche / prospère, heureux / content, amuser / faire rire, persuader / convaincre, attirante / séduisante, cibler / viser

3a Claudie expresses her opinions on the way advertising influences young people. Students listen to the recording and then put the statements into the order in which they are mentioned.

Answers:

2, 5, 6, 3, 1, 4

---

p 89, activité 3

Claudie

Je trouve qu'il y a de nombreux exemples de publicités qui visent les jeunes, et pas de façon responsable. Je me rappelle par exemple la campagne Benetton. Toutes les semaines, sur les panneaux publicitaires, ils présentaient une nouvelle image de plus en plus choquante et on se demandait ce qu'ils allaient pouvoir inventer la semaine suivante. Comme, par exemple, un homme qui mourait du sida dans sa chambre d'hôpital ou un bébé qui venait de naître et qui était encore recouvert de placenta. Quand on pense au produit qu'ils veulent décrire, on ne voit aucun lien direct avec ces photos. Est-ce qu'on croit qu'il faut choquer les jeunes pour les influencer?

Je pourrais aussi citer l'exemple des mannequins qui présentent des vêtements et qui sont complètement rachitiques. Elles influencent les jeunes qui veulent imiter ce modèle et qui deviennent anorexiques. Ce n'est guère une attitude responsable de la part des créateurs.

Puis les jeunes sont très influencés par la publicité à la télévision. On est constamment bombardé de spots publicitaires, qui sont diffusés avec un volume plus fort que la normale. Et en plus, dans la rue on voit tous les panneaux, toutes ces marques qui vont résoudre nos

---

problèmes. On se pose la question des valeurs dans notre société qui semble nous dire qu'être libre, c'est consommer. Les adultes ont vu la publicité progresser à travers les années, mais les jeunes ont grandi avec toutes les influences nocives qu'elle comporte. Ils n'ont connu rien d'autre et c'est ça qui est inquiétant.

3b Play the recording again. Students listen and note down the French for the expressions given.

Answers:

1 *les panneaux publicitaires*
2 *on ne voit aucun lien direct*
3 *ce n'est guère une attitude responsable*
4 *on est constamment bombardé de spots publicitaires*
5 *toutes les influences nocives*

4 Students present and commentate on an advert to the class, drawing on the questions from activity 1, the language learned in activities 2 and 3 and the Compétences section.

Grammaire

A Students spot the imperatives in the advertising slogans and guess what product is being advertised.

B Students copy and complete the sentences using the imperative and then translate them into English.

Answers:

1 *Look at this advertisment.*
2 *Let's buy this brand of coffee.*
3 *Invent a new slogan.*
4 *Don't miss this special offer.*

C Students translate the sentences with imperative forms into French.

Answers:

1 *Essayez ce chocolat.*   2 *Ne l'achète pas!*
3 *Inventez un nouveau produit.*   4 *Analysons cette publicité.*

Compétences

This section gives students advice on persuasive constructions.

1 Students translate the examples into English.

Answers:

1 *You will be more comfortable and have less expense.*
2 *It is always preferable to …*
3 *It is better to …*

2 Using their imagination, students invent three other examples of superlatives in slogans.

3 Students find an example of a slogan in the *Grammaire* section which uses repetition and then write in their own example.

Answers:

Ouvrez un compte sans vous déplacer, sans paperasserie, et sans aucun frais.

4 Students find an example of a leading question and write two more of their own.

La télévision

pages 90–91

Skills focus

◆ Answering a structured question

Materials

◆ Students' Book pages 90–91
◆ Cassette 2 side 2, CD 2

 1 Five speakers give their opinion on whether television is a good or bad influence on young people. Students listen to the recording and decide whether the opinion is positive or negative.

Answers:

1 *positive*   **2** *négative*   **3** *négative*   **4** *positive*
5 *positive*

---

p 90, activité 1

– Trouvez-vous que la télévision ait une bonne ou mauvaise influence sur les jeunes?

1 Antoine, professeur
J'aimerais particulièrement mentionner 'C'est pas sorcier', une émission regulièrement regardée par mes élèves. Derrière une façade humoristique, les présentateurs arrivent à faire passer des explications scientifiques. Mes élèves aiment le ton vivant de cette émission.

2 Louise, mère de famille
Je ne suis pas le seul parent de ma localité à déplorer la pauvreté de la qualité des programmes que l'on diffuse actuellement à la télévision. Je veux surtout parler des actes de violence de plus en plus sophistiqués que l'on peut voir à toute heure et sur toutes les chaînes.

3 Suzanne, mère de famille
Il me semble qu'il y a un excès d'émissions où le vocabulaire se limite à des insultes et à des vulgarités et où les relations entre les personnages démontrent une agressivité constante. C'est quand même un mauvais exemple!

---

4 Elizabeth, ado
Je ne trouve pas que la télévision provoque la violence. Il y a forcément des émissions qui reflètent la violence dans la société. Et au moment du journal télévisé on parle encore de violence et de catastrophes. Mais c'est peut-être grâce à la télé qu'on commence à apprendre et à combattre la violence.

5 Martin, ado
Pour moi qui aime la culture mais qui vit loin de Paris et des autres centres culturels, la télé offre la possibilité de voir des émissions sur l'art, la peinture et le théâtre, de revoir des pièces classiques et, surtout sur la chaîne Arte, d'apprécier des films plus littéraires.

---

4 Play the recording again. Students copy and complete the expressions used.

Answers:

1 *humoristique; explications scientifiques*
2 *de la qualité des programmes que l'on diffuse actuellement à la télévision; de plus en plus sophistiqués*
3 *des insultes et à des vulgarités; une agressivité constante*
4 *la violence dans la société*
5 *des films plus littéraires.*

2a Students read the *Réponse-modèle* which provides an answer to the structured question: 'Consider the influence of television on young people and give three negative aspects and two positive aspects. Then explain your personal opinion on whether televison has an educational or harmful influence on young people of your age.'

2b Students should summarize the conclusion in English.

Possible answer:

While an excess of television can be detrimental to young people, the educational benefits outweigh the risks. To maximise the benefits it is essential to limit the number of hours spent in front of the TV and to select programmes responsibly.

3a Students re-read the *Réponse-modèle* and note in which paragraphs the views listed occur.

Answers:

1 *paragraph 1*   **2** *paragraph 3*   **3** *paragraph 6*
4 *paragraph 1*   **5** *paragraph 4*   **6** *paragraph 2*

3b Searching through the *Réponse-modèle*, students find the vocabulary listed.

Answers:

a *les ados, la jeunesse*
b *la télé, publicitaire, l'écran, un feuilleton, un dessin animé, une série policière*

c *Negative: la passivité, inactif, asocial, menacer, pire;*
Positive: édifiant, éducatif, responsable

d *let us consider, worse still, whether it be/be it, as for, thanks to, better to*

4 After referring to the *Compétences* box, students answer the structured question. They should give three advantages and three dangers of commercials and explain their own opinion of them. They should say whether they believe that commercials play an essential role in a consumer society such as our own.

Compétences

This section gives students advice on how to answer a structured question and provides activities designed to help students study the question, collect ideas, add their own ideas, structure their answer and aim for a high standard of vocabulary and grammar.

5 To explore how televison may affect family life, students choose from the roles provided, or others they may invent, and role-play a situation in small groups.

Au choix

page 92

Skills focus

◆ Pronunciation – consonants that are not pronounced

Materials

◆ Students' Book page 92
◆ Cassette 2 side 2, CD 2

S 🔲 **1** Students listen to the news bulletin on the radio and answer the questions.

a Students complete each sentence following the sense of the recording.

Answers:

1 *perturbations ce matin dans le trafic des trains régionaux*
2 *que l'heure de pointe est passée*
3 *il y a une demi-heure*
4 *s'excuser auprès de leurs employeurs*

b Students read the statements and decide whether they are true or false.

Answers:

1 *Faux* **2** *Vrai* **3** *Vrai* **4** *Vrai* **5** *Vrai* **6** *Faux*

c Students answer the questions.

Answers:

1 *0* **2** *aucun* **3** *les dernières semaines ont été très difficiles pour l'entraîneur.*

d In one sentence students explain what happened at the Paris stock exchange using the phrases given.

Possible answer:

Les actions Pernod-Ricard ont perdu 4,6% hier soir après le véto du gouvernement dans le rachat d'Orangina par Coca Cola.

---

p 92, activité 1

Le journal
Trafic perturbé à la SNCF
Encore une dure journée pour certains usagers de la SNCF. Il y a des perturbations ce matin dans le trafic des trains régionaux: un train sur quatre sur l'axe Marseille-Avignon, ainsi que sur Marseille-Aix. Des difficultés aussi en Basse Normandie sur les lignes Paris-Granville. Il y a aussi des perturbations sur le réseau de Paris Nord en direct de la Gare du Nord. Notre correspondant sur place:

Ça y est, l'heure de pointe est passée, mais il y a une demi-heure c'était la pagaille ici sur les quais de la Gare du Nord. Les employés de guichet ont dû remplir des centaines de bons de retard, vous savez, ces bons délivrés par la SNCF à ses clients pour les excuser auprès de leurs employeurs. De nombreux voyageurs en effet ce matin avaient une demi-heure, une heure, voire une heure et demie de retard et ils s'inquiétaient déjà pour leurs trajets de retour ce soir.

Coca ou Orangina?
Les salariés d'Orangina sont inquiets après la décision du gouvernement d'interdire leur achat de l'entreprise par Coca Cola. Les syndicats regrettent ce choix et s'inquiètent pour l'avenir, car ils avaient obtenu de Coca le maintien de l'emploi pendant deux ans en cas de rachat. Ils craignent une restructuration d'Orangina. Le groupe Pernod-Ricard, propriétaire de la marque, indique qu'il va prendre le temps de réflechir avant de dévoiler ses projets.

Football
L'Olympique de Marseille n'arrive pas à redresser la barre. L'OM s'est incliné hier soir 2–0 face à Lazio, Rome dans la Ligue des Champions. Marseille n'a pu gagné sur son terrain depuis plus d'un mois. L'entraîneur a expliqué hier soir qu'il traversait la période la plus pénible de sa carrière. Ce soir, trois clubs français jouent les seizièmes de finale de la Coupe de l'UEFA. Nantes se déplace en Angleterre pour affronter Arsenal, Lens reçoit les Allemands de Kaiserslautern, et puis Lyon joue contre les Allemands à Bremen.

Bourse
A la Bourse de Paris on suivra de près l'action Pernod-Ricard. Elle a perdu 4,6% hier soir après l'annonce par le Ministre d'Economie et de Finances du véto du gouvernement dans le rachat d'Orangina par Coca Cola.

---

2 'Which among the modern forms of media – radio, television, the press, the Internet – is the best source of information and relaxation?' Working on their own or in pairs, students prepare a talk to answer the question. They should, of course, refer to all the material in the unit and re-read the *Compétences* box on page 71.

3 Imagining that they can no longer stand the vast amount of advertising surrounding them, students write a letter to the editor of their favourite newspaper to express their opinion.

4 In pairs, students pretend that they are part of a marketing team and are preparing a new campaign. Choosing a product from the list, students invent two advertisements: one for a magazine (an image and slogan) and the other to fill a 30-second time slot on the radio.

Phonétique

 1 Students listen to and repeat the sounds of consonants which are silent when they are at the end of a word.

2 Students listen to and repeat the sounds these consonants make when followed by an 'e'.

---

p 92, Phonétique

1
s
accès excès Paris
s
les médias préférés des jeunes
t
le débat, le droit de tout savoir
d, x
Le Canard Enchaîné, La Voix du Nord
p
il y a beaucoup trop de publicité à la télé

2
les Français
la radio française
il est mort
elle est morte
il fait chaud
des températures chaudes

Copymasters

Feuille 24 Ecouter en plus

1 Caroline discusses the newspapers and magazines which she reads. Students listen to the recording and note down the titles in the order they are mentioned.

Answers:

4; 1; 3; 2; 5

F24, activité 1

– Caroline, je sais que tu t'intéresses beaucoup aux médias. Tu écris des articles, non?

– Oui, j'ai une véritable passion pour le domaine de l'édition. J'écris des articles d'actualité et puis depuis plusieurs années j'écris aussi des romans d'aventure pour les jeunes.

– Quelles sont tes lectures préférées?

– Je lis plusieurs magazines de façon régulière, comme par exemple le bimensuel *Okapi* de Bayard Presse qui donne une bonne idée de ce qui intéresse les jeunes d'aujourd'hui. Il y a des infos en bref, des pages sur la musique ou le sport, une rubrique débat et plusieurs pages de courrier des lecteurs avec des conseils typiquement destinés aux jeunes.

– Tu peux donner un exemple?

– Oui, par exemple un article comme "Ma sœur me vole mes vêtements" ou "Je n'arrive pas à avoir de bonnes notes en maths". Ma seule critique est que le magazine a changé de maquette il y a un an et je regrette les longs dossiers qui formaient le centre de l'*Okapi* de mon enfance!

– J'imagine que tu lis aussi la presse pour adulte?

– Evidemment! Je lis regulièrement le quotidien *Libération* et parfois des articles du *Monde* sur Internet. Pour les hebdomadaires, j'ai bien peur que les titres français ne me passionnent guère! En effet, je suis abonnée aux deux grands magazines américains *Time* et *Newsweek*. J'aime leur style précis et la façon dont ils couvrent l'actualité internationale.

– Et comme lecture préférée, qu'est-ce que tu choisirais?

– Je suis une vraie fan des Editions Milan qui publient des magazines et des livres pour tous les âges. Mon titre préféré? Le mensuel *Les Aventuriers*, bien sûr, pour lequel j'écris régulièrement!

– C'est quoi, exactement?

– Il s'agit chaque mois d'un roman qui fait peur, accompagné de plein d'infos et d'activités sur des sujets comme Halloween ou les loups-garous et la pleine lune. Un moyen excellent pour ne pas s'endormir le soir!

---

2 Students should listen to the recording again and then answer the questions.

Answers:

1 *Okapi* **2** *Les Aventuriers* **3** *Libération* **4** *Time, Newsweek* **5** *Okapi* **6** *Les Aventuriers* **7** *Le Monde* **8** *Okapi* **9** *Les Aventuriers* **10** *Time, Newsweek*

3 Students listen once more and translate the phrases given into French.

Answers:

1 *J'ai une passion pour l'édition*
2 *J'écris des articles d'actualité*
3 *plusieurs pages de courrier des lecteurs*
4 *le magazine a changé de maquette*
5 *Je suis abonnée aux deux grands magazines américains*
6 *J'aime la façon dont ils couvrent l'actualité internationale*

4 Students think about what they read themselves in terms of newspapers and magazines.

5 Following on from the notes made in activity 4, students prepare a short presentation on what they like to read.

Feuille 25 Faits divers

1 After skimming the four articles, students match the articles with an appropriate heading.

Answers:

Article A 4   Article B 3   Article C 2   Article D 1

2 Students read the four articles again carefully and find the synonyms for the expressions listed.

Answers:

Article A
1 *une dizaine*   2 *incendier*   3 *réputé difficile*
Article B
1 *le mouvement*   2 *réclamer*   3 *selon la direction*
4 *principalement*
Article C
1 *deux ressortissants turcs*   2 *sept ans de prison*
3 *être interpelé*
Article D
1 *dérober*   2 *son domicile*   3 *un braqueur*

3 Referring to the articles again, students correct the errors in the statements given.

Answers:

1 *Environ dix voitures ont été incendiées dans deux quartiers troublés de la ville de Saint-Etienne.*
2 *Les employés des bureaux de poste de Saint-Antoine font toujours la grève. Ils réclament une femme de ménage et une meilleure organisation du départ du courrier.*
3 *Deux trafiquants d'héroïne ont étés arrêtés à l'ouest de Nancy au volant d'un camion transportant 9,3 kg de drogue illégale.*
4 *Une représentante en bijoux s'est fait dérober un million de francs en or et diamants. Quatre braqueurs masqués l'ont enfermée dans le coffre de sa voiture.*

4 Students come up with an alternative title for each article and then compare their ideas with those of their partner.

Writing a newspaper report

1 Students complete the list of facts contained in Article D.

Answers:

A jewellery saleswoman was robbed by four masked gangsters; more than a million francs worth of gold and diamonds were stolen; she was robbed at her parking space near her home in Meudon; she was pushed into the boot of her car.

2 Students make a similar list of details for Article B.

Possible answers:

About 15 Post Office workers in Saint-Antoine; they are still out on strike; they are asking for a cleaning lady and improvements in mail collections; an agreement has not yet been reached.

3 Students decide which of the qualities listed apply to the style of the articles.

Answers:

factual, concise; opening with an interesting statement to catch the reader's attention

4 Students find the structures listed in the articles.

Answers:

1 *ont été incendiées, avaient été détruits*
2 *transportant*
3 *selon la direction, en grève*

5 Following the concise, factual style of a newspaper article, students write their *fait divers* and invent the details.

Feuille 26 Information ou presse à sensation?

1 This is a groupwork exercise. Students add examples to the table of things that they consider the public has a right to know about someone and things which should remain private.

2 Copy and cut out the role-play cards. Students can work in groups of five with each member of the group taking one of the five roles. Some preparation in advance of the role-play activity would be useful but much of the interaction can be spontaneous.

Unité 8 L'environnement

Unit objectives

By the end of this unit students will be able to:
- Explain what they do to protect the environment
- Say what people could do to protect the environment
- Talk about being a conservation volunteer
- Discuss the pros and cons of nuclear power
- Discuss possible solutions to environmental problems

Grammar
- Use the conditional
- Recognize the past conditional

Skills
- Answer a structured question
- Pronounce the sounds 'o', 'eau' and 'ou'

page 93

1 Students match the newspaper headlines with the appropriate images.

Answers:

1 d **2** e **3** a **4** b **5** f **6** c

2 Students match the expressions listed on the right with the newspaper headlines. There are two expressions per headline.

Answers:

1 *(capteurs solaires) une source d'énergie inépuisable, les ressources renouvelables*

2 *(replantation des forêts) le chêne, l'écosystème forestier*

3 *(la marée noire) nettoyer la plage, un seau et une pelle*

4 *(les baleines) le risque d'extinction, être massacré*

5 *(la mer poubelle) déverser des déchets radioactifs, la contamination des océans*

6 *(verre d'eau) une station d'épuration, l'eau potable.*

Vous pensez écolo?

pages 94–95

Materials
- Students' Book pages 94–95
- Cassette 2 side 2, CD 2
- Feuilles 27, 28

1a Rather than considering green issues as distant and global, the quiz challenges students to recognise how their everyday choices can contribute to the welfare of the environment. Students do the quiz and are introduced to some of the key vocabulary and ideas for the unit.

1b Students compare their answers to the quiz with a partner and then discuss them as a class. They should refer to the *Expressions-clés*.

2a Before reading the four personal accounts on page 95, students work out the meaning of the verbs extracted from the texts.

Answers:

faire de son mieux *to do one's best;* gaspiller *to waste;* compter *to matter;* éteindre *extinguish, turn out (lights);* faire des économies *to economise;* baisser *to lower;* conduire *to drive;* polluer *to pollute;* mieux faire *to do better;* vivre de (quelque chose) *to live on;* arriver à (faire quelque chose) *get around to;* cuisiner *to cook;* faire les courses *do the shopping;* manger bio *to eat organically.*

2b Students read the four accounts in *'L'écologie commence chez toi'* and then classify each person using the scale in the quiz on page 94.

Answers:

Alain écolo beaucoup; Philippe écolo un peu; Juliette écolo zéro; Murielle écolo accro.

2c Working in pairs, Student A reads out Alain's paragraph and then closes their book. Student B tests them on whether they have retained the French for the expressions listed. Changing roles, they work on Philippe's paragraph and they continue in this manner until all four paragraphs have been read.

Answers:

Alain: *les petits gestes, éteindre la lumière, une seule casserole, le frigo* ***Philippe:*** *covoiturage avec des voisins, économies, nous polluons moins* ***Juliette:*** *je pourrais faire mieux, les plats préparés, les emballages* ***Murielle:*** *un panier, produits verts pour la vaisselle et la lessive, je mange bio, le tas de compost.*

F 27
F 28

En plus Students are referred to Feuilles 27 and 28.

 3a Five people talk about what they do to help protect the environment. Students listen carefully and complete the table noting what each person currently does and what else they think they could do. The heading '*devrait / pourrait…*' introduces the use of common forms of the conditional in preparation for further work on this on the next spread.

Answers:

action	*devrait / pourrait faire*
1 *recycler les déchets*	*recycler les boîtes de conserve*
recycler le papier et les	*et les emballages*
bouteilles	
2 *faire partie des Amis*	*participer à leurs actions*
de la Terre	*distribuer des dépliants*
3 *prendre son vélo au lieu*	*se servir de son vélo plus*
de sa voiture	*souvent*
4 *sélectionner les produits verts*	*manger bio*
5 *économiser l'eau et l'énergie*	*se doucher au lieu de se*
	baigner

---

p 95, activité 3

1 Pour protéger l'environnement, je recycle systématiquement les déchets. Je garde le papier et les bouteilles en verre pour les déposer ensuite dans les conteneurs aménagés par la municipalité. C'est déjà quelque chose mais je devrais aussi recycler les boîtes de conserve et les emballages.

2 J'ai adhéré au mouvement Les Amis de la Terre il y a deux ans. Ça me plaît de faire partie de ce groupe international qui organise des actions et se bat pour protéger la nature. Je pourrais participer à leurs actions, surtout à celles qu'on organise dans ma ville, par exemple, distribuer des dépliants devant les supermarchés.

3 Pour moins contribuer à la pollution, j'aimerais moins utiliser ma voiture. Mais … c'est pratiquement impossible! J'habite à la campagne et les transports en commun sont très rares ou marchent mal. Quelquefois je prends mon vélo pour aller voir des amis, par exemple, et je sais que je devrais m'en servir plus souvent.

4 En tant que consommatrice, je possède une certaine influence. Je sélectionne les produits verts, non polluants, pour le nettoyage ménager. Je devrais aussi acheter des produits bio qui sont plus nourrissants et donc meilleurs pour la santé. Le problème, c'est que ça coûte cher. J'espère que les prix baisseront au fur et à mesure que la demande augmentera.

5 J'ai peur qu'on manque d'eau à l'avenir, à cause de l'effet de serre. C'est pourquoi j'essaie d'économiser l'eau et aussi les moyens d'énergie comme le gaz et l'électricité. Pour l'eau, par exemple, je n'arrose pas la pelouse, j'ai une machine à laver écologique … et je sais que je devrais me doucher au lieu de me baigner.

3b Play the recording again. Students listen whilst reading the sentences and correct the mistake in each one.

Answers:

1 *Je devrais aussi recycler les emballages en plastique dans les conteneurs*
2 *Je suis membre des Amis de la Terre*
3 *C'est pratiquement impossible d'utiliser les transports en commun pour me déplacer. Je prends mon vélo pour aller voir mes amis*
4 *Je possède une certaine influence en tant que consommateur; J'achèterais les produits bio s'ils n'étaient pas si chers*
5 *J'essaie d'économiser l'eau — je n'arrose pas la pelouse et j'utilise une machine à laver écologique*

4   Students consider whether their own behaviour is ecological. Using the vocabulary on the spread, they list four examples of green measures they already take and also note how else they might change their behaviour and do better.

Notre planète en danger

pages 96–97

Grammar focus

◆ The conditional

Materials

◆ Students' Book pages 96–97
◆ Cassette 2 side 2, CD 2
◆ Grammar Workbook pages 60–61

1a   Students are introduced to some of the ecological dangers which threaten our planet and also to some of the possible solutions. Students copy and complete the table using the phrases in the box.

Answers:

Problèmes	Causes	Solutions
la pollution de l'air	les émissions toxiques des automobiles	une amélioration des transports en commun
la déforestation	la conversion des forêts en terres agricoles l'exploitation forestière	une expoitation durable des forêts
les déchets ménagers	la surconsommation les emballages	le compostage le recyclage
la destruction de l'écosystème marin	la surpêche	un système de gestion de pêche plus responsable

1b Students continue the table with any other ecological threats that they can think of.

2a Four people have posted their views about ecological problems on the Internet. Working in pairs, students read the messages and devise a suitable heading for each one. They can then compare their ideas with their classmates.

2b Reading through the messages again, students find synonyms for the expressions listed.

Answers:

je souffre; tâcher de; se servir de; dévastées; une gamme; réduire

2c Without referring to the messages, students reconstruct key phrases from the text by matching the nouns with their adjectives. However, once they have completed the activity, they can refer back to confirm their answers.

Answers:

1 c 2 a 3 f 4 d 5 j 6 h 7 b 8 i 9 e
10 g

3a Students listen to the recording and then answer the multiple-choice questions.

Answers:

1 b 2 c 3 b

---

p 97, activité 3a

Une journée d'action aujourd'hui dans des centaines de nos établissements scolaires. Le but? Sensibiliser l'opinion sur la déforestation. A l'heure actuelle, plus de la moitié des forêts tropicales, que l'on trouve en Amérique Latine, en Afrique et en Asie, ont été détruites. Ce phénomène est d'autant plus alarmant que ces forêts ne pourront plus se reformer à cause de la pauvreté des sols, de l'érosion et de l'arrêt des pluies. En effet, une fois les arbres abattus, la forêt est condamnée à devenir un désert.

3b Play the next recording. Students listen carefully and complete the paragraph with the missing words.

Answers:

70%; marines; industrie; campagne; stocks de poissons; responsable

---

p 97, activité 3b

Saviez-vous que notre planète est à 70% recouverte de mers et d'océans? Depuis toujours, l'homme a exploité les ressources marines, mais cette tradition s'est malheureusement transformée en une colossale industrie mondiale, capable de modifier radicalement

---

l'équilibre naturel des écosystèmes marins. Voilà pourquoi Greenpeace a lancé une nouvelle campagne contre la surexploitation de nos stocks de poissons. L'organisation se bat pour que les nations adoptent des systèmes de gestion de pêche qui soient responsables sur le plan écologique.

En plus Students listen to the third excerpt on noise pollution and take notes.

---

p 97, En plus

Une nouvelle étude nous alerte des risques de santé causés par les bruits qui nous attaquent dans la vie de tous les jours. Même les bruits fatigants de la cantine scolaire ou du métro nous dérangent plus que nous le pensons, et on peut facilement atteindre le seuil de douleur dans les discothèques ou en branchant son walkman. Les concerts de rock peuvent causer des pertes d'audition, même définitives. En plus, le bruit est un agent de stress qui affecte le psychisme et perturbe le sommeil.

Grammaire

A Students find the translations for the phrases noted in the chatline messages on page 95.

Answers:

a ... *les personnes fragiles ne seraient plus menacées*
b *Tout le monde devrait faire du compostage*
c *Je n'aimerais pas voir nos forêts disparaître*

B Students find two more examples of the conditional in the chatline messages on page 95.

Answers:

faudrait absolument réduire; devrait se servir

C Students fill the gaps in the sentences with verbs in the conditional.

Answers:

1 *achèterait* 2 *essayerait* 3 *aurait* 4 *consommerait*
5 *recyclerait* 6 *utiliserait*

4 The planet is in danger! Students choose the ecological threat which worries them the most and do a presentation.

5 Working in pairs, students imagine that they are founding an ecology action group in their college. Reviewing the material covered on pages 96–97, they decide what the theme of their first campaign will be and then create a poster or leaflet.

Qui veut être bénévole?

pages 98–99

Grammar focus

◆ The past conditional

Materials

◆ Students' Book pages 98–99
◆ Cassette 2 side 2, CD 2
◆ Grammar Workbook page 79

1   To raise their awareness of volunteer projects which protect or restore the environment, students choose suitable captions for the photos.

Answers:

a *une décharge sauvage, un milieu perturbé, des ordures de toutes sortes*

b *un projet de rénovation, des bénévoles, 9500 heures de travail, nettoyer les rives, ramasser les débris*

c *un paradis écologique aux portes de la ville, des truites sauvages de 2 kilos*

2a Students listen to an interview with Roger Dominique, a member of the *Action Rivière Nature* association. They note the order in which he mentions the points listed.

Answers:

5, 3, 6, 1, 7, 2, 4.

---

p 98, activité 2

– En deux mots, comment peut-on décrire le projet Action Rivière Nature?
– Eh bien, nous avons travaillé pendant dix ans pour transformer un cours d'eau insalubre en un paradis de la truite sauvage.
– Et c'est où exactement que vous avez fait ce miracle?
– Il s'agit d'un ruisseau, une résurgence de la Meuse, longue de 1,5 km et large de 10m. C'est un lieu situé dans l'ouest vosgien qui avait été dévasté par la pollution et l'érosion.
– Et vous avez travaillé à combien?
– Il y a dix ans, 45 volontaires ont retroussé leurs manches et depuis ils ont effectué plus de 9500 heures de travail.
– Ce sont des gens du quartier?
– Oui, des pêcheurs et d'autres amoureux de la nature.
– Vous avez travaillé le week-end?
– En fait, nous avons travaillé exclusivement le dimanche, à l'exception des retraités qui sont venus aussi en semaine.
– Et quelles étaient les tâches principales?
– Nous avons ramassé des débris de toutes sortes, redressé et nettoyé les rives, enlevé plus de 400 camions de vase, rechargé la terre végétale et restauré des édifices historiques.

– Je crois que vous avez planté des arbres aussi?
– Ah oui, des saules et des aulnes. En plus, nous avons fait l'inventaire et le suivi de la faune aquatique.
– Et là aussi, vous avez eu du succès?
– Oui, oui, je suis très fier de pouvoir vous dire que la truite fario, autrefois si rare, y a incroyablement prospéré. On compte aujourd'hui un spécimen de 60 centimètres (donc, environ deux kilos) tous les 10 mètres.
– Quel a été le facteur clé de cette réussite?
– Aha, alors là, je n'hésite pas – notre réussite est due à la force humaine. Grâce aux bénévoles nous avons pu restituer ses droits à la nature.

2b Students listen to the recording again and then complete the phrases using a verb from the box.

Answers:

1 *transformer* **2** *retrousser* **3** *effectuer* **4** *ramasser*
5 *nettoyer* **6** *enlever* **7** *restaurer* **8** *planter* **9** *faire*
10 *restituer*

2c Students write a short summary of the project, referring to the aspects mentioned in activity 2a and using the vocabulary in activity 2b.

Possible answer:

Des volontaires de l'organisation Action Rivière Nature ont travaillé pendant dix ans sur un ruisseau pollué. Travaillant exclusivement le dimanche, 45 volontaires ont effectué plus de 9500 heures de travail. Grâce à la force humaine ils l'ont transformé en un paradis. Ils ont ramassé des débris, redressé et nettoyé les rives, enlevé des tonnes de vase, rechargé la terre végétale et restauré des édifices historiques. Aussi, ils ont planté des arbres et fait l'inventaire de la faune aquatique. Maintenant, même la truite sauvage y prospère.

3a In preparation for reading the following article, students use a dictionary to explain the terms listed.

Answers:

1 un oiseau mazouté *a bird whose feathers are covered in oil*
2 mettre des moyens à la disposition de quelqu'un *to give someone the means to*
3 un résultat décevant *a disappointing result*
4 élan de solidarité *a spirit of solidarity*
5 une proportion faible *a small proportion*

3b Students read the article, '*Sauvetage des oiseaux mazoutés*' and then answer the questions.

Answers:

1 *Protecteurs de la nature, chasseurs et promeneurs*
2 *la municipalité de la Rochelle, la LPO, la SEPNB-Bretagne Vivante*
3 *391*

4 *non*

5 *2500*

6 *Student's own view*

3c To ensure that students have understood the main point of the passage, they are asked to translate the final sentence into English.

Answer:

The proportion of birds which have been saved is therefore very small, but, whilst a wild bird is living, it deserves to have interest taken in it.

4 Giving thought to whether they would participate in an ecological project, students prepare to give an oral presentation on voluntary work using the vocabulary and ideas just learned. They should include specific examples of projects in their talk, evaluate the results of the efforts made, and say whether they themselves would be willing to share in a similar undertaking.

Grammaire

A Re-reading the article and questions in activity 3b, students look for a sentence with an example of the conditional and one with the past conditional and translate them into English.

Answers:

Est-ce que vous seriez prêt(e) à participer à une telle opération de sauvetage? *(conditional)Would you be prepared to participate in such a rescue operation?;* Est-ce qu'ils auraient été sauvés sans les bénévoles? *(past conditional) Would they have been saved without the volunteers?;* Un mois et demi après le naufrage, 391 oiseaux seulement avaient pu être relâchés … *(past conditional) A month and a half after the shipwreck, only 391 birds could be released …*

B Students decide whether the sentences listed use the conditional or past conditional. They translate them each into English.

Answers:

1 *You should have joined in the rescue operation (past conditional)*

2 *I would have been happy if they had planted some flowers (past conditional)*

3 *Life would be more peaceful in such a spot (conditional)*

4 *There would be less pollution and the air would be purer (conditional)*

5 *I would never have thrown away all that rubbish (past conditional)*

6 *We ought to take it all to the municipal dump (conditional);*

7 *They could have made the site bigger (past conditional)*

8 *A larger group would have been able to work faster (past conditional)*

Le nucléaire: pour ou contre?

pages 100–101

Skills focus

◆ Answering structured questions

Materials

◆ Students' Book pages 100–101

◆ Cassette 2 side 2, CD 2

1 Taking a look at the pros and cons of nuclear power, students group the newspaper headlines into postive and negative.

Answers:

Positive: B, C, F, G, I, L ***Negative:*** A, D, E, H, J, K

2a Students read the four newspaper articles about nuclear power on page 100. They then link them to the statements listed.

Answers:

1 *Non à la radioactivité (article 2)*

2 *L'avenir du nucléaire (article 1)*

3 *Les risques nucléaires (article 4)*

4 *Pourquoi la France a choisi le nucléaire (article 3)*

2b Students re-read the articles and decide which article contains the information listed.

Answers:

1 *article 2* **2** *article 4* **3** *article 3* **4** *article 1*

5 *article 4* **6** *article 2* **7** *article 1* **8** *article 3*

3a Five people give their opinions about nuclear power. Students note down who is for and who is against and who doesn't have an opinion.

Answers:

Pour: *3* ***Contre:*** *1, 2, 4* ***Sans opinion fixe:*** *5*

---

p 101, activité 3

1
Je pense que le gouvernement devrait cesser au plus tôt le nucléaire. Faut-il un autre Tchernobyl pour que l'on arrête de vivre sous la constante menace d'un accident nucléaire?
2
Les Etats-Unis, où l'on a une longue expérience des problèmes nucléaires, ralentissent actuellement leur programme d'installation de centrales atomiques pour se tourner vers d'autres énergies.
3
Je suis en faveur de l'énergie nucléaire, car c'est un secteur qui crée des emplois. On lui doit aussi de

---

nouveaux projets comme l'aquaculture. A proximité des centrales, on utilise l'eau tiède qu'elles rejettent pour élever des poissons et des crevettes.

4

On évoque toujours notre indépendance énergétique. Mais la France doit acheter de l'uranium enrichi à d'autres pays pour le fonctionnement de ses centrales. En plus il faut compter le stockage des déchets et les factures énormes du démantèlement des centrales nucléaires. L'électricité produite perd ainsi de sa compétitivité face aux énergies renouvelables. Alors, regardons de plus près les chiffres!

5

Je serais pour un référendum national afin de demander aux Français si oui ou non ils veulent poursuivre le nucléaire. Ceci exigerait une campagne d'informations complète pour que la population pèse le pour et le contre en toute objectivité.

3b Replay the recording so that students can complete the sentences.

Answers:

1 *un accident nucléaire*
2 *Etats-Unis, centrales atomiques, d'autres énergies*
3 *des emplois, des poissons et des crevettes*
4 *des déchets, des centrales nucléaires*
5 *référendum national informations*

Compétences

This sections gives students advice on answering structured questions.

4 This activity asks students to answer a structured question: *'Oui ou non à l'énergie nucléaire?'*. They will find the advice in the *Compétences* section useful.

5 Students organise a class debate on the topic *'On ne peut jamais justifier les risques du nucléaire. Il nous faut absolument trouver d'autres réponses à nos besoins en énergies'*.

Deux solutions?

pages 102–103

Compétences

◆ Answering structured questions

Materials

◆ Students' Book pages 102–103
◆ Cassette 2 side 2, CD 2
◆ Feuille 29

1a Students select the four renewable energy sources from the list in the box.

Answers:

l'énergie solaire; l'énergie éolienne; la biomasse; l'hydroélectricité

1b Each of the renewable energy sources identified above can be linked with the symbols in the diagram.

Answers:

1 *l'énergie solaire*   2 *l'énergie éolienne*   3 *l'hydroélectricité*
4 *la biomasse*

2a Students read the text *'Les énergies renouvelables'* and match the descriptions to the paragraphs.

Answers:

1 B   2 A   3 C

2b Students find the phrases listed in the text then translate them, referring to the context and with the help of their dictionaries.

Answers:

1 *in inexhaustible quantities*   2 *to supply energy*
3 *solar captor*   4 *solar panels*   5 *the electricity which is necessary for one's domestic needs*

3 This activity is a role play. Students work in pairs and refer to the text on renewable energy sources. Student A is a journalist interviewing an expert on renewable energy and Student B is the expert representing an ecological organisation and responds to A's questions. Possible points for discussion are suggested.

4 Students refer to the material on Feuille 29, and also listen to the recording about 'car-free days', and then answer the questions. To answer 4d students should read the *Compétences* section on answering structured questions, and then answer 4d saying what they think about the idea of 'car-free days', whether they would suggest any other anti-pollution measures.

Answers:

a *Le Ministère de l'Environnement a organisé La Journée sans Voitures pour sensibiliser le public au problème de la pollution de l'air et inciter les citadins à opter pour d'autres types de transport*
b *Deux effets positifs immédiats: la qualité de l'air, mesurée par des capteurs, s'est améliorée et les nuisances sonores ont diminué*
c *La grande majorité de personnes ont été séduites par l'expérience de La Journée sans Voitures mais quelques commerçants se sont plaints d'avoir perdu leur clientèle qui fait ses courses en voiture*

> p 103, activité 4
>
> **Le 22 septembre: désormais Journée Sans Voiture**
> La voiture au garage, la ville aux piétons. Pour la deuxième Journée Sans Voitures aujourd'hui, 66 villes françaises vont jouer le jeu, mais également une centaine de villes italiennes et 6 communes suisses.
>
> La Journée Sans Voiture: une opération mise en place par le Ministère de l'Environnement pour sensibiliser le public au problème de la pollution de l'air et inciter les citadins à opter pour d'autres types de transport.
>
> L'année dernière, lors de la précédente Journée Sans Voitures, les comptages de trafic ont montré que la circulation automobile avait chuté de 20 à 30% et que celle des vélos avait augmenté parfois de 80%.
>
> Premiers effets positifs: la qualité de l'air, mesurée par des capteurs, s'est améliorée et les nuisances sonores ont diminué. Toutefois les réactions sont mitigées. L'an dernier, certains commerçants se sont plaints d'avoir perdu leur clientèle qui fait ses courses en voiture. Cependant une grande majorité de personnes ont été séduites par cette expérience.
>
> C'est pourquoi cette année 8 millions de Français sont invités à laisser leur voiture au garage. Une idée qui fait également son chemin en Europe. Aujourd'hui, Genève et 92 villes italiennes, dont Rome, seront également interdites aux véhicules à moteur.

F 29 **En plus** This refers students to Feuille 29.

Compétences

This section gives students extra advice on answering structured questions.

1   Students decide which of the two extracts would score more marks for language.

Answers:
B.

2   Analysing the second text, students find the more interesting equivalents of the phrases listed.

Answers:

a *Je suis très impressionné par …*

b *Le nombre de véhicules sur nos routes augmente …*

c *se déplacer à pied ou à vélo*

d *Bien d'autres possibilités se présentent*

e *Une mesure essentielle est l'amélioration …*

3   Referring to the second text again, students list the synonyms for the phrases listed.

Answers:

a *la circulation automobile*   **b** *sans cesse*   **c** *se servir*

d *en plein campagne*   **e** *une journée d'action comme celle-ci*

f *un déplacement*

4   The second text makes more interesting use of grammatical structures. Students read it again and find the structures listed.

Answers:

a *impressioné*   **b** *viser à, reussir à*   **c** *persuader de*

d *se présenter, se déplacer, se servir*   **e** *afin de*   **f** *réussira*

g *S'il y avait … les villageois n'auraient plus …*   **h** *ne plus.*

Au choix

page 104

Skills focus

◆ Pronunciation of *o* ouvert and *o* fermé

Materials

◆ Students' Book page 104

◆ Cassette 2 side 2, CD 2

 1   Students listen to the description of two environmental protection organisations and then answer the questions.

Answers:

a 1 *La SNPN utilise aussi des professionnels.*

2 *La société cherche à protéger les espèces et les habitats menacés.*

3 *La société maintient des parcs naturels pour sauvegarder les espèces animales ou végétales sauvages.*

4 *Des journées d'informations sont organisées tout au long de l'année.*

5 *Le but de la société est de faire connaître, aimer et respecter le monde vivant.*

6 *Leur slogan est 'Adhérer, c'est agir'.*

b 1 *Le SMALA travaille avec des écoles primaires, des collèges et des centres de vacances.*

2 *Il alimente onze communes en eau potable. Il constitue un réservoir d'énergie pour l'EDF. Il fait l'objet d'une activité touristique estivale importante.*

3 *Le SMALA offre des visites à la station d'épuration et à la pisciculture.*

4 *On propose les promenades en canoë et les randonnées pédestres.*

> p 104, activité 1
>
> **a La SNPN**
> Nous représentons la SNPN, la Société nationale de la protection de la nature. La SNPN est une association à but non lucratif, reconnue d'utilité publique. Elle regroupe des amateurs et des professionnels. Son but est d'agir en faveur de la protection des espèces et des habitats menacés, et aussi de mieux faire connaître, aimer et respecter le monde vivant.

Pour sauvegarder les espèces animales ou végétales sauvages de notre pays, nous assurons la maintenance de plusieurs parcs naturels, vérifiant régulièrement la pureté des eaux et de l'air. S'ajoutant à l'aménagement du territoire, des journées d'information, ouvertes au public, sont organisées tout au long de l'année. Pour poursuivre son action, la SNPN possède un besoin toujours croissant de nouveaux adhérents. Si vous aimez la nature, rejoignez-nous. Adhérer, c'est agir.

b Le SMALA

Au SMALA, le Syndicat mixte de l'aménagement du lac d'Aiguebelette, nous organisons une animation pédagogique destinée aux classes du primaire, aux collèges et à des centres de vacances.

Ce troisième lac naturel de France, situé en Savoie, représente un écosystème de grand intérêt, alimentant onze communes en eau potable. Il constitue un réservoir d'énergie pour l'EDF, et fait l'objet d'une activité touristique estivale importante.

Nous organisons des animations pour faire découvrir ce milieu naturel. Nous expliquons les mesures de protection et de gestion de la région. Nous proposons aussi des visites complémentaires, comme l'expo 'lac-nature', la station d'épuration et la pisciculture. Enfin, nous animons des activités sportives, comme l'initiation à l'aviron, les promenades en canoë et les randonnées pédestres. Venez nombreux!

2 Working in pairs, students work on the list of tasks devised by their school's environmental group, 'Action Ecologie'. Useful ideas and vocabulary can be found throughout the unit.

a Students work on an advert for a new campaign which will be broadcast over the local radio station. The advert should include details about the project, explain what work needs to be done and ask the listeners to come and help.

b Students prepare a talk to give to other classes. They should talk about how to respect the environment in the course of one's daily life and refer to life at home, at school, transport and shopping.

c For this task, students come up with a list of the slogans they are likely to use for their campaigns in the course of the year.

d Students write the text for a leaflet about nuclear power. They should aim to include some facts, the opinions of green organisations as well as the nuclear industry, and round off with a conclusion.

Phonétique

S **1** Students listen to and repeat the three 'o' sounds ('o' ouvert, 'o' fermé, 'ou').

---

p 104, Phonétique

1
'o' ouvert
solaire, bénévole, solution
'o' fermé
beau, frigo, eau
'ou'
souvent, trouver, groupe

S **2** The words are be tabulated according to which 'o' sound they have, before listening to the recording to check.

Answer:

'o' ouvert	'o' fermé	'ou'
nocif	sauvage	pelouse
toxique	oiseau	douche
	les Vosges	nouvelle
bloc-notes	seau	renouvelable
politique		

---

p 104, Phonétique

2
'o' ouvert
nocif, toxique, bloc-notes, politique
'o' fermé
sauvage, oiseau, les Vosges, seau
'ou'
pelouse, douche, nouvelle, renouvelable

S **3** Students listen and repeat the phrases heard. To confirm their pronunciation, they can repeat the process.

---

p 104, Phonétique

1 Le covoiturage devient de plus en plus populaire.
2 Il nous faut une nouvelle politique sur l'environnement.
3 L'operation de sauvetage a été un grand succès.
4 Le mazout est très polluant.
5 Les bénévoles travaillent pour sauver les oiseaux mazoutés.

Copymasters

Feuille 27 Vivre dans un quartier écologique

1 This activity introduces key vocabulary. An ecological group are proposing to build a new housing estate which will enable people to live together in a community while respecting their environment. Students circle those issues which they believe would be a priority for the group.

2 To introduce some vocabulary before the recording, ask students to link the key words with their English translation.

Answers:

1 c **2** e **3** b **4** a **5** d

3a Students listen to an interview with a woman who lives in an ecological area. Then they put the interviewer's questions into the order in which they are voiced in the interview.

Answers:

3; 4; 1; 6; 2; 5

F27, activité 3

– Vous m'avez dit que vous habitez un quartier écologique. Alors, c'est quoi exactement?

– Notre quartier se trouve en plein cœur de la ville, mais c'est un espace habité où l'on respecte l'environnement. Nous sommes fiers qu'aucun arbre n'ait été abattu pendant la construction et que les habitations aient été réalisées en bois, en pierre ou en briques naturelles. Sur les toits une couverture herbeuse assure une bonne isolation.

– Vous êtes alimentés en électricité?

– Oui, quand même! Mais nous économisons le plus possible. Il y a un décompte mensuel qui donne un bilan-chauffage à chaque famille. Personne ne veut redescendre dans la liste et chacun fait de son mieux pour utiliser le moins possible. Nos toilettes à compost permettent d'économiser l'eau, tout en produisant un engrais pour le jardin.

– C'est une bonne idée! Vous êtes combien ici?

– 82 personnes, dont 39 adultes et 43 enfants. Nous avons construit cinq groupes d'habitations, reliées par une route non-asphaltée tout autour d'une place où l'on trouve la maison communautaire ainsi qu'un étang rempli d'eau douce.

– Donc il s'agit d'une vraie communauté?

– Oui et en plus nous nous sommes organisés en coopérative. Toutes les décisions concernant l'avenir de notre coopérative écologique doivent être prises après délibération et vote de tous les membres de la communauté.

– Et tout cela sans disputes?

– Pour dire vrai, pas tout à fait! Celui qui se sert trop de son auto se fait critiquer. Et quand, l'année dernière à Noël, le responsable des poubelles a trouvé une grande quantité d'emballages dans les ordures, la discussion a été animée!

– Vous ne vous prenez pas trop au sérieux?

– J'espère que non. Pour moi, apprendre l'esprit communautaire et la tolérance est aussi important que de tenir le rôle de pionnier en écologie.

3b Referring to the recording again, students complete the sentences.

Possible answers:

1 *C'est un espace où l'on respecte l'environnement.*
2 *Oui, mais nous économisons le plus possible.*
3 *Il y a 39 adultes et 43 enfants.*
4 *Oui, et en plus nous prenons toutes les décisions après délibération et vote de tous les membres de la communauté.*
5 *Oui. Il y a quand même des disputes concernant ceux qui se servent trop de leur voiture et qui jettent des emballages dans les ordures.*
6 *Non! Notre rôle de pionnier de l'écologie est important, mais pour moi, apprendre l'esprit communautaire et la tolérance est aussi important.*

3c With partners, students work on an interview using the recording as a model. They should listen to the interview once again to give them ideas for additional questions to ask and note possible responses.

Feuille 28 Visite au quartier écologique

1a Four speakers give their views about an ecological neighbourhood. Students decide who is in favour of the concept and who has reservations about it.

Answers:

Cédric pour; Louise contre; Juliette pour; Sébastien contre

F28, activité 1

1 Cédric
Oui, c'est pas mal du tout. Il y a une sorte de vision commune qui crée une atmosphère particulière. Le décor est plus naturel et plus chaleureux avec le bois et la terre qui remplacent le ciment et le béton. Je trouve que les couleurs et les lignes sont plus douces.

2 Louise
Si vous voulez franchement savoir ce que j'en pense, je trouve ce lotissement assez laid. D'abord cette herbe sur les toits, ça fait village à l'abandon. Puis le soi-disant étang, il est trop petit. Et puis les enfants qui jouent partout sans surveillance, ah non, je n'y vivrais pas.

---

3 Juliette
En tant que mère de famille, je suis vraiment emballée à l'idée de pouvoir laisser mes enfants s'amuser seuls, sans me faire de soucis. Dans ce lotissement, on voit plus de vie tout autour des maisons, avec les enfants qui jouent en sécurité, les arbres, moins de voitures.

4 Sébastien
Si l'on discute de ce projet d'un point de vue purement écologique, il reste encore bien des améliorations à apporter. Il manque des panneaux solaires et une éolienne. D'autre part, ils garent leurs voitures près des habitations et cela ressemble encore trop à un parking.

 1b Students listen to the recording again and answer the questions.

Answers:

1 *Juliette* 2 *Louise* 3 *Cédric* 4 *Sébastien* 5 *Louise*
6 *Louise* 7 *Sébastien* 8 *Louise*

2a The phrases listed are useful for expressing one's opinion. Students translate them into English.

Answers:

1 *If you want to know what I really think about it …*
2 *On the other hand …*
3 *I find that …*
4 *I'm thrilled about the idea of …*
5 *If one were to discuss this project from a purely ecological point of view …*
6 *As a mother, I …*

2b Students put the phrases into French adapting the phrases taken from the recording in 1b and 2a.

Answers:

1 *Il dit que si je voulais franchement savoir ce qu'il en pense…*
2 *Elle n'y vivrait pas …*
3 *En tant qu'homme d'affaires, il est vraiment horrifié à l'idée de …*

3 Students write an article about the ecological district, using the issues noted as a starting point.

Feuille 29 En route pour l'écologie

1 Students read texts A–E and then match the numbered captions appropriately.

Answers:

1 *E* 2 *A* 3 *C* 4 *B* 5 *D*

2 Students re-read text A about green discs and decide whether the statements are true or false.

Answers:

1 *faux* 2 *faux* 3 *vrai*

3 Referring to text B on car-sharing, students find synonyms for the words listed.

Answers:

1 *circuler* 2 *se rendre à* 3 *l'avantage* 4 *combattre*

4 Text C is about driving on alternate days. Students re-read it and find translations for the phrases listed.

Answers:

1 *dans les agglomérations*
2 *celle-ci permet aux conducteurs de*
3 *un chiffre pair/un chiffre impair*
4 *la plaque d'immatriculation*

5 Students translate text D on clean fuels into English.

Possible answer:

We want to encourage car owners to use clean fuels such as unleaded petrol to run their cars. Equally, in certain pilot towns, for example Lille, we have introduced buses which run on bottled gas. The advantage of this fuel is that it is less of a pollutant.

6 Students refer to text E about car-free days and answer the questions.

Answers:

1 *On devrait utiliser les transports en commun.*
2 *La pollution atmosphérique et le bruit sont réduits grâce à une journée sans voitures.*
3 *En plus, les journées sans voitures réduisent le nombre d'accidents de la route.*

Révisions Unités 7–8

page 105

 1 Students consider whether they would telephone a radio call back programme to talk about personal problems. They listen to five young people give their opinion and decide which of the speakers would make such a call and which ones would not. (5 marks)

Answers:

Laurence non; Isabelle oui; Luc non; Claire oui; David non.

---

p 105, activités 1 et 2

Les lignes ouvertes
Laurence
J'appellerais peut-être pour faire une blague, mais pour discuter d'un problème qui m'agace vraiment je préfère m'adresser à un copain. Ce n'est pas un peu bizarre de confier ses problèmes devant des gens qu'on ne connaît même pas?

Isabelle
S'il s'agit d'une émission avec des spécialistes qui savent de quoi ils parlent, ce n'est peut-être pas une mauvaise idée. Pourquoi ne pas se renseigner chez les experts qui en savent peut-être plus que les parents ou les copains?

Luc
Je m'intéresse quand même à ce genre d'émissions où on entend les problèmes de tel ou tel auditeur et l'on voit comment ils s'en sortent. Mais je n'appellerais pas moi-même. Pour moi ces émissions sont une façon de se renseigner sur certaines questions – le sida par exemple – ou un moyen d'ouvrir le dialogue avec ses amis ou en famille.

Claire
Je le ferais peut-être quand même, mais je trouve important qu'on pousse les auditeurs qui appellent à dialoguer avec leurs parents, avec les copains ou avec un médecin. A la radio, on ne traite les problèmes que de façon géneralisée, lorsqu'on a plutôt besoin de conseils personnalisés.

David
Personnellement, je ne trouve pas qu'une consultation par les ondes puisse résoudre un problème urgent. Mais il y a peut-être des gens qui préfèrent parler avec quelqu'un qui n'est ni parent ni copain. Quelqu'un qu'ils ne connaissent pas, quoi.

 2 Play the recording again. Students listen carefully and then match the two halves of the sentences. (8 marks)

Answers:
1 c **2** e **3** a **4** g **5** h **6** f **7** b **8** d

3a Students read the text 'Des déchets toxiques menacent le Doubs' and then tick the boxes to say whether action has been taken yet or not. (6 marks)

Answers:
Action prise: 1, 2, 4   *Action à prendre:* 3, 5, 6

3b Students write a brief summary in English saying what happened on the day of the action, two things Greenpeace want to happen at the waste disposal site, what Greenpeace want the Minister for the Environment to do, what two clauses Greenpeace would like to see written into the law for the portection of the environment. (6 marks)

Possible answer:
About 50 Greenpeace protestors closed a waste disposal site at Saint-Ursanne on the 29th of August. They demanded that works stop at the site until an independent appraisal has been made and are insisting upon the immediate removal of toxic products which have been stored there illegally. Greenpeace have lodged a complaint against the owner and want the Minister of the

Environment and other officials to visit the site. They are monitoring the situation closely and will intervene again should the groundwater level or water courses be in danger of contamination, or should the Minister fail to visit. They would like to see changes written into the law on the protection of the environment, particularly the prevention of waste at the point of origin and the civil responsibility of those who cause pollution.

4 After reading the France Telecom Internet advertisement carefully, students prepare an answer to the questions given. They should cover: what the poster is about, why they think more adults than children are shown, what would be the advantages for the target customers of having the world at their fingertips, whether there might be any dangers, whether they really believe the Internet is is gateway to the whole world. (5 marks)

5 Students prepare an oral presentation on one of the following subjects.
a) The role of the media in the third millennium (10 marks) or
b) What use is ecology? Isn't it already too late to save the planet? (10 marks).

6 Students choose one of the topics given and write about 150 words.
a) Students imagine that they have participated in a day's action for ecological reasons and found the speeches and ideas very impressive. They write a letter to a friend explaining what they have learned and how they are going to change their behaviour from now on. (36 marks) or
b) Students write a letter to the editor of a newspaper to complain about an article which they found profoundly shocking. (36 marks)

7 In a more extended piece of writing, students choose one of the topics given and write about 250 words.
a) They give three examples of organisations who seek to protect the environment and give a short explanation of the work each organisation does. They should discuss how one can support such an organisation and give two different alternatives. Students should give their opinion on the importance of this kind of work. (54 marks) or
b) In the role of an expert on the Internet, students write a list of sites which would be of interest to young people and give an outline of the content of each site. They should also mention any sites which should be avoided, giving reasons. (54 marks)

Unité 9 La France plurielle

Unit objectives

By the end of this unit students will be able to:

♦ Explain their own origins and someone else's
♦ Explain the different waves of immigration in France
♦ Discuss opinions on immigration
♦ Understand some of the problems facing young immigrants
♦ Discuss the pros and cons of a multicultural society

Grammar

♦ Recognize the past historic
♦ Use relative pronouns
♦ Use a present participle

Skills

♦ Use a monolingual dictionary
♦ Extend their vocabulary
♦ Pronounce the sounds in– and im–
♦ Stress words correctly

page 107

1 To emphasise how multi-cultural a country France is, students look at the extract from a Parisian class register and work out the students' origins from their names.

Answers:

Ahmed, Sadhyia est d'origine nord-africaine; Armand, Benjamin est d'origine française; Benbetka, Rachid est d'origine nord-africaine; Cusumano, Lisa est d'origine portugaise; Durand, Jean-Yves est d'origine française; Franchet, Emilie est d'origine française; Gaultier, Pascal est d'origine française; Hastié, Frédéric est d'origine française; Lehmann, Anne-Sophie est d'origine allemande; Lenoir, Julien est d'origine française; Mathebula, Fatimanta est d'origine africaine; Martinez, Amélie est d'origine portugaise; Moscovics, Pierre est d'origine polonaise; N'Dour, Moussa est d'origine nord-africaine; Poiret, Sylvie est d'origine française.

2 Students sort the reactions to France as a multi-cultural society into positive and negative.

Answers:

Positif: *une société cosmopolite, une richesse culturelle, une cuisine et des musiques variées, un mélange de traditions, la tolérance et le respect de l'autre, une ouverture vers le monde*
Négatif: *les problèmes d'immigration, le Pen et le Front National, le rejet et l'exclusion, le racisme, la violence, les problèmes des banlieues.*

3 Working in pairs, students discuss whether their own country is multi-cultural.

La mosaïque française

pages 108–109

Materials

♦ Students' Book pages 108–109
♦ Cassette 3 side 1, CD 3

1a Using a French dictionary, students find the definition of un D.O.M. (département d'outre-mer), and un T.O.M. (territoire d'outre mer).

Answers:

D.O.M. a foreign colony; T.O.M. an overseas territory.

1b Having read the potted biographies of the French football team, students find five nationalities, thirteen regions or countries and eight towns or cities.

Answers:

Nationalités: *algérien, mélanésien, français, guadeloupéen, ghanéen, sénégalais, argentin, arménien, guyanais, brésilien*

Région / pays: *la Kabylie, l'Algérie, Lifou, la Nouvelle-Calédonie, la Guadeloupe, les Antilles françaises, le Ghana, la Guyane, le Sénégal, la Normandie, le Brésil, l'Argentine, l'Arménie*

Villes: *Marseille, Pointe-à-Pitre, Fontainebleau, Paris, Dakar, Dreux.*

2a Students listen to the recording and take notes, matching the speakers with the players listed in the biographies.

Answers:

a *Karembeu* **b** *Desailly* **c** *Djorkaeff, Boghossian*
d *Vieira* **e** *Lama* **f** *Zidane* **g** *Thuram* **h** *Trezeguet*
i *Henry*

---

p 108, activité 2

a Il est Kanak et est né dans une petite île de Mélanésie.

b Il est originaire d'Afrique par sa mère, qui est ghanéenne, et de France par son père.

c Ils sont tous les deux d'origine arménienne.

d Il a des parents sénégalais: lui-même est né à Dakar.

e C'est un Guyanais.

f Ce Marseillais est d'origine kabyle. Ses parents viennent d'Algérie.

g Ce Guadeloupéen est né à Pointe-à-Pitre et a grandi à Fontainebleau.

h Ce Normand a des parents originaires d'Argentine.

i Ses parents sont d'origine antillaise et lui est né en France, aux Ulis.

2b Using the vocabulary in activity 1b, students copy and complete the table matching the country, region or town with the corresponding adjective.

Answers:

la France	*français / française*
la Kabylie	*kabyle*
l'Algérie	*algérien / algérienne*
Lifou	*mélanésien / mélanésienne*
la Nouvelle-Calédonie	*français / française*
la Guadeloupe	*guadeloupéen / guadeloupéenne*
les Antilles françaises	*français / française*
le Ghana	*ghanéen / ghanéenne*
la Guyane	*guyanais / guyanaise*
le Sénégal	*sénégalais / sénégalaise*
la Normandie	*français / française*
le Brésil	*brésilien / brésilienne*
l'Argentine	*argentin / argentine*
l'Arménie	*arménien / arménienne*
Marseille	*français / française*
Pointe-à-Pitre	*guadeloupéen / guadeloupéenne*
Paris	*français / française*
Fontainebleau	*français / française*
Dakar	*sénégalais / sénégalaise*
Dreux	*français / française*

3a Play the recording of the interview with Fatira Berchouche.

---

p 109, activité 3

– Fatira, tu peux me parler de tes origines?

– Oui... Je m'appelle Fatira Berchouche. Je suis de nationalité française.

– Tu viens d'où, exactement?

– Je viens du sud de la France: je suis née et j'ai grandi à Valliguières, un petit village près de Nîmes.

– Tu as un nom de quelle origine?

– Eh bien, je suis ce qu'on appelle une immigrée de seconde génération: je suis d'origine maghrébine. Mes parents sont tous deux originaires de Kabylie, une région du nord de l'Algérie.

– Comment te considères-tu, française, algérienne?

– Je suis française bien sûr mais je me sens aussi algérienne. Chez moi, on a gardé des liens avec "le pays", où l'on retourne de temps en temps. Ma mère me parle kabyle. Je comprends un peu mais je ne parle pas le kabyle et l'arabe.

– Je vois. Je te remercie Fatira.

3b Having listened to the recording in activity 3a, students find words to fill the gaps in the portrait of Fatira.

Answers: *de nationalité; vient; est née; a grandi; d'origine; originaires; se sent; comprend; parle.*

4a Students listen to the interview with Marc Vigano and note down his answers to the questions.

Answers:

– *Oui, je m'appelle Marc Vigano. Je suis français.*

– *Je suis de Nice, dans le sud de la France.*

– *Ah Vigano? Mon père est d'origine italienne. Mes grands-parents étaient originaires de Sicile. Ils ont quitté la Sicile et ils se sont installés à Nice, où mon père est né. Ma mère, elle, vient de Marseille, où sa famille a toujours vécu.*

– *Moi, malgré mon nom à consonance italienne, je me considère français à 100%!*

---

p 109, activité 4

– Marc, tu peux me parler de tes origines?

– Oui, je m'appelle Marc Vigano. Je suis français.

– Tu viens d'où, exactement?

– Je suis de Nice, dans le sud de la France.

– Et tu as un nom de quelle origine?

– Ah Vigano? Mon père est d'origine italienne. Mes grands-parents étaient originaires de Sicile. Ils ont quitté la Sicile et ils se sont installés à Nice, où mon père est né. Ma mère, elle, vient de Marseille, où sa famille a toujours vécu.

– Comment te considères-tu?

– Moi, malgré mon nom à consonance italienne, je me considère français à 100%! Je ne connais pas bien l'Italie ni l'italien, que je comprends un peu mais que je ne parle pas. Depuis la mort de mes grands-parents, je n'ai plus vraiment de lien avec l'Italie.

– Ah bon, d'accord, merci, Marc.

4b Students write an 80-word portrait for Marc Vigano following the model of the one for Fatira Berchouche.

5a Working in pairs, students imagine they are interviewing either Rabina Hussein or Philippe Olearski. They should aim to use some of the questions from activity 4a and also the *Expressions-clés*. They should record their interview.

5b Varying their use of the *Expressions-clés*, students write a portrait of either Rabina or Philippe.

En plus Using the model texts and the *Expressions-clés*, students write an 80-word portrait of their own origins and then record it.

Histoires d'étrangers

pages 110–111

Grammar focus

◆ The past historic

Materials
- Students' Book pages 110–111
- Cassette 3 side 1, CD 3
- Grammar Workbook pages 52–53

1 Students read the first paragraph of the article, 'Une première vague venue d'Europe'. Then they match the words to their definitions.

Answers: **1** g **2** e **3** a **4** b **5** f **6** c

2 In this activity students are encouraged to make use of their monolingual dictionaries. They read the second paragraph of the article and find the words which equate to the definitions listed.

Answers: **1** *recruter* **2** *repeuplement* **3** *la crise* **4** *réfugiés politiques* **5** *expulser* **6** *le bouc émissaire*

3 Students read the last three paragraphs of the article making use of their monolingual dictionaries. They should write a definition for each of the words listed.

Answers: **1** *retour de l'économie à l'expansion* **2** *travaux immobiliers d'utilité générale* **3** *à bas prix* **4** *temporaire* **5** *dans l'intention de* **6** *aménagement* **7** *une règle juridique* **8** *la fin* **9** *descendu de* **10** *un fait*

4 Students decide whether the statements are true or false and make a note of the correct information where appropriate.

Answers: **1** *Vrai* **2** *Vrai* **3** *Faux; les Européens* **4** *Vrai* **5** *Faux; des années trente* **6** *Faux; les réfugiés politiques* **7** *Vrai* **8** *Vrai*

(En plus) Using the vocabulary and phrases from activities 1–4, students write an 120-word summary of the article in French.

Grammaire

A Students work out the meaning of the past historic verbs underlined in the first paragraph of the article.

Answers:
se developpa *expanded*; fit *made*; posa *caused*; furent *were*.

B Students list the verbs from the text which match the endings given.

Answers: *–a/–èrent: poser, préférer, sélectionner, continuer, expulser, recruter, exploiter; –it/–irent: faire; –ut/–urent: être, vivre, connaître; –int/ –inrent: devenir.*

C Students rewrite the sentences in activity 4 using the perfect tense and correcting the false statements.

Answers:

1 *Les Belges ont été les premiers à s'installer en France.* **2** *Les Français ont été hostiles aux étrangers dès la fin du 19ème siècle.* **3** *Après 1918, la France a fait venir les Européens pour repeupler le pays.* **4** *La France a limité l'immigration après la crise économique des années 30.* **5** *La France a connu une crise économique au début des années trente qui a entraîné la fin de l'immigration.* **6** *On a engagé seulement les réfugiés politiques.* **7** *A partir de 1974, le gouvernement a limité l'immigration et a favorisé le regroupement familial.* **8** *Les vagues successives d'immigration ont influencé la société et la culture françaises.*

Mythes et réalités

pages 112–113

Skills focus
- Using a monolingual dictionary

Materials
- Students' Book pages 112–113
- Cassette 3 side 1, CD 3
- Feuille 30

Compétences

This section provides activities to encourage students in their use of monolingual dictionaries.

1 Students choose the correct synonym for the words used in the text on page 112.

Answers: **a** *une opinion préconçue* **b** *une pension* **c** *payer* **d** *l'habitation*

2 Students define in French the words listed.

Answers: **a** *acte illicite* **b** *infraction des lois* **c** *somme à verser aux dépenses communes* **d** *un prix fixé par l'Etat*

3 Students find out the meanings of the phrases given.

Answers:
a *to sponge off* **b** *to do exactly as one pleases*

4 The words in this activity are faux amis. Students choose the appropriate translation.

Answers: **a** *allowance* **b** *help* **c** *at the moment*

5 Students look up the words given and write down an example of each one used in context.

Possible answers:
a *Combien ça coûte?* **b** *Les réfugiés ont demandé asile.* **c** *Il n'y a pas autant de pluie que l'année dernière.*

1 Six pieces of 'graffiti' on page 112 represent common attitudes held towards immigrants. Students link each statement with the issues listed.

Answers:

1 *le chômage* **2** *l'insécurité* **3** *l'échec scolaire*
4 *les prestations sociales* **5** *l'intégration* **6** *le droit d'asile*

2a Each of the prejudices (1–6) should be matched to one of the statistics (A–F).

Answers: 1 D 2 F 3 B 4 C 5 A 6 E

2b Play the recording of the radio call back show on the subject of immigration. Students listen carefully to confirm whether their answers to activity 2 are correct and make a note of two extra details on each issue.

Answers:

Le chômage – les immigrés occupent généralement des postes qui n'intéressent pas les Français de souche; ils travaillent aux postes non-qualifiés, sous-payés et sans aucune sécurité, par exemple dans le bâtiment ou l'agriculture; L'insécurité - il y a une forte proportion d'étrangers dans les prisons (20%), parce qu'ils sont plus souvent mis en détention provisoire; beaucoup des délits commis par les étrangers sont en rapport à leur statut et à leurs papiers, donc rien à voir avec l'insécurité. L'échec scolaire – par rapport à la moyenne nationale, les enfants d'immigrés sont en échec scolaire à cause de leur milieu social, pas à cause de leur nationalité. A milieu social égal, les enfants maghrébins réussissent mieux que les Français de souche. Les prestations sociales – les immigrés vont moins chez le docteur, moins chez le dentiste et consomment moins de médicaments; les travailleurs étrangers ont un salaire un quart inférieur au salaire des familles françaises; L'intégration – seulement 17% des jeunes d'origine maghrébine disent vouloir se marier dans leur communauté; seulement 10% des familles maghrébines s'opposent à un mariage mixte. Le droit d'asile – le pays d'Europe le plus sollicité est l'Allemagne; La France vient en quatrième position après les Pays-Bas et la Grande-Bretagne.

---

p 113, activité 3

– Voici donc une nouvelle émission de Tabous. Aujourd'hui, nous allons parler de l'immigration. A mes côtés, Danièle Lamblat, chercheuse à l'INED, Institut national d'études démographiques. Bonjour, Danièle.
– Bonjour.
– Bien. Nous allons prendre un premier appel. Oui, j'écoute.

– Oui, ben, alors, moi ce que j'ai à dire c'est que les immigrés prennent le travail des Français de souche. Voilà ce que je pense, moi, oui.
– Michèle, que répondez-vous?

– Eh bien contrairement à ce que vous pensez, monsieur, le chômage affecte actuellement les étrangers deux fois plus que les Français de souche parce qu'ils sont dans des emplois vulnérables, non-qualifiés, dans des secteurs à fort taux de chômage. Et dites-vous bien aussi que les immigrés occupent généralement des postes qui n'intéressent pas les Français de souche, justement parce que ce sont des postes non-qualifiés, sous-payés et sans aucune sécurité, par exemple dans le bâtiment ou l'agriculture.

– Nous allons prendre un deuxième appel …
– Moi, j'ai l'impression que les immigrés commettent plus de crimes que les Français de souche.
– C'est vrai que les immigrés sont plus souvent arrêtés pour des délits mineurs que les Français; par contre, et c'est cela qui est intéressant, ils sont beaucoup moins souvent condamnés pour des crimes graves que le sont les Français de souche. S'il y a une forte proportion d'étrangers dans nos prisons (20%), c'est qu'ils sont plus souvent mis en détention provisoire (c'est-à-dire avant le jugement). Beaucoup des délits commis par les étrangers sont en rapport à leur statut et à leurs papiers, donc rien à voir avec l'insécurité.

– Un troisième appel, on vous écoute …
– On dit que les enfants d'immigrés réussissent moins bien dans leur scolarité que les autres. Est-ce que c'est vrai?
– Au contraire! Les enfants d'immigrés réussissent mieux à l'école que les Français de même catégorie socio-professionnelle, je dis bien, *de même catégorie socio-professionnelle*. Par rapport à la moyenne nationale, ils sont en échec scolaire, c'est vrai, mais à cause de leur milieu social, pas à cause de leur nationalité. A milieu social égal, les enfants maghrébins par exemple réussissent mieux que les Français de souche: pour eux, il est important de réussir sa scolarité si on veut éviter le chômage et la pauvreté.

– Bien, nous allons prendre un autre appel …
– Les immigrés vivent aux crochets des Français: ce sont des assistés sociaux et ils coûtent cher à la société. Voilà ce que je pense.
– Eh bien, c'est une idée fausse, madame. Les immigrés paient autant de cotisations sociales que les Français de souche et dépensent moins en soins médicaux: ils vont moins chez le docteur, moins chez le dentiste et consomment moins de médicaments. Si on leur paie plus d'allocations familiales parce qu'ils ont plus d'enfants, on leur paie moins de retraites, parce qu'ils sont plus jeunes. Ils coûtent donc moins cher à la Sécurité sociale. Ajoutons que moins d'un tiers ont une aide au logement. Donc, ils ne vivent pas aux crochets des Français. Au lieu de ça, il dépensent autant que les Français, bien qu'ils disposent de salaires inférieurs. En effet, les travailleurs étrangers ont un salaire un quart inférieur au salaire des familles françaises.

– Nous avons un autre auditeur en ligne, allez-y, nous vous écoutons …

– Eh bien, pour moi, les immigrés ne respectent pas le mode de vie et la culture de la France. Les jeunes surtout n'en font qu'à leur tête. Ils ne veulent pas s'intégrer dans la société française.

– A l'inverse de ce que vous croyez, 71% des jeunes issus de l'immigration déclarent préférer le mode de vie des Français, alors que 20% seulement disent préférer celui de leurs parents. Le nombre des mariages mixtes augmente depuis 1992, ce qui est un signe d'intégration. Seulement 17% des jeunes d'origine maghrébine disent vouloir se marier dans leur communauté et seulement 10% des familles maghrébines s'opposent à un mariage mixte.

– Nous avons juste le temps pour un dernier appel …

– Pour moi, le problème, c'est que la France accepte tous les réfugiés qui demandent asile.

– La France garde en effet sa réputation de terre d'accueil alors qu'en fait, elle accorde de moins en moins le statut de réfugiés aux demandeurs d'asile. Il y avait 140 000 réfugiés en France en 1997 contre 350 000 en 1965. Le pays d'Europe le plus sollicité n'est pas la France, contrairement à ce qu'on peut penser, mais l'Allemagne. La France vient en quatrième position après les Pays-Bas et la Grande-Bretagne.

– C'était notre dernier appel pour aujourd'hui. Danièle Lamblat, merci de votre contribution à Tabous, consacré aujourd'hui à l'immigration. On se retrouve demain, à la même heure, avec un nouveau sujet …

2c   Play the recording once again so that students can pick out the phrases containing the *Expressions-clés*.

Answers:

Eh bien contrairement à ce que vous pensez, monsieur, le chômage …; par contre, et c'est cela qui est intéressant …; Au contraire! Les enfants d'immigrés réussissent mieux …; Au lieu de ça, il dépensent autant que …; A l'inverse de ce que vous croyez …; alors qu'en fait, elle accorde de moins en moins …

3   Working in pairs, Student A gives one of the prejudiced opinions on page 112. Student B counters this by making use of the facts given, as well as the information and vocabulary used on the double page spread. Then they should reverse roles.

4   In around 150 words, students give a written summary of the negative opinions on immigration in France and give as many counter arguments as possible. They should include the *Expressions-clés* where possible.

 En plus   This refers students to Feuille 30.

F 30

Exclusion

pages 114–115

Grammar focus

◆ Relative pronouns

Materials

◆ Students' Book pages 114–115
◆ Cassette 3 side 1, CD 3
◆ Grammar Workbook page 26
◆ Feuille 31

1   Play the recording of Saïd's account of his life as a second-generation immigrant. Students can read his testimony on page 114. Using their monolingual dictionaries, they should find definitions for the words marked with an *.

Answers:

beurs *des immigrés (venus de l'Afrique du Nord) de seconde génération.* HLM *une habitation à loyer modéré;* cité-dortoir *une agglomération suburbaine essentiellement destinée au logement;* glander *perdre son temps à ne rien faire;* (un) bougnoule *maghrébin, arabe.*

---

p 115, activité 1

– Saïd est un immigré de seconde génération, un de ces "beurs" dont ont parlé les médias. Ses parents, algériens, sont arrivés en France il y a plus de quarante ans. Saïd est né dans une cité de la banlieue nord de Paris où il a grandi. Pourtant, Saïd, comme beaucoup d'autres jeunes issus de l'immigration, parle d'exclusion.

   Pour Saïd, son père est une "victime" des Trente Glorieuses. D'abord logé en foyer, il a eu un petit appartement HLM quand sa femme et ses fils aînés sont venus le rejoindre. Saïd est né là, entre une autoroute et une déchetterie, dans une cité-dortoir* que l'on a construite vite et mal dans les années soixante.

– Pas de terrain de sport, pas de ciné, il n'y avait rien pour les gamins. Tout était loin. Je ne pouvais pas avoir mes copains chez moi parce que c'était trop petit et ça faisait trop de bruit chez le voisin qui dormait dans la journée. Alors, on glandait dehors: foot ou basket sur le parking ou délits mineurs dans la zone commerciale. Moi, je rêvais d'aller voir les Disney au ciné.

– Les cités n'ont pas été conçues comme des lieux de vie, puisqu'on pensait qu'elles seraient provisoires: habitations de mauvaise qualité, manque d'infrastructures sociales et culturelles, chômage, pauvreté, tout a contribué à la dégradation rapide des conditions de vie dans ces banlieues, dont on dit maintenant qu'elles sont "à risque", en raison de la violence qui y est quotidienne. Alors, pourquoi ne pas partir?

– La cité, c'est un endroit qu'on déteste mais où on est condamnés à vivre: on n'a pas de travail, donc on habite là, et comme on habite là, personne ne veut nous employer. Dès que l'employeur voit mon nom et mon adresse, c'est fini, je sais qu'il ne me donnera pas le poste. Le marché du travail? Inaccessible, à part les petits boulots sous-payés dont personne ne veut.

– Ceux qui ont assez d'argent quittent ces cités violentes pour d'autres, qui le sont un peu moins. Restent les familles les plus pauvres, dont la majorité vient d'Afrique du Nord. A cause de cette mauvaise qualité de vie que l'on décrivait plus haut, la différence, qu'elle soit de culture, de coutumes, de rythme de vie ou de couleur de peau, est accentuée et provoque la suspicion, la peur, la haine. Les tensions xénophobes et racistes montent. Car, quand rien ne va plus, on cherche un responsable, un bouc émissaire: qui de mieux dans ce rôle que "l'étranger"?

– Le nombre de fois où on me dit: «Dégage d'ici, sale bougnoule. Rentre chez toi!» Mais chez moi, c'est Saint-Denis. L'Algérie? J'y vais en vacances, comme mes potes "français" qui vont chez leur grand-mère en Normandie ou dans le Limousin. Mais je ne voudrais pas y habiter! De toute façon, comme je ne parle pas arabe et que l'Islam, ça ne m'intéresse pas, l'Algérie, elle ne veut pas de moi! Alors, je vais où, moi? Je fais quoi?

2 Saïd gives three reasons for his feelings of exclusion. Students match the reasons with the correct paragraphs.

Answers: **a** 3 **b** 1 **c** 2

3 Students explain Saïd's four claims, using arguments drawn from the text.

Possible answers:

1 Elle a construit des cités à l'extérieur des villes, sans infrastructures sociales ou culturelles.

2 Sans assez d'argent, il n'y a pas moyen de quitter la cité mais les employeurs ne veulent pas de lui à cause de son nom et de son adresse.

3 Les familles les plus pauvres restent dans la cité donc, à cause de leur mauvaise qualité de vie, la différence culturelle est accentuée et provoque les tensions racistes.

4 Il se sent étranger en France et l'Algérie ne veut pas de lui parce qu'il ne parle pas arabe et ne s'intéresse pas à l'Islam.

4 Rachida is also a second-generation immigrant. Students listen to her account and note down what she says about points 1–4 mentioned by Saïd in activity 3.

Possible answers:

1 La société française a mis les immigrés dans les cités à l'extérieur des villes sans infrastructures sociales ou culturelles.

2 Elle souffre d'avoir un nom marocain, une peau brune et les cheveux frisés, et d'avoir les Minguettes comme adresse. *3 Les gens n'aiment pas ce qui n'est pas comme eux alors si on est différente on fait peur et les gens ressentent de la haine. Après, on passe vite au racisme.* *4 Elle se sent exclue en France parce que sa vie en France est plus difficile que pour une Française de souche et exclue au Maroc parce que pour les Marocains, elle est une étrangère.*

p 115, activité 4

– Rachida, tu peux te présenter rapidement?

– Oui, je m'appelle Rachida Ben Jelloun. J'ai 18 ans. Mes parents sont d'origine marocaine. Moi, je suis française, née ici dans la banlieue de Lyon.

– Rachida, pour toi, la société française a-t-elle "exilé" les immigrés?

– Oui, tout à fait.

– Pourquoi?

– Eh bien d'abord parce qu'on les a mis dans des cités à l'extérieur des villes, loin de tout. Et puis aussi, deuxièmement, parce qu'on n'a pas donné à ces endroits les infrastructures sociales et culturelles nécessaires pour que les habitants participent à 100% à la vie de la société.

– Te sens-tu prisonnière de ton origine et de ta cité?

– Oui oui, ça, absolument. Je souffre d'avoir un nom marocain, je souffre d'avoir la peau brune et les cheveux frisés, je souffre d'avoir cette cité des Minguettes comme adresse, ça c'est sûr. On a tellement mauvaise réputation.

– Penses-tu que dans ta cité, la différence entraîne le racisme?

– Oui, car en général, les gens n'aiment pas ce qui n'est pas comme eux. Alors si on a une couleur de peau différente, si on a une religion différente, si on parle une autre langue, si on mange des choses différentes ou si on écoute une musique différente, eh bien, on fait peur ou je ne sais quoi … oui, la peur, la haine. Après, on passe vite au racisme. Et voilà.

– Toi, Rachida, te sens-tu exclue dans tes deux pays d'origine, à savoir la France et le Maroc?

– Exclue en France, oui, oui parce que ma vie en France est plus difficile que pour une Française de souche et ça, ce n'est pas juste. Exclue au Maroc? Oui, tout simplement parce que le Maroc, ce n'est pas mon pays. C'est le pays de mes grands-parents, c'est tout. J'aime bien aller au Maroc, il fait beau, c'est sympa, mais ça reste un pays étranger. Et moi, je ne suis pas marocaine. Au Maroc et pour les Marocains, je suis une étrangère. Voilà.

– Merci, Rachida.

En plus Students summarize what Rachida said about the life of an immigrant in about 100 words.

F 31 En plus This refers students to Feuille 31.

5   In about 100 words, students explain the problems faced by young second-generation immigrants in France. They should make use of relative pronouns so it would be useful to refer to the Grammaire column.

F 31   *En plus*   This refers students to Feuille 31.

Grammaire

A   Students join the sentences with a relative pronoun (as in the text on page 114) and then translate them.

Answers:

a Saïd est un 'beur' dont les médias parlent. *Said is one of the young North Africans about whom the media have been speaking.*   **b** Il est né dans une cité de la banlieue nord où il a grandi. *He was born and grew up in a town in the northern suburbs.*   **c** Il est né dans une cité-dortoir que l'on a construit vite et mal. *He was born in a dormitory town which was built rapidly and badly.*   **d** Ça faisait trop de bruit chez le voisin qui dormait pendant la journée. *It made too much noise and disturbed the neighbour who slept during the day.*

B   Finding examples of the relative pronouns 'qui', 'que', 'où' and 'dont' in the last two paragraphs of the text on page 114, students then translate them.

Answers:

… la violence qui y est quotidienne … *the violence which occurs there on a daily basis;* c'est un endroit qu'on déteste mais où on est condamnés à vivre *it is a place which we hate but where we are condemned to live;* ceux qui ont assez d'argent quittent ces cités violentes pour d'autres, qui le sont un peu moins; *those who have enough money leave these violent towns for others which are a little less so;* restent les familles les plus pauvres, dont la majorité vient d'Afrique du Nord *the poorest families remain there, of whom the majority come from North Africa;* cette mauvaise qualité de vie que l'on décrivait plus haut *this dreadful quality of life which was described above;* un bouc émissaire; qui de mieux dans ce rôle que 'l'étranger'? *a scapegoat: who could be better for this role than a foreigner?;* le nombre de fois où l'on me dit *the number of times when someone has said to me.*

C   Students match the two parts of each sentence.

Answers: **1** c   **2** a   **3** e   **4** d   **5** b

D   Using a different relative pronoun in each, students make up four sentences about Rachida's experience.

L'intégration, oui mais…
pages 116–117
Grammar focus
◆ participles

Compétences
◆ Extending vocabulary

Materials
◆ Students' Book pages 116–117
◆ Cassette 3 side 1, CD 3
◆ Grammar Workbook page 64
◆ Feuille 32

1a   In his interview, Babacar talks about how enriching he finds it to belong to two cultures. Students listen carefully and then complete the true/false exercise, correcting those statements which are false.

Answers:

1 *Faux. Il se sent plus Français que Sénégalais.*   **2** *Vrai*
3 *Vrai*   **4** *Faux. Il se sent intégré en France.*   **5** *Vrai*

1b   Working in pairs, students discuss points 2, 3 and 5 of activity 1a. They should each summarize their point of view in two minutes.

2a   Naïma has a story which parallels that of Babacar. Students read about her experience and explain the phrases given.

Possible answers:

l'exil: *vivre loin de son pays de naissance;* la double appartenance: *le fait d'appartenir à deux pays;* un pays d'accueil: *un pays qui reçoit les réfugiés et les immigrés.*

2b   Re-reading Naïma's story, students answer the questions.

Possible answers:

1 *Elle est venue en France pour vivre avec son père.*
2 *Elle se sent à la fois française et algérienne, ce qui est une richesse personelle. Mais elle peut aussi être ressentie comme un double exil.*
3 *Elle a passé sa scolarité dans une école très cosmopolite.*
4 *La France lui a donné les moyens de faire des études et de réussir.*

Grammaire

This section concentrates on the uses of the present participle.

A   Students match examples 1–4 to uses A–D.

Answers: **1** C   **2** B   **3** D   **4** A

B   Searching through the article on Naïma, students find examples for uses A–D.

Answers:

Etant immigrée C; en gardant A; en renonçant B; Trouvant cela injuste C; tout en restant A; Ayant passé C; qu'en cherchant B; venant d'un milieu pauvre D.

3 Working in pairs, students imagine that they are interviewing Naïma. From what they know of her, students work out what her responses are likely to be to the questions which were put to Babacar.

Compétences

This section gives students advice on how to build up their vocabulary.

1 Students look up words in a monolingual dictionary and note others in the same family.

Answers:

a *appartenir*   **b** *enrichir   enrichissement*
c *reconnaissable, reconnaissance, reconnaître.*

2 Students note the synonyms and antonyms for the words given.

Answers:

préjugés = idées préconçues ≠ esprit ouvert,
discrimination = racisme ≠ égalité,
avantage = privilège ≠ désavantage

3 Students find the words with the roots given.

Answers:

a *antiraciste*   **b** *invisible*   **c** *théoriquement*   **d** *irréaliste*

4 Students note the corresponding verbs, nouns, adjectives or adverbs.

Answers:

a *v. différer, n. différence, adj. différent, adv. différemment*
b *v. accueillir, n. accueil, adj. accueillant, adv. de façon accueillante*
c *v. s'émerveiller, n. merveille, adj. merveilleux, adv. merveilleusement.*

 F 32   En plus Students are referred to Feuille 32.

Au choix

Skills focus

◆ Pronunciation of -in and -im; emphasis

Materials

◆ Students' Book page 118
◆ Cassette 3 side 1, CD 3

page 118

 1 Students listen to the interview with Pierre who explains the rationale behind Enfance et Musique. Students should: 1 note any details about la Goutte d'Or; 2 explain the objectives of Enfance et Musique; 3 explain why music is so important; 4 note what Pierre says about a multi-cultural society.

Possible answers:

1 *La Goutte d'Or, c'est un quartier très pauvre de Paris avec beaucoup d'immigrants dont la majorité ne parlent pas français et vivent dans une situation très précaire.*

2 *Enfance et Musique veut encourager l'intégration de ces immigrés en respectant et en valorisant leurs origines, leur culture et leurs traditions.*

3 *La musique est importante pour tout le monde, quelle que soit la culture ou l'origine; c'est un moyen de communication universel, et comme beaucoup de familles de la Goutte d'Or ne parlent pas français, la musique devient un excellent moyen de communication.*

4 *Pour s'intégrer dans la société française, les immigrés n'ont pas à oublier leurs origines, leurs musiques et leurs chansons traditionelles. Au contraire, il faut qu'ils transmettent leur histoire afin de créer une société plus ouverte, plus dynamique, plus curieuse et plus tolérante.*

---

p 118, activité 1

– Bonjour. Aujourd'hui, nous parlons à Pierre. Pierre, vous allez nous parler d'Enfance et Musique. C'est une association qui s'occupe de faire connaître et de partager la musique avec les enfants, surtout les tout petits enfants.

– C'est ça.

– Et vous allez nous parler plus particulièrement de l'action d'Enfance et Musique à la Goutte d'Or.

– Oui, c'est ça.

– D'abord, expliquez-nous ce qu'est la Goutte d'Or.

– La Goutte d'Or, c'est un quartier très pauvre de Paris bâti sur une mosaïque multiculturelle: beaucoup d'immigrants viennent s'y installer, dont la majorité ne parlent pas français et vivent dans une situation très précaire …

– Quelle est donc l'action d'Enfance et Musique dans ce quartier de la Goutte d'Or?

– Enfance et Musique veut encourager l'intégration de ces immigrés en respectant et en valorisant leurs origines, leur culture et leurs traditions.

– Pourquoi particulièrement la musique?

– Eh bien, tout d'abord parce que la musique est importante pour tout le monde, quelle que soit la culture ou l'origine; c'est un moyen de communication universel, et comme beaucoup de familles de la Goutte d'Or ne parlent pas français, la musique devient un excellent moyen de communication.

– Elle permet des conversations sonores, en quelque sorte.

– Oui, c'est ça, exactement. Malheureusement, beaucoup d'immigrés pensent que pour s'intégrer, pour être acceptés dans la société française, ils doivent oublier leurs origines, oublier leurs musiques et leurs chansons traditionnelles.

– C'est le cas?

> – Mais non, pas du tout et c'est ça qu'Enfance et Musique tente de prouver. Une mère africaine nous a dit: «Si nous ne chantons pas, si nous ne racontons pas les histoires de chez nous, nous oublierons toute notre culture et nous ne pourrons plus rien transmettre à nos enfants.» Et elle a entièrement raison: il faut transmettre son histoire et sa tradition aux enfants. Cela permet aux enfants de se bâtir une identité plus équilibrée. Cela permet aussi à la société d'être plus ouverte, plus dynamique, plus curieuse et plus tolérante.
>
> – Enfance et Musique a produit ce CD extraordinaire d'une vingtaine de chansons enfantines, chantées par les mamans en dix-sept langues différentes!
>
> – Oui. C'était le rêve d'Enfance et Musique, une œuvre musicale vraiment multiculturelle!
>
> – Eh bien, merci, Pierre, pour ce passionnant témoignage.
>
> – Je vous en prie.

2 Students prepare, and then record, a two-minute talk on:

a) Explaining how they feel when their family is going to emigrate to find work. They should use the vocabulary and ideas on pages 114–117, and the present participle.

b) All the arguments they can think of to counter the ultra-nationalist slogan 'France for the French'. They should make use of the arguments on pages 110–111, the ideas and vocabulary on pages 112-113, and relative pronouns.

3 Students choose one of two topics and write around 200 words.

a) A brief summary of the advantages and disadvantages of a multi-cultural society.

b) A letter to the friend in the photograph offering an opinion on how she would find life as an immigrant in Britain. Students should refer to the ideas and vocabulary on pages 108–117, and use relative pronouns and the present participle.

Phonétique: pronunciation de *in* et *im*

S 📼 **1** Students listen to and repeat the words beginning with the sounds 'in' and 'im'.

> **p 118, Phonétique**
>
> intégration, interview, imbécile, important inadmissible, innocent, image, immigré

2 Students read the sentences, confirm pronunciation by listening to the recording and then repeat.

> **p 118, Phonétique**
>
> C'est inexact de dire que l'immigration implique l'insécurité.
> L'inégalité des chances et l'injustice sont indéniables.
> Il est inacceptable et inexcusable qu'un pays industrialisé soit incapable d'intégrer des immigrés.

Phonétique: L'accent de mot

1 Students listen to the accented syllables and then repeat them.

> **p 118, Phonétique**
>
> culture   culturel   **multiculturel**   **multiculturalisme**

2 Students say the words listed aloud and then listen to the recording to confirm the accents.

> **p 118, Phonétique**
>
> en **marge**, un mar**ginal**, margina**lisé**
> respect, respec**tueux**, respectueuse**ment**
> à l'in**verse**, inverse**ment**

Copymasters

Feuille 30 Ecouter en plus

📼 **1** Following a radio broadcast, Danièle Lamblat responds to telephone calls about immigration from her listeners. Students listen to the first call and then fill in the gaps in the passage.

Answers:
1 *des emplois vulnérables, non-qualifiés*
2 *n'intéressent pas les Français de souche*
3 *non-qualifiés, sous-payés et sans aucune sécurité.*

> **F30, activité 1**
>
> – Voici donc une nouvelle émission de Tabous. Aujourd'hui, nous allons parler de l'immigration. A mes côtés, Danièle Lamblat, chercheuse à l'INED, Institut National d'Etudes Démographiques. Bonjour, Danièle.
> – Bonjour.
> – Bien. Nous allons prendre un premier appel. Oui, j'écoute.
> – Oui, ben, alors, moi ce que j'ai à dire c'est que les immigrés prennent le travail des Français de souche. Voilà ce que je pense, moi, oui.
> – Michèle, que répondez-vous?
> – Eh bien contrairement à ce que vous pensez, monsieur, le chômage affecte actuellement les

étrangers deux fois plus que les Français de souche parce qu'ils sont dans des emplois vulnérables, non-qualifiés, dans des secteurs à fort taux de chômage. Et dites-vous bien aussi que les immigrés occupent généralement des postes qui n'intéressent pas les Français de souche, justement parce que ce sont des postes non-qualifiés, sous-payés et sans aucune sécurité, par exemple dans le bâtiment ou l'agriculture.

2 Students listen to the second call to the radio station and then answer the questions.

Answers: **1** *20%* **2** *C'est parce qu'ils sont mis en détention provisoire.* **3** *Ils on souvent rapport avec leur statut et leurs papiers.*

F30, activité 2

– Nous allons prendre un deuxième appel …
– Moi, j'ai l'impression que les immigrés commettent plus de crimes que les Français de souche.
– C'est vrai que les immigrés sont plus souvent arrêtés pour des délits mineurs que les Français; par contre, et c'est cela qui est intéressant, ils sont beaucoup moins souvent condamnés pour des crimes graves que le sont les Français de souche. S'il y a une forte proportion d'étrangers dans nos prisons (20%), c'est qu'ils sont plus souvent mis en détention provisoire (c'est-à-dire avant le jugement). Beaucoup des délits commis par les étrangers sont en rapport à leur statut et à leurs papiers, donc rien à voir avec l'insécurité.

---

3 Students listen to the third call and choose the correct response.

Answers: **1** b **2** a **3** a, d

F30, activité 3

– Un troisième appel, on vous écoute …
– On dit que les enfants d'immigrés réussissent moins bien dans leur scolarité que les autres. Est-ce que c'est vrai?
– Au contraire! Les enfants d'immigrés réussissent mieux à l'école que les Français *de même catégorie socio-professionnelle*, je dis bien, de même catégorie socio-professionnelle. Par rapport à la moyenne nationale, ils sont en échec scolaire, c'est vrai, mais à cause de leur milieu social, pas à cause de leur nationalité. A milieu social égal, les enfants maghrébins par exemple réussissent mieux que les Français de souche: pour eux, il est important de réussir sa scolarité si on veut éviter le chômage et la pauvreté.

---

4 Students listen to the fourth call and answer the questions.

Answers:
1 *ils vont moins chez le docteur, le dentiste et consomment moins de médicaments* **2** *ils ont plus d'enfants* **3** *ils sont plus jeunes* **4** *les immigrés ont un salaire un quart inférieur.*

F30, activité 4

– Bien, nous allons prendre un autre appel …
– Les immigrés vivent aux crochets des Français: ce sont des assistés sociaux et ils coûtent cher à la société. Voilà ce que je pense.
– Eh bien, c'est une idée fausse, madame. Les immigrés paient autant de cotisations sociales que les Français de souche et dépensent moins en soins médicaux: ils vont moins chez le docteur, moins chez le dentiste et consomment moins de médicaments. Si on leur paie plus d'allocations familiales parce qu'ils ont plus d'enfants, on leur paie moins de retraites, parce qu'ils sont plus jeunes. Ils coûtent donc moins cher à la Sécurité sociale. Ajoutons que moins d'un tiers ont une aide au logement. Donc, ils ne vivent pas aux crochets des Français. Au lieu de ça, il dépensent autant que les Français, bien qu'ils disposent de salaires inférieurs. En effet, les travailleurs étrangers ont un salaire un quart inférieur au salaire des familles françaises.

---

5 Listening to the fifth call, students note down what each percentage relates to.

Answers:
1 *les jeunes issus de l'immigration qui préfèrent le mode de vie des Français* **2** *ceux qui préfèrent le mode de vie de leurs parents* **3** *les jeunes d'origine maghrébine qui veulent se marier dans leur communauté* **4** *les familles maghrébines qui s'opposent à un mariage mixte*

F30, activité 5

– Nous avons un autre auditeur en ligne, allez-y, nous vous écoutons …
– Eh bien, pour moi, les immigrés ne respectent pas le mode de vie et la culture de la France. Les jeunes surtout n'en font qu'à leur tête. Ils ne veulent pas s'intégrer dans la société française.
– A l'inverse de ce que vous croyez, 71% des jeunes issus de l'immigration déclarent préférer le mode de vie des Français, alors que 20% seulement disent préférer celui de leurs parents. Le nombre des mariages mixtes augmentent depuis 1992, ce qui est un signe d'intégration. Seulement 17% des jeunes d'origine maghrébine disent vouloir se marier dans leur communauté et seulement 10% des familles maghrébines s'opposent à un mariage mixte.

6   Students listen carefully to the last call on the subject of immigration and then answer the questions.

Answers:

1 *Elle a une réputation de terre d'accueil*   **2** *l'Allemagne*

3 *La France vient en quatrième position après les Pays-Bas et la Grande-Bretagne.*

F30, activité 6

– Nous avons juste le temps pour un dernier appel …

– Pour moi, le problème, c'est que la France accepte tous les réfugiés qui demandent asile.

– La France garde en effet sa réputation de terre d'accueil alors qu'en fait, elle accorde de moins en moins le statut de réfugiés aux demandeurs d'asile. Il y avait 140 000 réfugiés en France en 1997 contre 350 000 en 1965. Le pays d'Europe le plus sollicité n'est pas la France, contrairement à ce qu'on peut penser, mais l'Allemagne. La France vient en quatrième position après les Pays-Bas et la Grande-Bretagne.

– C'était notre dernier appel pour aujourd'hui. Danièle Lamblat, merci de votre contribution à Tabous, consacré aujourd'hui à l'immigration. On se retrouve demain, à la même heure, avec un nouveau sujet …

Feuille 31 Lire en plus

1   Students read the article about Azzedine, a young North African who, despite his excellent qualifications, has encountered racial discrimination in the job market. To confirm their understanding, students answer the questions.

Answers:

1 *CAP vente, bac professionnel commerce et services, diplôme de l'Ecole Supérieure de Commerce, maîtrise de gestion au CNAM*

2 *les marchés, surveillant dans un lycée, stages*

3 *diplômes, capacité de travail supérieure à la moyenne, volonté*

4 *à cause de son origine et des préjugés racistes des employeurs*

5 *87% sont contre la discrimination mais ils n'emploient pas les personnes d'origine étrangère*

6 *il espère briser le cercle vicieux de la discrimination et continue à envoyer sa candidature*

2   Reinforcing the work on relative pronouns from page 115, students fill in the gaps with information from the text and a relative pronoun (*qui, que, dont, où*).

Answers:

1 *dont, maçon*   **2** *Saint-Etienne, où*   **3** *qui, goût des études*

4 *où, surveillant*   **5** *qu', CNAM*   **6** *qui, correspondent*

7 *étrangère, que*   **8** *que, grave*

3   Students write about 150 words to answer the question, 'Pourquoi le journaliste dit-il d'Azzedine qu'il est '*le self-made man de l'époque moderne*'?'. They should try to use relative pronouns in their answer.

Feuille 32 Compétences en plus

1   To reinforce the students' skills in building up their vocabulary, this activity asks students to fill in the table with the different parts of speech.

Answers:

1 *repectueux, respecter; l'intégration, intégré; l'immigration, immigré; riche, enrichir; culture, cultiver; rejeté, rejeter; exclu, exclure; tolérance, tolérant; ouvert, ouvrir*

2   Using the words from the table, students change the sentences following the example.

Possible answers:

1 *L'intégration des familles immigrées est-elle possible?*

2 *Avoir deux cultures enrichit un enfant.*

3 *Les gens rejettent souvent l'étranger.*

4 *Le plus dur pour les jeunes issus de l'immigration, c'est d'être exclus.*

5 *Il faut apprendre la tolérance / à être tolérant.*

6 *Une société plurielle permet de s'ouvrir / d'être ouvert sur le monde.*

3   Following the example, students transform the sentences using the prefixes 'in–', 'im–', 'dés–', 'il–'.

Answers:

1 *illégal*   **2** *désapprouvent*   **3** *inexcusable*

4 *déshonore*   **5** *instable*   **6** *impossible*

4   Students rewrite the text about Fatira Berchouche (see *Elan 1* Students' Book page 109), replacing the underlined words.

Possible answers:

1 *vivre / s'installer*   **2** *sans difficulté / facilement*

3 *de racisme*   **4** *peut-être / probablement*   **5** *a pris conscience*

6 *désormais*

5   Following the example, sudents complete Fatira's answers using words meaning the opposite of the ones underlined.

Possible answers:

1 *avantage*   **2** *ouverts*   **3** *au chômage / inactive*

4 *changer / évoluer*   **5** *rarement*

Unité 10 La France et l'Europe

Unit objectives

By the end of this unit students will be able to:

◆ Describe what France means to them
◆ Discuss national stereotypes
◆ Compare France with other countries in Europe
◆ Discuss the European Union and the euro
◆ Describe their vision of France

Grammar

◆ Use the present subjunctive
◆ Recognize and use different tenses

Skills

◆ Transfer ideas from English into French
◆ Pronounce 'ille' and 'gn' correctly

page 119

1a As an introduction to France in the context of Europe, students look at the map of Europe and identify each country.

Answers:
IRL = l'Irlande; GB = le Royaume-Uni; N = la Norvège; S = la Suède; DK = le Danemark; NL = les Pays-Bas; B = la Belgique; D = l'Allemagne; L = le Luxembourg; F = la France; CH = la Suisse; A = l'Autriche; P = le Portugal; E = l'Espagne; I = l'Italie; GR = la Grèce.

1b Referring back to the map, students name France's neighbours.

Answers:
la Belgique; le Luxembourg; L'Allemagne; la Suisse; l'Italie; l'Espagne.

1c Students are asked to say in which of these neighbouring countries French is spoken.

Answers:
La France; la Belgique; le Luxembourg; la Suisse.

1d Students say which countries form part of the European Union.

Answers:
l'Autriche; la Belgique; le Danemark; la Finlande; la France; l'Allemagne; la Grèce; l'Irlande; l'Italie; le Luxembourg; les Pays-Bas; le Portugal; l'Espagne; la Suède; le Royaume-Uni.

C'est quoi, la France?

pages 120–121

Grammar focus

◆ Revising verb tenses

Materials

◆ Students' Book pages 120–121
◆ Cassette 3 side 1, CD 3
◆ Grammar Workbook page 56

1 In this activity students work with a partner. They choose one of the six texts on France and summarize it in English for the class.

Possible answers:

La gastronomie

Since the beginning of the nineteenth century, France has gained an international reputation for good eating. Each region has its specialist dishes and there are also more than 100 varieties of exquisite cheeses. France is also renowned for its wine and there are more than 1 000 000 hectares of vineyards.

Le cinéma

Cinema was born in France in 1895 when Louis Lumière projected the first moving pictures in Paris. In 1897 Georges Méliès built the first studio in the world at Montreuil. For more than a century French film-makers have made a rich contribution to the art of cinematography.

L'architecture

Gothic architecture, which we celebrate in the cathedrals of Reims, Amiens and Chartres, was born in France at the end of the twelfth century and the style spread through all of Europe. A new style of French architecture has been created recently and can be seen in such edifices as the Pompidou Centre, the Arche de la Défense and the Louvre pyramid.

La langue française

From the seventeenth to the nineteenth century, French was the language of the European aristocracy and of international diplomats. Nowadays 70 million speakers have French as their mother tongue while many more people speak it fluently. Numerous states have adopted it as an official language and many French words have been absorbed into other languages.

Les paysages

France is characterised by a diversity of landscapes where people can enjoy outdoor pursuits. There are 2700 km of coastline ranging from the sunny Côte d'Azur and Languedoc areas to the wilder and windier stretches in Brittany and the Atlantic coast where one can fish, sail or simply get a tan. The mountains, notably the Alps, the Pyrenees and the Jura, offer plenty of scope for walking, climbing and rafting in summer as well as skiing in the winter.

La technologie

The French aeronautical and space industries are among the most important in the world. Through its connections with Concorde, Airbus and Ariane, it has successful connections with the rest of Europe. French railways are also thriving. The TGV is expanding and will in the future extend into all the neighbouring countries while France still enjoys an excellent reputation for its underground systems.

2a   Students explain in French what the various details selected from the extracts are.

Answers:

1 *TGV: train à grande vitesse*

2 *Ariane: une fusée européenne*

3 *le muscadet: une espèce de vin*

4 *Jean de Florette: un film*

5 *l'Arche de la Défense: un édifice parisien*

2b   This is a true/false activity. Students correct those statements which are false.

Answers:

1 *Faux. Elle a été conçue par un architecte sino-américain*

2 *Vrai*

3 *Vrai*

4 *Vrai*

5 *Vrai*

2c   Basing their answers on knowledge gained from the extracts, students complete the sentences.

Answers:

1 *français*   2 *fromages*   3 *dans tous les pays voisins de la France*

3a   Students consider which of the aspects of France covered in the extracts are most important to them. They order them according to their personal priorities.

3b   Working in pairs, students discuss which other aspects of France, such as fashion, art, sport, cartoon strips, or music are important to them.

4a   Five people talk about what France means to them. Students listen carefully and note down what France represents to each person and why.

Answers:

1 *La mer. Il est breton et il aime aller à la pêche, faire de la voile. La mer domine beaucoup d'aspects de sa vie.*

2 *L'architecture. Il/Elle aime les édifices historiques comme les châteaux et les cathédrales et admire aussi l'esprit qui pousse vers un style nouveau.*

3 *La gastronomie. Il/Elle part deux ou trois fois par an pour goûter les spécialités d'une région différente.*

4 *Le cinéma et le TGV. Parce qu'il/elle trouve les films français plus nuancés que les films américains. Il/elle trouve le TGV rapide et super-confortable.*

5 *Paris. Parce que c'est une ville où il y a tout: l'ambiance, les monuments historiques, les restaurants, les grands magasins. Tout se passe vite mais on peut trouver aussi des coins calmes et paisibles.*

---

p 121, activité 4

1 Pour moi, la France, c'est la mer. Je suis breton, ma famille habite en Bretagne. C'est ma région. J'adore aller à la pêche, faire de la voile … Je ne pourrais jamais vivre loin de la mer. En tant que Breton, j'aime aussi manger du poisson frais, arrosé d'une bonne bouteille de Muscadet.

2 Pour moi, la France est un pays où la culture joue un rôle très important. C'est le pays des châteaux et des cathédrales, mais c'est aussi une société qui n'a pas peur de la modernité. Moi personnellement, je trouve que la Pyramide du Louvre est abominable, mais c'est quelque chose de nouveau, ça fait réfléchir.

3 Moi, je suis belge, et je viens en France pour manger. Je pars deux ou trois fois par an dans une région différente, je consulte mon guide Michelin, et je choisis mon itinéraire. Que j'ai bien mangé dans ce pays! C'est vrai ce qu'on dit: "En France, on est gourmand, mais on est gourmet"

4 Pour moi, la France, c'est le cinéma – j'adore les films français. Ils sont plus subtils, plus nuancés que les films américains qui dominent maintenant partout dans le monde. L'été dernier, j'ai visité le Futuroscope à Poitiers – c'était passionnant! Et pour y arriver, j'ai pris le TGV de Paris – ça va vite, et c'est super-confortable.

5 Pour moi, la France, c'est Paris. C'est la ville où il y a tout – les monuments historiques, les restaurants, les grands magasins. C'est l'ambiance qui me frappe toujours: ça me fait plaisir de m'asseoir à la terrasse d'un café et de regarder les gens qui passent dans la rue. Paris, c'est une grande ville où tout se passe vite, mais on trouve aussi des coins calmes et paisibles.

4b   Students listen to the recording once more and note down any useful expressions. Then they prepare an oral presentation on what France means to them.

En plus   This activity is a variation on the one above. Using the ideas and expressions in activity 4b, students say what the UK represents to them.

Grammaire

This section helps students revise their verb tenses.

A For each sentence which has been picked out in bold in the extracts, students identify the tense and say why it has been used. Draw the students' attention to expressions of time which give an indication of the tense required.

Answers:

Depuis le début du XIXe siècle, la gastronomie française a acquis, grâce à des maîtres comme Escoffier, une renommée mondiale. (perfect, because it is something which happened in the past); *En 1897, Louis Lumière présenta à Paris ses premières projections animées.* (past historic, because it is an historical account); *De nos jours une nouvelle architecture française est née.* (perfect, it is a recent event with momentum into the present); *Aujourd'hui, 70 millions d'hommes sur le globe ont le français pour langue maternelle…* (present, because it is the current state of affairs); *… chaque été 44% des Français partent à la mer.* (present, because it is a pattern which is ongoing) *A l'avenir, il s'étendra dans tous les pays voisins de la France …* (future, it is about future plans).

B Students translate the bold sentences into English.

Answers:

(following the order above) Since the beginning of the nineteenth century, the French art of good cooking has acquired an international reputation, thanks to master chefs such as Escoffier; In 1897, Louis Lumière presented his first moving pictures in Paris; A new style of French architecture has been born in our time; Today, 70 million people around the world have French as their mother tongue; …every summer 44% of French people go to the seaside; In the future, it will extend into all the countries which border France.

Visages de l'Europe

pages 122–123

Materials
◆ Students' Book pages 122–123
◆ Cassette 3 side 1, CD 3

1a As an introduction to material on national stereotypes, students read the humorous article and answer the questions.

Answers:

A les Espagnols **B** les Anglais **C** Les Français
D les Hollandais **E** les Italiens

1b Students identify the key words in each description of a national stereotype.

Answers:

A fier, la sieste, taureaux; **B** chapeau melon, parapluie, thé; **C** béret noir, escargots, grenouille, vin; **D** sabots de bois, tulipes, moulins à vent; **E** pâtes, glaces, airs d'opéra.

1c Re-reading the article, students pick out those phrases which show that generalisations are being made.

Answers:

Les hommes …, les femmes …, toujours …, ils ne boivent que …, ils ne mangent que …, ils habitent tous …

1d Students add a phrase to each description.

1e Students write a portrait of another nationality and then present it to the class.

2a Five young people call in after a radio broadcast 'Debat du soir: les stéréotypes'. Students listen carefully and then match the beginnings with the ends of sentences.

Answers:
1 c **2** d **3** a **4** e **5** b

---

p 123, activité 2

– Bonsoir, chers auditeurs, chères auditrices, et bienvenue à notre débat du soir. Ce soir, on parle des stéréotypes. Maintenant on est tous européens, mais on se moque toujours des autres nationalités. On fait ça pour plaisanter ou c'est parce qu'on est raciste? Qu'en pensez-vous? Appelez-moi, on vous écoute. Voilà, c'est notre premier appel, on a … Sandrine en ligne.
– Bonsoir, Martin, je m'appelle Sandrine. Moi, j'ai horreur des stéréotypes. Je ne pense pas qu'ils soient basés sur la réalité. Le Français stéréotype n'existe pas, l'Anglais stéréotype non plus. Ce sont les médias qui inventent de telles histoires. Quand on voyage et fait la connaissance des gens, on comprend que les stéréotypes sont ridicules.
– Merci, Sandrine. Passons maintenant à Raphaël.
– Allô, oui bonsoir, c'est Raphaël à l'appareil. Moi, je suis tout à fait d'accord avec Sandrine. L'année dernière, mon correspondant anglais est venu passer deux semaines chez nous, et il avait peur qu'on ne lui fasse manger des escargots. Moi, je suis Français, et je n'en ai jamais mangé! Mais lui ne buvait pas de thé non plus, il préférait le café. Les stéréotypes sont des exagérations démodées.
– C'est très intéressant, merci Raphaël. Et voici Nicole au bout du fil.

– Bonsoir, je m'appelle Nicole. Moi, je trouve les stéréotypes amusants. Il ne faut pas prendre les choses trop au sérieux – on se moque de la famille, des copains, pourquoi pas des autres nationalités? Les stéréotypes font partie de la vie. Les Anglais se moquent des Ecossais, les Français racontent des histoires belges … Cela indique qu'on s'aime et qu'on se comprend bien. Ça n'a rien à voir avec le racisme. Il faut garder le sens de l'humour.

– Merci, Nicole. Fabien, êtes-vous d'accord avec ce point de vue?

– Non, pas du tout. A mon avis, les stéréotypes sont basés sur les préjugés, et les préjugés peuvent être très dangereux. Ils encouragent les sentiments nationalistes. Il faut essayer de comprendre les autres pays et la mentalité des gens, il ne faut pas se moquer d'eux. On ne peut pas créer une Europe unie si on continue de regarder les autres Européens comme ça.

– C'est vrai, Fabien, c'est vrai. Et maintenant, le dernier coup de fil ce soir. Alain, que pensez-vous des stéréotypes?

– Bonsoir, je m'appelle Alain. Il me semble que les stéréotypes sont basés quand même sur un fond de vérité. On exagère, mais il existe des mentalités très variées en Europe. Les Français sont impatients par rapport aux Belges et aux Suisses, par exemple. Il est important de reconnaître ces différences, de les accepter. Et sans stéréotypes, il n'y aurait pas d'histoires d'Astérix! N'oubliez pas que ces livres sont populaires partout dans le monde, ce qui indique qu'au fond, tout le monde aime les stéréotypes.

– Merci Alain, et merci à tout ceux qui ont appelé ou essayé d'appeler. Eh bien, revenez demain pour un nouveau sujet …

2b   Play the recording again. Students match the speakers with the statements.

Answers:

1   *Raphaël*   2   *Nicole;*   3   *Alain*

4   *le correspondant anglais de Raphaël;*   5   *les Français*

3a   Students listen to the recording again, noting down whether they agree with each speaker's views on stereotypes or not. They should then compare their responses with a partner.

3b   Working in pairs, students imagine that they are phoning in after the broadcast to give their own point of view.

4   Students write a 100-word report about stereotypes. They could cover the following issues: where stereotypes originate, whether it is normal to make fun of other nationalities, whether there is a difference between stereotypes and prejudices, whether stereotypes can reinforce nationalist feelings. Students should make use of the *Expressions-clés* and ideas drawn from the broadcast.

La France en Europe

pages 124–125

Compétences

◆ Transfer of meaning from English into French

Materials

◆ Students' Book pages 124–125
◆ Cassette 3 side 1, CD 3
◆ Feuilles 33, 34

1a   Students read the article, *'France vue d'ailleurs'*, to see how other nations view the French. Using their dictionaries, they translate the phrases extracted from the text.

Answers:

1   la réticence au multiculturalisme *a reluctance to become multicultural*
2   la politique néocolonialiste *neocolonial policies (political tactics of applying economic pressures to smaller independant countries)*
3   leur débrouillardise *their resourcefulness*
4   leur indépendance d'esprit *their spirit of independence*
5   la carte à puce *a smart card.*

1b   Searching through the article again, students find the expressions which match the adjectives listed.

Answers:

1   *le désintérêt pour le reste du monde*
2   *la propension à parler et l'incapacité à écouter*
3   *la politique néocolonialiste*
4   *leur créativité*
5   *la qualité de la cuisine et des vins*
6   *les réussites de la technologie française*

1c   Working in pairs, students make a list of the good qualities and the faults of the French.

En plus   Students are asked to consider what they think of the image of the French presented in the article. They should say whether they think any aspects are true, and give examples to support their opinion.

2a   Two young people are searching for information on the Internet. Students listen to the recording and then fill in the gaps in the extracts.

Answers:

1   *en union libre, l'idée de la famille*
2   *un peu déçus, le sentiment européen*
3   *Cinquante pour cent, cinquante pour cent, leur propre maison;*
4   *croyants, à la messe, moins importante*
5   *d'immigrés, l'Afrique du Nord.*

p 124, activité 2

– Rachelle, tu peux m'aider à faire mes devoirs? Il me faut des informations au sujet de la société actuelle … et c'est pour demain!
– Mais on trouve tout sur l'Internet. C'est pas difficile.
– Oui, je sais, mais c'est toi l'internaute de la famille. Toi, tu connais tous les sites…
– Bon, d'accord. Tu dis, la société actuelle … attends, je sais où chercher. Alors, le premier sujet, c'est quoi?
– Euh … les jeunes et la vie familiale. On ne s'intéresse plus à la famille, je pense, et surtout on ne se marie plus.
– C'est pas tout à fait vrai. Ecoute: "La vie familiale en France est en pleine évolution. Les jeunes préfèrent vivre en union libre mais ils attachent beaucoup d'importance à l'idée de la famille." Ça suffit comme ça?
– Oui, oui, c'est bon. Ensuite: l'attitude des Français à l'égard de l'Europe. Là, je n'en sais rien, moi.
– Voilà: "En ce qui concerne l'Europe, il semble que les Français soient un peu déçus. Mais il faut noter que le sentiment européen est moins élevé qu'avant dans tous les pays d'Europe". Et le troisième thème?
– Le logement. Ben … c'est évident, presque tout le monde habite dans un appartement.
– Hmm … Ecoute: "Cinquante pour cent des Français habitent dans une maison et cinquante pour cent dans un appartement. La moitié des gens achètent leur propre maison."
– Ah bon, je ne savais pas ça. Et la religion? Elle est toujours très importante en France, je crois.
– Mais non, tu te trompes. Ecoute: "De moins en moins de Français sont croyants. Il y en a moins qu'avant qui assistent régulièrement à la messe. La religion devient moins importante."
– Ah bon? … Finalement, il s'agit de l'immigration, les tendances actuelles. Tu trouves quelque chose là-dessus?
– Hmm … "L'immigration continue. De plus en plus d'immigrés viennent de l'Afrique du Nord."
– Mais c'est parfait. Merci, Rachelle, tu es un ange. Tu peux maintenant tout imprimer? Moi, je dois jouer au foot avec les copains.

2b Students say whether they find the trends in modern French society, as found in the Internet search, surprising and, if so, what surprises them. Or alternatively, you could ask for reactions to each point in turn.

2c Students work with a partner and together decide whether the trends in the UK are parallel to those occurring in France.

3a Students study the graphs and then choose the correct word to complete the sentences.

Answers:

1 *moins* **2** *tiers* **3** *soixante* **4** *élevée* **5** *moins*
6 *plus*

3b Students write another sentence for each of the graphs. They should refer to the *Compétences* on page 39 to help them and use structures from activity 3a.

Possible answers:

Les vacances à l'étranger sont plus populaires aux Pays-Bas qu'ailleurs. Les Français consomment plus d'alcool que leurs voisins européens.

4 In answer to the topic, *'La France en pleine évolution'*, students write a summary of the current situation in France. For inspiration they can draw on the ideas and vocabulary on the spread. They could describe the traditional image of France and contrast it with modern society and/or compare France with the UK or another country which they know well.

F 33 En plus This refers students to Feuille 33.

Compétences

This section covers skills useful when translating from English into French.

1 Adapting phrases from a French source, students translate the sentences into French.

Answers:

a *Ce magazine sélectionne des articles émanant de tous les pays du monde*
b *Les étrangers reconnaissent aux Français leur créativité*
c *Ils saluent les réussites de la technolgie française*

2 Adapting their answers to activity 2, students translate four more sentences.

Answers:

a *Les Français attachent toujours beaucoup d'importance à l'idée de la famille*
b *Il faut noter que cinquante pour cent des Français habitent dans un appartement*
c *De moins en moins de Français assistent régulièrement à la messe*
d *De plus en plus des jeunes vivent en union libre.*

F 34 En plus This refers students to Feuille 34.

Etes-vous européen(ne)?

pages 126–127
Grammar focus
◆ The present subjunctive

Materials
- Students' Book pages 126–127
- Cassette 3 side 1, CD 3
- Grammar Workbook pages 62–63
- Feuille 35

1 Testing their knowledge of Europe, students do the Euroquiz.

Answers:
1 c **2** c **3** a **4** b **5** c **6** c **7** a **8** c **9** b
10 b **11** b **12** c

2a This activity introduces the present subjunctive. Eight speakers respond to the question, 'Etes-vous pour ou contre l'euro?'. Students listen to the recording and note who is for and who is against the euro.

Answers: Pour: 1, 2, 4, 5, 6, 8 ***Contre:*** 3, 7

---

p 127, activité 2

1 Je pense que l'euro est une bonne chose pour les gens qui voyagent beaucoup. Les politiciens veulent qu'on puisse aller partout en Europe sans avoir à changer de l'argent.

2 Pour le commerce, je pense que la monnaie unique est prioritaire. Mais pour la majorité des Français, je ne pense pas que l'euro soit très important.

3 Moi, je ne suis pas sûr que l'euro soit une bonne chose pour la France. Je crois que le franc français fait partie de notre culture.

4 J'estime que l'euro est nécessaire. Mais jusqu'à ce que les pièces et les billets soient mis en circulation, je pense qu'il reste une monnaie virtuelle.

5 Il me semble que l'euro nous apportera de nouveaux marchés et de nouvelles possibilités d'emploi. Bien qu'il soit difficile d'abandonner le franc, il faut le faire.

6 Nous avons besoin de l'euro pour que l'Europe puisse devenir une puissance économique et commerciale dans le monde. Sans l'euro, le Dollar et le Yen domineront.

7 Croyez-vous que nous puissions accepter cette menace à notre identité nationale? Moi, je veux qu'on dise «Non, on a changé d'avis!»

8 Pour moi, l'euro est un symbole de la coopération européenne. Quoique j'aie des difficultés à me familiariser avec la nouvelle monnaie, j'ai enfin le sentiment d'être européen.

2b Play the recording again so that students can analyse whether each speaker's reasons are personal (PERS), economic (EC) or political (POL).

Answers:

1 EC **2** EC **3** PERS **4** not given **5** EC **6** EC
7 POL/PERS **8** POL

2c Students match the statements with the speakers.

Answers:
2; 4; 1; 8; 6

2d Students listen to the recording again and then complete the sentences. There is a sentence for each speaker.

Answers:

1 *… aller partout en Europe sans avoir à changer de l'argent*
2 *… très important*
3 *… une bonne chose pour la France*
4 *…il reste une monnaie virtuelle*
5 *… il faut le faire*
6 *devenir une puissance économique et commerciale dans le monde*
7 *… on a changé d'avis!*
8 *j'ai enfin le sentiment d'être européen*

2e Students make a list of five arguments in favour of the euro and put them in order of priority.

Possible answer:
Avec l'euro l'Europe peut devenir une puissance économique et commerciale dans le monde.
L'euro est un symbole de la coopération européenne.
L'euro apportera de nouveaux marchés et de nouvelles possibilités d'emploi.
Pour le commerce, la monnaie unique est nécessaire.
On peut aller partout en Europe sans avoir à changer de l'argent.

F 35 **En plus** This refers students to Feuille 35.

En plus Students answer the question, 'Etes-vous pour ou contre l'euro?' giving their own personal opinion with their reasons. They should draw on the expressions in the preceeding activities.

Grammaire

This section covers the present subjunctive tense.

A Students say why the subjunctive is used after certain phrases which use negative constructions.

Answer:
Because these phrases express doubt and uncertainty.

B Students say why the phrases, *Je pense que* and *Je crois que* are not followed by the subjunctive.

Answer:
Because no doubt is implied.

C Students search through the questions in activity 2d for examples of the subjunctive in use.

Answers:

Les politiciens veulent qu'on puisse… / Je veux qu'on dise 'Non,…' (expressing a wish that someone should do something); Je ne suis pas sûr que l'euro soit… (expressing uncertainty); Jusqu'à ce que les billets soient mis en circulation… (after jusqu'à ce que*); Bien qu'il soit difficile… (after* bien que*); …pour que l'Europe puisse… (after* pour que*); Quoique j'aie des difficultés… (after* quoique*).*

L'Union européenne
pages 128–129

Grammar focus

◆ The present subjunctive

Materials

◆ Students' Book pages 128–129
◆ Cassette 3 side 1, CD 3
◆ Grammar Workbook pages 62–63

1 To show their understanding of how the European Union evolved, students match the questions with their answers.

Answers:

1 c **2** a **3** g **4** e **5** b **6** h **7** f **8** d

2 Working with a partner, students read the table of statistics and then ask each other the questions listed.

Grammaire

The section gives further information on the present subjunctive.

A Students find five expressions in the speech bubbles in activity 3, in addition to *il faut que* and *il est necessaire que* which are followed by the subjunctive.

Answers:

Il est dommage que …, Il est possible que …, Il est normal que …, Il est important que …, Il est préférable que …

B Students rewrite the sentences using one of the above expressions and putting the verb in the present subjunctive.

Possible answers;

1 *Il est normal qu'on fasse partie d'une Europe unie.*

2 *Il est important qu'on soit prêt à travailler ensemble.*

3 *Il est nécessaire que l'Europe agisse partout dans le monde.*

4 *Il est préférable que l'Europe puisse rester indépendante des Etats-Unis.*

5 *Il faut qu'il y ait des bonnes relations entre les pays d'Europe.*

6 *Il est préférable qu'on fasse un effort pour comprendre le point de vue des autres nations.*

3a Six young people give their views on the European Union. Students match each speaker with one of speech bubbles A–G.

Answers:

1 D **2** A **3** E **4** F **5** G **6** C

---

p 129, activité 3

1
– Excusez-moi, je fais une enquête sur l'attitude des Français vis-à-vis de l'Union européenne. Est-ce que je peux vous poser quelques questions?
– Oui, bien sûr, allez-y.
– Merci bien. Alors, êtes-vous europhile ou eurosceptique?
– Moi, je suis europhile. Il est important qu'on soit prêt à travailler ensemble. Beaucoup de jeunes font des études à l'étranger maintenant, et apprennent à vivre dans un autre pays. Nous sommes tous des citoyens d'Europe, nous avons beaucoup de choses en commun.

2
– A mon avis, il est dommage qu'on veuille créer une Europe fédérale. Je pense qu'on aura beaucoup de problèmes à abandonner notre souveraineté. Ma patrie, c'est la France, c'est pas l'Europe. Je mange des pizzas, bien sûr, j'écoute de la musique anglaise, mais en fin de compte, je suis française.

3
– J'ai beaucoup d'amis dans les autres pays d'Europe. On écoute la même musique, on achète les mêmes marques, les mêmes jeux vidéo. Il est normal qu'on fasse partie d'une entité fédérale. Je m'entends bien avec les jeunes Allemands et les jeunes Anglais – beaucoup mieux qu'avec mes parents!

4
– Il est possible qu'il y ait des avantages à créer une Europe unie. Mais il faut que tout le monde réfléchisse bien avant d'accepter un système fédéral. D'une part, nous avons beaucoup de choses en commun. D'autre part, chaque pays est différent.

5
– En ce moment, je suis plutôt eurosceptique. Tout va trop vite, et on n'a pas le temps de réfléchir. A mon avis, il est préférable que l'Europe se construise peu à peu et par étapes. J'apprécie le fait qu'on voyage librement, et que nous jouions au foot ensemble, mais la politique, c'est autre chose.

6
– Il est nécessaire que l'Europe agisse ensemble pour résoudre les problèmes sociaux. Tous les pays ont les mêmes problèmes, comme le chômage et l'immigration, et il n'y a pas de solutions évidentes.

3b Students listen to the recording again and decide whether each speaker is a europhile, eurosceptic or neither one nor the other.

Answers:
europhile: 1, 3, 6   *eurosceptic:* 2, 5   *neutral:* 4

3c Play the recording once more. Students note an extra detail about each speaker.

Possible answers:

1 *Beaucoup de jeunes font des études à l'étranger maintenant, et apprennent à vivre dans un autre pays*

2 *Je pense qu'on aura beaucoup de problèmes en abandonnant notre souveraineté*

3 *J'ai beaucoup d'amis dans les autres pays d'Europe*

4 *chaque pays est différent*

6 *Tous les pays ont les mêmes problèmes, comme le chômage et l'immigration, et il n'y a pas de solutions évidentes*

4 Students read the opinions listed and say whether they are in agreement or not, and what their own views are.

5 Students prepare an oral presentation on the subject, *'Ma vision de l'Europe'*. They may choose to use the outlines offered.

Au choix

page 130

Skills focus

◆ Pronunciation of *ille* and *gn*

Materials

◆ Students' Book page 130
◆ Cassette 3 side 1, CD 3

1 Students imagine that they have read an article in a French magazine accusing the Brits of being nationalist and xenophobic because they are reluctant to adopt the euro. Students write a response in which they explain why they are in favour of the euro. They should draw on the arguments and expressions used on pages 126–128 and incorporate the subjunctive mood.

 2 A reporter describes the impressions of three young Europeans who have been living in France as part of an exchange programme. Students listen carefully and then answer the questions.

Answers:

1 *La France accueille trente mille étudiants européens chaque année*

2 *Elle apprécie la cuisine française et l'atmosphère des cafés*

3 *Selon Fiona, beaucoup de Britanniques ont peur de perdre leur identité et leur souveraineté avec l'Europe*

4 *Elle voit des avantages – surtout la facilité d'aller travailler dans un autre pays européen et la reconnaissance des diplômes britanniques à l'étranger*

5 *Elle trouve l'enseignement très scolaire et un peu rigide*

6 *Elle est très enthousiaste au sujet du cinéma français*

7 *Daniela trouve qu'il n'y a rien à faire. Chez elle, à Bologne, elle sort chaque soir et il y a toujours du monde dans les restaurants*

8 *Elle cite le nombre d'hypermarchés et de fast-foods et la très forte mobilité des jeunes*

9 *Elle est convaincue que les étudiants italiens restent plus liés à leurs traditions et à leur famille*

---

p 130, activité 2

Chaque année, la France accueille trente mille étudiants européens qui participent au programme d'échanges Erasmus. Ce programme constitue l'un des résultats les plus concrets de la construction européenne.
J'ai interrogé trois étudiantes qui séjournent en ce moment dans l'Hexagone et qui ont été frappées par divers aspects de la vie française.

A la Sorbonne, au cœur de Paris, j'ai fait la connaissance de Fiona, jeune Anglaise, originaire du Yorkshire. En France, elle a découvert la cuisine, les repas pris en famille et surtout les bistrots du Quartier Latin. Elle m'a avoué qu'elle apprécie en plus l'atmosphère des cafés. En Angleterre, paraît-il, on va au pub plutôt le soir, tandis qu'ici on peut rester tout l'après-midi dans un café.

Au contraire de la plupart de ses concitoyens, Fiona est pro-européenne. Elle comprend que beaucoup de Britanniques ont peur de perdre leur identité et leur souveraineté avec l'Europe. Mais elle y voit de forts avantages. Elle apprécie surtout la facilité d'aller travailler dans un autre pays européen et la reconnaissance des diplômes britanniques à l'étranger.

Ensuite, j'ai parlé avec Ella, jeune Autrichienne, qui elle aussi est à Paris pour un échange d'un an avec Erasmus. Quoiqu'elle trouve l'enseignement très scolaire et un peu rigide, elle est très enthousiaste quand elle parle de la culture française. Au cinéma, elle est toujours très étonnée de constater la variété des films proposés. A Paris, elle peut voir des films en italien ou en espagnol, ce qui n'arrive jamais à Vienne.

Finalement, je suis allé en Bretagne rencontrer une jeune Italienne, Daniela, qui poursuit ses études à l'université de Rennes. Elle trouve la vie en Bretagne très très tranquille. Ce n'est pas Paris, et le lundi ou le mardi soir, il n'y a rien à faire. Chez elle, à Bologne, elle a l'habitude de sortir chaque soir, et il y a toujours du monde dans les restaurants.
Daniela remarque que la France s'américanise beaucoup. Elle cite comme preuves le nombre

d'hypermarchés et de fast-foods et la très forte mobilité des jeunes, qui n'hésitent pas à venir à Paris pour faire leurs études. Elle est convaincue que les étudiants italiens restent plus liés à leurs traditions et à leur famille.

3 Students work with a partner to prepare a dialogue. Student A takes the role of an English student staying with their penfriend in France. The penfriend's grandmother has never left France and believes that all Brits conform to a stereotype. Student A's task is to explain the truth to her. Student B is the grandmother and should aim to ask pertinent questions. Possible topics to cover, such as the weather, breakfast, food, queueing, and cricket, are suggested to help get the ball rolling.

Phonétique

 1 Students listen to and repeat words containing the sounds 'ille' and 'gn'.

---

p 00, activité 0

1 ville, tranquille, mille, million, millier
2 fille, famille, billet, gentille, habillement
3 travailler, bouteille, accueille, ailleurs
 j'aille, je veuille, grenouille, ratatouille
4 Allemagne, Espagne, Bretagne, Avignon
 signer, ignore, oignon, enseignement
5 Des milliers de filles vivent à Avignon.
 On mange une bouillabaisse ou des cuisses de grenouille?
 Moi, je préfère de l'agneau avec une sauce à l'oignon.
 Des gentilles filles de la ville de Marseille font la ratatouille et la bouillabaisse à merveille.

Copymasters

Feuille 33 Une société en pleine évolution

 1 Students listen again to the recording for activity 2 on page 124 and then answer the questions in French.

Answers:

1 *de la société actuelle en France*
2 *parce qu'elle est internaute, elle connaît tous les sites*
3 *il n'en sait rien*
4 *il pense que tout le monde habite dans un appartement*
5 *non, car il pense qu'elle est toujours très importante*
6 *de tout imprimer, parce qu'il veut jouer au football*

F33, activité 1

– Rachelle, tu peux m'aider à faire mes devoirs? Il me faut des informations au sujet de la société actuelle ... et c'est pour demain!
– Mais on trouve tout sur l'Internet. C'est pas difficile.
– Oui, je sais, mais c'est toi l'internaute de la famille. Toi, tu connais tous les sites ...
– Bon, d'accord. Tu dis, la société actuelle ... attends, je sais où chercher. Alors, le premier sujet, c'est quoi?
– Euh ... les jeunes et la vie familiale. On ne s'intéresse plus à la famille, je pense, et surtout on ne se marie plus.
– C'est pas tout à fait vrai. Ecoute: "La vie familiale en France est en pleine évolution. Les jeunes préfèrent vivre en union libre mais ils attachent beaucoup d'importance à l'idée de la famille." Ça suffit comme ça?
– Oui, oui, c'est bon. Ensuite: l'attitude des Français à l'égard de l'Europe. Là, je n'en sais rien, moi.
– Voilà: "En ce qui concerne l'Europe, il semble que les Français soient un peu déçus. Mais il faut noter que le sentiment européen est moins élevé qu'avant dans tous les pays d'Europe." Et le troisième thème?
– Le logement. Ben ... c'est évident, presque tout le monde habite dans un appartement.
– Hmm ... Ecoute: "Cinquante pour cent des Français habitent dans une maison et cinquante pour cent dans un appartement. La moitié des gens achètent leur propre maison."
– Ah bon, je ne savais pas ça. Et la religion? Elle est toujours très importante en France, je crois.
– Mais non, tu te trompes. Ecoute: "De moins en moins de Français sont croyants. Il y en a moins qu'avant qui assistent régulièrement à la messe. La religion devient moins importante."
– Ah bon? ... Finalement, il s'agit de l'immigration, les tendances actuelles. Tu trouves quelque chose là-dessus?
– Hmm ... "L'immigration continue. De plus en plus d'immigrés viennent de l'Afrique du Nord."
– Mais c'est parfait. Merci, Rachelle, tu es un ange. Tu peux maintenant tout imprimer? Moi, je dois jouer au foot avec les copains.

---

2 Students translate the sentences into French.

Answers:

1 *Les Français s'intéressent toujours à la vie familiale.*
2 *Les attitudes à l'égard de la religion ont beaucoup changé dans la société moderne.*
3 *En ce qui concerne l'immigration, la plupart des immigrés viennent toujours des pays nord-africains.*
4 *La moitié des Français préfèrent acheter leur propre maison.*

3 Students study the graph and choose the correct word to complete the sentences.

Answers:

1 *plus* **2** *trois* **3** *moins*

4 Students come up with five more sentences to describe the figures in the graph.

5 Students write a paragraph on the subject of television in the five European countries. They should make use of the phrases in activities 3 and 4 as well as the *Expressions-clés*.

Feuille 34 Compétences en plus

1 Students read the three letters which have been published in an English newspaper and explain in French – to their French friend – what they mean.

2 Students write a summary in French of the views expressed by the writers of the three letters.

Feuille 35 C'est l'heure de l'euro

1 After referring to the list of points about the euro, students then link the correct halves of the sentences together.

Answers:

1e *Les motifs sur les billets représentent de différents aspects de l'architecture européenne.*

2f *Sur la face recto des billets on voit des fenêtres et des portails.*

3i *Sur la face verso il y a l'image d'un pont.*

4j *Les fenêtres symbolisent l'esprit ouvert et coopératif européen.*

5c *Le pont évoque la communication entre les nations.*

6b *Toutes les pièces euro ont une face commune.*

7h *Le décor d'une face des pièces est différent dans chaque pays.*

8g *Les euros seront valables dans tous les pays de l'Union européenne.*

9d *Le symbole graphique de l'euro rappelle la Grèce.*

10a *Sur les pièces euro sont dépeintes les étoiles du drapeau européen.*

2 Students prepare a short presentation on the euro. They describe the new currency and how it is used in different countries.

Révisions Unités 9–10

page 131

1 Students look at the advertisement and prepare a response to the questions given. They should cover: what the advertisement is about, whether it is normal to see an advertisement for an English product in France, what that might say about daily life in Europe, whether they believe that differences still exist between European countries, what they think of the fact that the countries are becoming more and more alike. (5 marks)

2 Students decide whether they will vote at the European elections. They listen to Thiery and Mélanie and then answer the questions in French.

Answers:

a *Il ne pense pas qu'il ira voter. Bien qu'il vote pour le maire de sa ville, le député européen est vraiment un inconnu.* (2 marks)

b *Ils ne siègent pas régulièrement au Parlement, ils sont souvent absents.* (2 marks)

c *Mélanie va voter parce que la politique l'intéresse. C'est la première fois qu'elle peut faire entendre sa voix et elle ne va pas s'en priver. En plus, elle estime que, quand on a la chance de pouvoir s'exprimer librement en votant, on doit le faire.* (3 marks)

d *Elle est convaincue qu'avec la monnaie unique, l'Europe va prendre de plus en plus d'importance.* (2 marks)

---

p 131, activité 2

Thierry

Moi, je ne pense pas que j'irai voter. Je vote pour les élections locales: le maire de ma ville, je le connais, je le croise dans les rues. Mais le député européen, c'est vraiment un inconnu! En plus, la plupart des députés européens n'iront pratiquement pas siéger au Parlement. Ce n'est pas sérieux! Je ne vois pas pourquoi je voterais pour un absent.

Mélanie

C'est la première fois que je vais voter, alors je ne vais pas m'en priver! La politique, ça m'intéresse, je veux faire entendre ma voix. En plus, quand je pense à certains pays où les citoyens n'ont pas le droit de voter, j'estime que, quand on a la chance de pouvoir s'exprimer librement en votant, on doit le faire. C'est vrai que pour les élections européennes, les débats sont moins passionnés que pour les législatives ou les présidentielles. Mais je suis convaincue qu'avec la monnaie unique, l'Europe va prendre de plus en plus de place dans notre vie.

---

3 Matthieu and Elodie give their views. Students listen to the recording and then summarize in English what they think of Europe. (6 marks)

Possible answers:

Matthieu isn't going to vote because he is going away for the weekend. He acknowledges, however, that Strasbourg is far from central to his concerns and believes that the French parliament has more power than the European one. He feels that French laws have a real impact on one's daily life.

Elodie is going to vote because, while much of the talk about Europe is less than inspiring, she feels concerned about the issue nevertheless. She believes that European unity is the only way to stand up to the American 'super-power' and to help to find a solution to global problems.

---

p 131, activité 3

Matthieu

J'avoue que Strasbourg, c'est un peu loin de mes préoccupations. Moi, je crois que le Parlement français a quand même plus de pouvoir que le Parlement européen et surtout que les lois françaises ont une réelle influence sur notre vie de tous les jours. Alors, je n'irai pas voter – je partirai en week-end.

Elodie

Quand j'entends parler de l'Europe, ce sont des discussions sur les quotas dans l'agriculture ou des scandales à la Commission européenne. Ça ne donne pas envie de voter. Mais je me sens concernée quand même. La France au niveau international, c'est presque rien. L'Europe, c'est la seule possibilité de faire face aux Américains, d'essayer de trouver une solution aux problèmes mondiaux. Il faut que tous les pays de l'Europe agissent ensemble, pour faire entendre leur voix dans le monde.

---

4   Students read the article, 'Mon copain est black', and then answer the questions in French.

Answers:

a *Ils étaient choqués parce que Moussa est noir avec une coiffure rasta.* (1 mark)

b *Ils voulaient savoir d'où venaient ses parents, s'il faisait des études, s'il était un type sérieux.* (3 marks)

c *Ils ont evisagé des difficultés concernant le mariage et les enfants.* (2 marks)

d *Loïc est juif et Djamila est musulmane pratiquante.* (1 mark)

e *Les grands-parents de Loïc n'auraient pas accepté Djamila* (1 mark)

f *Les parents de Loïc ont des idées larges. Ils étaient contents d'inviter Djamila à dîner chez eux. Ils avaient peur que les parents de Djamila puissent avoir des préjugés contre les juifs. Ils n'avaient pas de préjugés contres les musulmans, mais ils savaient que leurs parents étaient moins tolérants. Les parents de Djamila n'avaient rien contres les juifs, ils n'étaient pas racistes. Ils étaient conscients des différences culturelles entres les musulmans et les français. Il était important pour eux que leur fille reste vierge jusqu'au mariage, et ils craignaient qu'un français ne respecte pas ce point de vue.* (3 marks)

g *Pour combattre les préjugés des parents, il faut comprendre que les parents ont besoin d'un temps d'adaptation. On doit parler au maximum de la famille et de la culture de l'autre, dire simplement qu'on aime son copain, et donner aux parents le temps d'établir des rapports avec son copain en tant qu'individu.* (3 marks)

5   Students write about 150 words on one of the following topics.

a) What they think about the attitude of Sophie's, Loïc's and Djamila's parents. Whether they believe France is really a multi-cultural society or are there still prejudices. Students suggest how one can create a more tolerant society. (36 marks) or

b) Whether they are intending to vote at the European elections and why (or why not). What influence they think the European parliament will have in one's daily life. What the role of Europe will be in the world of the twenty-first century. (36 marks)

Unité 11 Le monde francophone

Unit objectives

By the end of this unit students will be able to:

◆ Describe positive and negative aspects of the French colonial empire
◆ Understand some of the causes and effects of the Algerian war of independence
◆ Talk about the French-speaking world
◆ Compare varieties of French spoken around the world
◆ Discuss the role of French as an international language

Grammar

◆ Use the future perfect tense
◆ Use the main verb tenses correctly

Skills

◆ Revise for exams successfully
◆ Pronounce 'ane', 'une', 'ure', and 'one' correctly

page 133

1 Students test their knowledge of the French-speaking world by doing the quiz.

Answers:

1 b   2 c   3 c   4 a   5 c

2 Working in pairs, students think of as many French words that are commonly used in English as they can. Students should note whether the words are used in a different sense.

Possible answers:

rendezvous, duvet, cul-de-sac, sauté, brunette, petite, maisonette, queue…

L'empire colonial français

pages 134–135

Materials

◆ Students' Book pages 134–135
◆ Cassette 3 side 2, CD 3
◆ Feuille 36

 1a Students listen to the recording giving information on the French Empire. They copy the list of colonies and note down the date given for each one.

Answers:

1 *Québec 1608*   2 *Louisiane 1682 / Nouvelle-Orléans 1718*
3 *Saint-Pierre-et-Miquelon 1763*   4 *Guadeloupe, Martinique 1635–1638*   5 *Réunion 1642*   6 *Guyane 1643*

7 *Territoires sur la route des Indes (no date given)*   8 *Algérie 1830*   9 *Maroc 1881*   10 *Tunisie 1912*   11 *L'Afrique Occidentale Française 1895*   12 *L'Afrique Equatoriale Française 1910*   13 *Madagascar 1883*   14 *Djibouti 1896*   15 *Indochine, Saigon 1858*   16 *Wallis et Futuna 1842, Tahiti 1843, Nouvelle-Calédonie 1853.*

---

p 134, activité 1

L'empire colonial français s'est construit en deux grandes vagues: la première aux 17ème et 18ème siècles, et la deuxième au 19ème siècle.

Première vague:

Au début du 17ème siècle, des colons français s'installent en <u>Amérique du Nord</u> et fondent la province du Québec en 1608. Puis, ils se déplacent vers l'intérieur du continent américain jusqu'au Golfe du Mexique, occupant ainsi une large région le long de la côte est.

La Louisiane est une région occupée par la France depuis 1682. En 1718, le port de la Nouvelle-Orléans est créé et devient la capitale de la colonie. Enfin, en 1763, les petites îles de Saint-Pierre-et-Miquelon situées au large du Canada deviennent elles aussi françaises.

Dans les Antilles, les Français s'emparent de la Guadeloupe en 1635 et de la Martinique en 1638. Ils occupent la Réunion dans l'océan Indien en 1642 et la Guyane, une région côtière du nord-est de l'Amérique du Sud, en 1643.

Enfin, la France détient aussi cinq territoires sur la route des Indes: Mahé, Karital, Pondichéry, Yanaon et Chandernagor.

Deuxième vague:

Pendant le 19ème siècle, la France étend son empire colonial dans différentes régions: en Afrique, en Asie et dans l'Océan Pacifique.

En <u>Afrique du Nord</u>, ou "Maghreb", la colonisation de l'Algérie commence en 1830 avec la prise d'Alger, et le Maroc et la Tunisie deviennent des protectorats français respectivement en 1881 et 1912.

Au <u>sud du Sahara</u>, la France occupe deux larges régions: l'Afrique Occidentale Française, ou AOF, à partir de 1895, l'Afrique Equatoriale Française, ou AEF, à partir de 1910.

Elle occupe aussi l'île de Madagascar dans l'Océan Indien en 1883 et Djibouti, sur la côte est du continent Africain, en 1896.

En <u>Asie</u>, la France possède l'Indochine (la Cochinchine, le Cambodge, l'Annam, le Tonkin et le Laos) et occupe la ville de Saigon à partir de 1858.

Enfin, dans le <u>Pacifique</u>, la France possède plusieurs îles et archipels comme Wallis et Futuna (1842), Tahiti (1843) et la Nouvelle-Calédonie (1853).

1b Students listen to the recording again and note down exactly what happened on each date.

Answers:

1608   *Date de la fondation de Québec*

1635–42   *Les Français s'emparent de la Guadeloupe, de la Martinique et de la Réunion*

1643   *Les Français occupent la Guyane*

1682   *La Louisiane est occupée par la France*

1718   *La Nouvelle-Orléans devient la capitale de la Louisiane*

1763   *Les îles de Saint-Pierre-et-Miquelon deviennent françaises*

1830   *La colonisation de l'Algérie commence*

1842   *La France fait l'acquisition de Wallis et Futuna*

1843   *La France fait l'acquisition de Tahiti*

1853   *La France possède la Nouvelle-Calédonie*

1858   *La France possède l'Indochine et occupe la ville de Saigon*

1881   *Le Maroc devient un protectorat français*

1883   *La France occupe l'île de Madagascar dans l'Océan Indien*

1895   *La France occupe l'Afrique Occidentale Française*

1896   *La France occupe Djibouti sur la côte est du continent Africain*

1910   *La France occupe l'Afrique Equatoriale Française*

1912   *La Tunisie devient un protectorat français*

1c Working in pairs, students confirm their list with their partner. Student A gives the date and Student B says what happened then.

1d Referring to the map and the information given in the recording, students say whether the statements are true or false.

Answers:

1 *Faux*   2 *Faux*   3 *Vrai*   4 *Vrai*   5 *Vrai*   6 *Faux*

F 36   En plus   Students are referred to Feuille 36 which covers the topic of slavery in the period of the French colonies.

2a Play the recording describing the Gauguin painting and the film *Indochine*. Referring to the list in activity 1, students note which countries have influenced each work of art.

Answers:

Paul Gauguin – Tahiti   Indochine – Vietnam.

---

p 135, activité 2

A Paul Gauguin
En 1891, Paul Gauguin, ruiné et endetté, quitte la France et va s'installer dans le Pacifique Sud. Il passe une grande partie de cette période à Tahiti et reste dans cette région jusqu'à sa mort en 1903.
Sous l'influence de la culture de la Polynésie, le style de ses tableaux change. Il s'inspire des couleurs vives des Tropiques, des paysages sauvages du Pacifique

---

et du mode de vie des habitants de Tahiti. Un style unique qui fait de Gauguin un peintre à part.

B Indochine
Ce film de Régis Wargnier, filmé au Vietnam, a obtenu l'Oscar du meilleur film étranger en 1992. Il raconte l'histoire d'une française à la tête d'une plantation d'hévéas, Elaine (jouée par Catherine Deneuve), et de sa fille adoptive, Camille. Le film se déroule à la fin de l'ère coloniale française et reflète bien tous les rêves – et les cauchemars – associés à cette époque. Les paysages sont splendides, les costumes chics, et les personnages se retrouvent pris dans une série d'événements historiques.

2b This is a gap-fill exercise. Students listen to the recording again and then complete the sentences.

Answers: **A** *France, 1891, South, 1903*   **B** *Vietnam, best foreign, 1992, time.*

2c Students listen to the recording once more and then link each phrase with the correct photo.

Answers: *Gaugin: 2, 5; Indochine: 1, 3, 4, 6.*

2d Students give an oral description of one of the photos. They should cover what can be seen in the photo, where it is and when, what the image means.

3a Having read all the sentences about aspects of the French colonial period, students classify them into positive and negative.

Answers: *Positive: 1, 2, 4, 6; Negative: 3, 5, 7, 8.*

3b Students say why, in their opinion, the French colonial period was more positive or negative. They should give three reasons on the positive side and three on the negative.

La guerre d'Algérie
pages 136–137
Materials
◆ Students' Book pages 136–137
◆ Cassette 3 side 2, CD 3
◆ Feuille 37

1a So that students may become familiar with the sequence of events in the French war with Algeria, they read the text and link each lettered paragraph with the appropriate title.

Answers:

1 B   2 D   3 F   4 A   5 E   6 C

1b Having re-read the text, students then decide whether the statements are true or false.

Answers:

1 *Vrai* **2** *Faux* **3** *Vrai* **4** *Faux* **5** *Vrai* **6** *Faux*

1c To consolidate their understanding, students list the key points in the text and then use them to write a summary in English.

Possible answer:

In 1947 Algeria was officially part of France. At that time there were nine million muslim Algerians and one million inhabitants of European origin, known as 'Pieds Noirs', of whom 80 per cent had been born in Algeria. In 1954 a group of Algerian nationalists created the FLN with the goal that Algeria should become independent. In August 1955 there was an uprising and a hundred Europeans were massacred. Thousands of muslims were killed in reprisals. Between 1956 and 1958 attacks by the FLN and military action by the French army escalated. It was an ugly war. Although de Gaulle proposed peace in 1958, it was not until 1962, after years of negotiation, that agreement was finally reached and the war was officially over. Algeria was declared independent in July 1962 and more than 700 000 Pieds Noirs were obliged to flee their native country. However, once repatriated in France many of them found it difficult to adjust and begin a new life.

2.5 million French soldiers served in Algeria. It is estimated that on the French side there were 30 000 deaths and on the Algerian side between 300 000 and 400 000 deaths.

2a Play the recording so that students can hear Laure's testimony. Students answer the questions in English.

Possible answers:

1 *Leaving their possessions and way of life behind them, they were obliged to flee Algeria and go to France*
2 *They found France cold and unwelcoming*
3 *They had not been affluent in Algeria, but worked hard and got on well with their neighbours*
4 *For members of Laure's family, the Algerian war has caused unspeakable trauma, death and disruption.*

---

p 137, activité 2a

Laure
Mes parents sont tous les deux Pieds Noirs. Mon père est né au Maroc et ma mère est née en Algérie. Quand l'Algérie est devenue indépendante en 62, ma mère etma grand-mère ont dû quitter le pays en laissant tout derrière elles: leur maison, leurs amis, leurs biens … Elles sont arrivées en France où elles ne connaissaient personne. Il faisait froid. Les gens étaient peu accueillants. Je crois que ça a dû être extrêmement difficile pour elles.

De fait, toute ma famille maternelle vivait en Algérie depuis trois générations. Ce n'étaient pas des gens riches. Ils travaillaient dur et ils s'entendaient bien avec la population locale.

Pour moi, aujourd'hui, les conséquences de cette guerre se font encore sentir. Ma mère n'aime pas en parler, à la fois parce que son pays lui manque, et à cause des choses terribles qu'elle a vécues pendant la guerre. Et puis il y aussi la tombe de mon grand-père et celles des autres membres de ma famille sur lesquelles plus personne ne peut aller …

2b By contrast with Laure, Richard's father was a French soldier in the Algerian war. Students listen to Richard's account and then complete the gaps in the sentences.

Answers:

1 *soldat, trois* **2** *jamais, cauchemars* **3** *racistes, Maghrébins*
4 *torturé, tué* **5** *français, FLN* **6** *peut-être, atroces*

---

p 137, activité 2b

Richard
Mon père a fait la guerre d'Algérie. Il a été soldat là-bas pendant trois ans et c'est une période dont il ne parle jamais. Je sais qu'il fait souvent des cauchemars et je pense que c'est une des raisons pour lesquelles il fait parfois des commentaires racistes envers les Maghrébins …

Quand on a commencé à étudier la Guerre d'Algérie en classe, j'ai lu que les soldats français avaient commis des massacres et qu'ils avaient torturé et tué de nombreux civils. C'était horrible d'entendre ça. Maintenant, je sais que la violence a eu lieu des deux côtés … Que des soldats français ont été massacrés et mutilés par les membres du FLN, mais c'est toujours aussi difficile de savoir que mon père a été exposé à toute cette violence … Que peut-être qu'il a lui aussi commis des actes atroces …

2c Maloud has a different angle again. Students listen to his perspective on the effects of the war on his family and then choose the correct words to complete the sentences.

Answers: **1** *Algérien, l'armée française* **2** *bien, Pieds Noirs*
3 *les harkis* **4** *le FLN, quitter* **5** *ancien combattant.*

---

p 137, activité 2c

Mon grand-père est harki. C'est un algérien qui a choisi de se battre avec l'armée française contre le FLN. Il m'a expliqué qu'à l'époque il s'entendait bien avec les Pieds Noirs, qu'ils vivaient tous ensemble depuis des générations et que l'Algérie était leur pays à tous …

Mais à la fin de la guerre, quand les soldats français sont rentrés dans leur pays, les harkis n'avaient nulle part où aller. Ils étaient considérés par le FLN comme des traîtres et ils ont dû quitter l'Algérie par peur de représailles.

Aujourd'hui, on vit tous en France et personnellement, je considère mon grand-père comme un ancien combattant. Le problème, c'est que pour la majorité des Français ici, nous sommes tous des Maghrébins comme les autres …

3a Working in pairs, students improvise a dialogue. Student A is a journalist and Student B is either Laure's mother, Richard's father or Maloud's grandfather. They should invent questions and responses and then change over roles.

4 Putting themselves in the shoes of a *Pied Noir* or an *harki* students describe their experiences: a before Algeria was independent, b during the Algerian war, and c after having been repatriated in France.

F 37 En plus This refers students to Feuille 37 on the war in Indochina.

Le monde francophone

pages 138–139

Materials
- ◆ Students' Book pages 138–139
- ◆ Cassette 3 side 2, CD 3

1a As they read the text, *La francophonie*, about numbers of French-speaking peoples throughout the world, students pinpoint each place on the map.

1b Re-reading the information, students note the percentages and numbers of French speakers to answer the questions.

Answers:
Belgique 40%; Québec 80%; Haïti 22%, Algérie 49%, Maroc 30%, Laos 5%; Union européenne 67 millions, Canada 6,5 millions, Louisiane 260 000, Maghreb 25 millions, Liban 800 000, Vietnam 500 000.

1c Comparing numbers of French speakers across several nations, students find information in the text.

Answers:
1 *Europe (67 millions)* **2** *Algérie, Tunisie*
3 *L'Afrique subsaharienne.*

En plus Students compare the map of the French-speaking world with that of its former colonies on page 134. They should say where there are similarities.

2a Four young French speakers from around the world describe their situation. Students listen and then fill out a form for each one.

Answers:
FICHE 1
Nom: *Khaled*
Domicile: *Algérie*
La francophonie dans sa région: *La majorité des gens parlent à la fois français et arabe*
Les aspects positifs mentionnés: *Parler français permet de lire et d'échanger des informations et d'avoir accès à une culture différente*
Les aspects négatifs mentionnés: *Etre francophone peut être un choix politique souvent dangereux*
FICHE 2
Nom: *Irène*
Domicile: *Montréal au Québec*
La francophonie dans sa région: *Le français est la langue officielle de la province*
Les aspects positifs mentionnés: *Ça donne une identité unique au Québec*
Les aspects négatifs mentionnés: *On est très loin des autres régions francophones de la planète sur un continent où la majorité des gens parlent anglais*
FICHE 3
Nom: *Jean-Nicolas*
Domicile: *Port-au-Prince à Haïti*
La francophonie dans sa région: *Environ un quart de la population est francophone*
Les aspects positifs mentionnés: *C'est possible qu'il puisse aller travailler en France et échapper à la pauvreté de son pays*
Les aspects négatifs mentionnés: *On doit utiliser plusieurs langues pour s'adresser à des personnes différentes à l'intérieur d'un pays*
FICHE 4
Nom: *Lucie*
Domicile: *Ciney, en Belgique*
La francophonie dans sa région: *les francophones sont majoritaires dans sa région*
Les aspects positifs mentionnés: *on peut communiquer avec des millions de personnes à travers le monde qui parlent français eux aussi*
Les aspects négatifs mentionnés: *vivre dans un pays divisé en deux régions qui ne parlent pas la même langue est un sérieux problème*

---

p 139, activité 2

1
Je m'appelle Khaled et j'habite en Algérie, dans la banlieue d'Alger où la majorité des gens parlent à la fois français et arabe. Etre francophone en Algérie, ça peut être un choix politique contre l'intégrisme musulman. C'est aussi souvent dangereux … En effet, de nombreux journalistes et artistes francophones ont été tués dans mon pays et beaucoup ont dû s'exiler

en France. D'un côté positif, parler français permet de lire et d'échanger des informations, sur les Droits de l'Homme par exemple, et puis aussi d'avoir accès à une culture différente.

2

Je m'appelle Irène et j'habite à Montréal, au Québec. La majorité des habitants sont francophones et le français est la langue officielle de la province. Donc pas de problème pour moi! Ce que je trouve super au Québec, c'est qu'on est différents du reste du Canada. On a une identité unique. Le seul désavantage que je vois, c'est qu'on est très loin des autres régions francophones de la planète, sur un continent où la majorité des gens parlent anglais. Et moi, je ne parle que français!

3

Je m'appelle Jean-Nicolas et j'habite à Port-au-Prince, à Haïti. Environ un quart de la population de mon pays est francophone et je me sens parfois un peu isolé ... dans une minorité. L'avantage, c'est que j'espère pouvoir aller un jour travailler en France et échapper à la pauvreté de mon pays. L'inconvénient, c'est d'avoir à utiliser plusieurs langues pour s'adresser à des personnes différentes à l'intérieur d'un même pays. Personnellement par exemple, je parle à la fois français et créole. Je suis un peu obligé ...

4

Je m'appelle Lucie et j'habite à Ciney, en Belgique. C'est un pays où l'on parle essentiellement deux langues: le français et le flamand. Dans ma région, les francophones sont majoritaires – heureusement, parce que je ne parle pas un mot de flamand! Je pense que de vivre dans un pays divisé où on parle plusieurs langues est un sérieux problème. Ça divise vraiment la population. Pour moi, être francophone est un atout important parce je peux communiquer avec des millions de personnes à travers le monde qui parlent toutes la même langue que moi.

2b Play the recording once more. Students complete each sentence with the name of one or two of the speakers.

Answers:

1 *Jean-Nicolas*   2 *Irène, Lucie*   3 *Khaled*
4 *Khaled, Jean-Nicolas*   5 *Irène*   6 *Lucie*

3   Using the outline in the table, and following the previous recording as a model, students imagine what Li and Claude might say about their experience of being French speakers in their part of the world.

Le français dans le monde

pages 140–141

Compétences

◆ Revising vocabulary and phrases

Materials

◆ Students' Book pages 140–141
◆ Cassette 3 side 2, CD 3
◆ Feuille 38

1a   This activity introduces the idea that the French language spoken around the world is not exactly the same as that spoken in France. Students try to guess the meaning of the Québecois words and match them with the French definitions.

Answers: 1 k 2 l 3 g 4 a 5 j 6 c 7 d 8 n
9 m 10 f 11 h 12 i 13 b 14 e

1b   Students categorise expressions 1–14 in activity 1a into three groups.

Answers: Derived from French: 1, 2, 3, 11, 14   Influenced by English: 5, 9, 10, 12   Imagery: 4, 6, 7, 8, 13

2a   Students read the article, *'Le Québec prend le français très au sérieux'* and answer the questions.

Answers:

1 *Le Québec est la seule province majoritairement francophone du Canada*

2 *La 'Charte de la langue française' est une collection de nombreuses lois qui protègent la langue française*

3 *Le français est la langue officielle du Québec mais le reste du Canada a pour langue officielle l'anglais*

4 *Le français doit être utilisé dans les institutions publiques et dans le monde de travail*

5 *Pour obtenir un permis de travail un médecin doit avoir un niveau de français tel que l'Office de la langue française le juge suffisant*

6 *La signalisation routière à travers le Québec est écrite exclusivement en français: un fait qui peut être difficile pour la minorité anglophone du Québec qui ne les comprend pas.*

2b   Six people give their views on the language laws in Quebec. Students listen to the recording and note whether each speaker is for or against the laws and what arguments they use to support their view.

Answers:

1 *contre, – le gouvernement ne peut pas obliger les gens à parler une langue, – c'est contre la liberté d'expression, – on doit avoir le droit de parler anglais et français*

2 *contre, – les lois actuelles montrent le Québec comme un pays peu moderne*

3 *pour, – on doit protéger le français avant qu'il ne se transforme en franglais horrible*

4 *pour, – les Québécois francophones doivent défendre leur identité culturelle*

5 *contre, – être bilingue est un avantage pas un problème, – un Québec franco-anglais serait bien plus riche qu'un Québec francophone*

6 *pour, – la francophonie est l'héritage des québecois et les lois le préservent.*

---

p 141, activité 2b

1 Je trouve ces lois absurdes. Un gouvernement ne peut pas obliger les gens à parler une langue! C'est contre la liberté d'expression! Au Québec, on devrait pouvoir parler anglais et français.

2 J'ai parfois honte d'être québécoise. Les lois actuelles montrent notre pays comme un pays peu moderne qui veut protéger ses traditions. C'est une attitude qui ne va pas avec le 21ᵉᵐᵉ siècle.

3 Je suis totalement pour ces lois. L'anglais était en train d'envahir le Québec et de transformer notre langue en franglais horrible! Je pense que le français est une belle langue qui doit être protégée.

4 Je crois que ces lois étaient nécessaires parce que le Québec est la seule province francophone du Canada. Comme toute minorité, je crois que les Québécois francophones doivent défendre leur identité culturelle.

5 A mon avis, avoir une population bilingue est un avantage pour un pays, non pas un problème à régler avec des lois! Un Québec franco-anglais serait bien plus riche qu'un Québec francophone.

6 Personnellement, je considère ces lois comme indispensables. La francophonie c'est notre héritage, notre patrimoine, notre histoire. Sans le français, le Québec n'existerait pas vraiment.

2c Working as a class, students discuss whether, with respect to the language laws of Quebec, there are more positive points or more negative ones. Students should justify their views.

3 Students give a written answer to two questions. a) They give three reasons why French is such a widespread language spoken around the world; b) They give their opinion on whether English or French is the more useful language today.

Compétences

This section gives students advice on revising vocabulary and phrases.

F 38 En plus Students are referred to Feuille 38 for further exam revision.

L'avenir de la Francophonie

pages 142–143

Grammar focus

◆ The future perfect tense

Materials

◆ Students' Book pages 142–143
◆ Cassette 3 side 2, CD 3
◆ Grammar Workbook page 78

1a Not only does the French language vary around the world, but so do the countries where it is spoken. Students read the various articles about the future of French and then match the titles with the extracts.

Answers:

1 C 2 B 3 A 4 E 5 D

1b Students re-read the articles and then answer the questions.

Possible answers:

1 *Elle se manifeste par l'assassinat de 70 journalistes et travailleurs des médias et d'un attentat destructeur contre la Maison de la Presse*

2 *La grille de programmes est construite autour de trois axes principaux: l'information, le cinéma et la fiction, et les magazines*

3 *Les chiffres montrent les inégalités énormes entre les pays en haut de l'échelle et ceux en bas*

4 *L'ACCT organise la coordination de plusieurs actions d'aide et met en place des programmes de coopération*

5 *On peut découvrir non seulement des sites français, mais aussi des sites québecois, algériens ou suisses*

6 *Des personnes qui aiment le français, le parlent, l'apprennent ou l'enseignent.*

1c Combing through the articles again, students search for words or phrases which are the equivalent of those listed.

Answers:

1 *foyers* 2 *24 heures sur 24* 3 *programmes*
4 *sont la cible de* 5 *l'assassinat* 6 *un attentat destructeur*
7 *tels que* 8 *sélectionnez* 9 *côtoyer*

2 A number of viewpoints are presented about the future of the French language around the world. Students read them and categorise them as either optimistic or pessimistic. They should then select three opinions which they feel more nearly reflect their own sentiments.

Answers:

Pessimistic: 1, 3 **Optimistic**: 2, 4, 5, 6.

3 As a class, students organise a debate about the various countries which make up the French-speaking world. One group takes the view that the mixture of countries brings a unique richness while the other group espouses the view that the mixture is a serious handicap.

4 Students say what, in their opinion, the future holds for the French language around the world. They should make a written response and use some of the ideas from the unit to justify their view.

Grammaire

This section covers the future perfect tense.

A After having re-read the extracts on page 142, students match up the two halves of each sentence and then translate them into English.

Answers:

1 b   2 d   3 a   4 e   5 c

1 *The number of deaths in Algeria will probably have increased by the next summit*
2 *Next year, many countries will have benefitted from aid given by the ACCT*
3 *Within a very few years, the Internet will have played an important role in developing the French language around the world*
4 *By offering a variety of programmes, TV5 will be watched by more and more people around the world*
5 *The inequalities within the French-speaking world will not be redressed without a huge input of aid.*

Au choix

Skills focus

◆ Pronunciation of *a*, *u* and *o*

Materials

◆ Students' Book page 144
◆ Cassette 3 side 2, CD 3

page 144

1 Students test themselves on their recollection of the details of material in the unit. They may flick through the unit to confirm their answers.

Answers:

1 *le Québec, la Louisiane*   2 *près du nord-est de l'Amérique du Sud*   3 *Maghreb*   4 *en Asie*   5 *le Pacifique*
6 *l'Afrique*   7 *Paul Gauguin*   8 *Algérie*   9 *un algérien qui a choisi de se battre avec l'armée française contre le FLN*
10 *131 milllions*   11 *la Belgique*   12 *TV5*

2a Students read the text, 'Les DOM-TOM', and then find the places mentioned on the map on page 138.

2b Bearing the article 'Les DOM-TOM' in mind, students listen to eight sentences and decide whether they are true or false. They correct the false ones.

Answers:

1 *Faux, depuis 1946*   2 *Vrai*   3 *Vrai*   4 *Faux; elle se trouve à Kourou en Guyane*   5 *Vrai*   6 *Vrai*
7 *Faux, elle a lieu en Nouvelle-Calédonie*
8 *Faux; les îles de la Polynésie française.*

---

p 144, activité 2b

Les DOM-TOM
1 La Martinique, la Guadeloupe, la Guyane et la Réunion sont des Départements d'Outre Mer depuis 1986.
2 Les Territoires d'Outre Mer ont un statut différent des Départements d'Outre Mer.
3 La Nouvelle-Calédonie fait partie des Départements d'Outre Mer.
4 La base spatiale de la fusée Ariane se trouve à Mururoa.
5 La France a effectué des essais nucléaires dans le Pacifique.
6 Le niveau de vie est souvent plus élevé dans la métropole que dans les DOM-TOM.
7 La tension entre Kanaks et Caldoches a lieu à Kourou.
8 Les îles de l'Asie française ont connu des vagues de violence.

---

3 Students give a two-minute talk to the class about one aspect of the French-speaking world. They can choose between: France's colonial history; Quebec; the pros and cons of the French language around the world; the mosaïc of people and cultures. Students should use the vocabulary in the unit and refer to the Compétences box on page 71.

4 Students write 150 words about another of the topics suggested in activity 3.

Phonétique

Students listen to and repeat the sounds of the three vowels, *a*, *u* and *o*.

---

p 144, Phonétique

1 Louisiane, Guyane, platane, banane
2 une, lune, dune, prune
3 couverture, voiture, écriture
4 francophone, anglophone, téléphone

Copymasters

Feuille 36 L'esclavage

1a Students read the article 'L'esclavage' adapted from L'Etat de la France Junior, and then answer the questions.

Answers: 1 *l'Algérie* **2** *des raisons politiques, militaires et commerciales* **3** *la canne à sucre* **4** *Nantes, Bordeaux, la Rochelle* **5** *l'île de la Réunion* **6** *les esclaves* **7** *1848* **8** *Cayenne*

1b Referring back to the article, students search for synonyms for the words given.

Answers: 1 *propices* **2** *nécessitait* **3** *marchandises* **4** *la fortune* **5** *fondée* **6** *définitivement*

2 Students explain, in English, the concept of the 'triangle of commerce'.

Possible answer:
Three points around the globe, Europe, Africa and the West Indies, were connected by trade. France exported European merchandise to Africa; in exchange for the goods the French took slaves from Africa and brought them to the West Indies where they provided a workforce; tropical products (such as sugar) were then sent from the West Indies to France.

Feuille 37 La guerre d'Indochine

 1a Students listen to the recording about the war in Indochina. Then they match the two halves of the sentences.

Answers: 1 E **2** A **3** H **4** D **5** F **6** G **7** B **8** C

F37, activité 1a

La Guerre d'Indochine opposa la France et les troupes nationalistes d'Hô Chi Mihn (appelées 'Viet Mihn') qui voulait un Vietnam libéré de toute occupation française.

En 1946, la guerre est déclenchée par deux événements: le bombardement du port d'Haiphong par l'armée française qui fait environ 6000 morts, suivi par le massacre de nombreux européens à Hanoi pendant une campagne de terreur du Viet Mihn.

Pendant plusieurs années, le conflit militaire oppose une armée francaise, bien équipée, à des soldats Viet Mihn recrutés dans la population. Mais malgré cet avantage sur papier, les Français subissent de lourdes pertes, en particulier dans les régions difficiles d'accès.

En 1954, la tristement célèbre bataille de Dien-Bien-Phu met fin à la guerre. Les troupes françaises, encerclées, subissent une dernière défaite et la France capitule après cette terrible bataille. Les accords de Genève sont signés en 1954, mettant officiellement fin à la présence française en Indochine.

1b Listening to the recording once more, students find the translations for the English phrases.

Answers: 1 *une campagne de terreur* **2** *un conflit militaire* **3** *un avantage sur papier* **4** *de lourdes pertes* **5** *la célèbre bataille* **6** *une dernière défaite*

2 Students translate the summary of the process of decolonization into English.

Possible answer:
During the twenty years which followed the end of the Second World War, France lost nearly all of its colonies. For most of the regions affected, this decolonization occurred without violence and peaceful agreements were signed between France and its former colonies. Numerous countries became independent in this manner and those countries which remained under French control were given a new status and today form the DOM-TOM (Overseas Departments and Territories). However, this period of decolonization was also marked by two long wars: the war in Indochina (1946–1954), and the war in Algeria (1954–1962).

Feuille 38 Revision tips

1 Students read the tip on agreement of participles and adjectives. Then, students find the words listed within Unité 11 and work out their gender from the context.

Answers: 1 *colonie (f)* **2** *raison (f)* **3** *ressource (f)* **4** *être humain (m)* **5** *produit (m)* **6** *esclavage (m)*

2 This revision tip refers to activity 2a on page 139. Students revise which preposition should be used before place names.

Answers: 1 *en Algérie* **2** *à Alger* **3** *en Belgique* **4** *au Québec* **5** *à Montréal* **6** *au Canada*

3 This tip reminds students how to use the imperfect and the perfect tenses. Re-reading Laure's text on page 137, students find five examples of each tense and explain why it was used.

Possible answers:
Perfect tense (used because these are distinct events which occurred in the past): Mon père <u>est né</u> au Maroc et ma mère <u>est née</u> en Algérie; Quand l'Algérie <u>est devenue</u> indépendante en 62, ma mère et ma grand-mère <u>ont dû</u> quitter le pays en laissant tout derrière elles: leur maison, leurs amis, leurs biens … Elles <u>sont arrivées</u> en France …
Imperfect tense (representing ongoing states which occurred in the past): … où elles ne <u>connaissaient</u> personne; Il <u>faisait</u> froid; Les gens <u>étaient</u> peu accueillants; … toute ma famille maternelle <u>vivait</u> en Algérie depuis trois générations; Ce n'<u>étaient</u> pas des gens riches; Ils <u>travaillaient</u> dur et ils s'<u>entendaient</u> bien avec la population locale.

4 Students re-read the tip on the imperfect and perfect tenses and translate the sentences using the appropriate tense.

Answers: 1 *Mes parents travaillaient dix heures par jour.* **2** *J'ai mangé dans un bon restaurant la semaine dernière.* **3** *On est allés en Italie l'été dernier.* **4** *Elle se levait toujours tôt, même le week-end.*

Contrôles Unités 7–11

Feuille 48 Contrôles Unités 7–11

1 Students read the readers' letters to the newspaper giving contrasting views on television programmes. They then answer the questions, aiming to respond in complete sentences. There are extra marks for the quality of the language used.

Answers:

1 *En ce qui concerne les programmes à caractère éducatif, elle est enthousiaste.*

2 *La façade humoristique représente une façon idéale de faire apprendre en s'amusant.*

3 *Ils peuvent bien s'amuser et en même temps apprendre.*

4 *Elle croit qu'ils ont de la chance d'avoir accès à l'image pour découvrir le monde.*

5 *Un programme très suivi veut dire qu'il est regardé régulièrement.*

6 *Comme ses voisins, Jean-Michel Rostagno déplore la pauvreté de la qualité des programmes à la television.*

7 *Les émissions d'aujourd'hui sont plus violentes que celles d'autrefois.*

8 *Il est probable que les enfants vont voir ces émissions étant donné leur quantité phénoménale et les heures d'écoute où elles sont programmées.*

9 *Les informations télévisées devraient être plus positives, avoir pour but d'éduquer les jeunes plutôt que de perpetrer la peur et la violence.*

10 *Non, il vaudrait mieux éliminer le déséquilibre qui renforce l'angoisse et le stress.*

(Mark scheme: 22 marks. 12 marks for answering the questions correctly. 10 marks for accuracy of language.)

Feuille 49 Contrôles Unités 7–11

The activity on this copymaster follows the style of the AQA Unit 3 assessment 'People and Society'.

See the assessment criteria tables for Unit 3 provided in the AQA specification for how to allocate marks to the activity on this copymaster.

The activity provides an opportunity for students to practise responding to questions on a piece of stimulus material. Allow students 20 minutes to prepare answers to the prompt questions given.

1 Students study the stimulus material carefully and then answer the questions. They should: Say what it is about; Summarize the two main objectives of the organisation; Say whether this sort of organisation is of interest to them and why (or why not); Say what the difficulties might be if they were to develop a similar association in their own region; Say whether they think we are already doing enough to fight ecological problems.

Feuille 50 Contrôles Unités 7–11

The activities on this copymaster follow the style of the AQA Unit 3 assessment 'People and Society'.

See the assessment criteria tables for Unit 3 provided in the AQA specification for how to allocate marks to the activities on this copymaster.

The activities provide an opportunity for students to practise responding to questions on a piece of stimulus material. Allow students 20 minutes to prepare answers to the prompt questions given.

1 Students study the cartoon and then answer the questions. They should cover: What is happening in the picture; What the cartoon tells us about French society; The meaning of the word 'exclu'; What problems immigrants have in France; Whether the most serious problems have been resolved.

2 Students write about 150 words on each of the subjects given: positive ways in which immigrants enhance French life and culture, and the advantages of a multifultural society; problems faced by working mothers and how they might be resolved.

Révisez tout

page 145

Unit 1 Part A

1 Students listen to the report about taking trips abroad to improve one's language skills. They read the sentences and choose the correct word to fill in the gaps. (5 marks)

Answers:

a ii **b** i **c** i **d** ii **e** iii

---

p 145, activité 1

Séjours linguistiques – Pourquoi partir?
Passer un an dans un pays anglophone est un excellent moyen de perfectionner son anglais. De nombreuses formules existent: une année dans un lycée, un séjour au pair, une année dans une université. Poursuivre des études universitaires dans un pays anglophone est particulièrement intéressant en économie, gestion, sciences … Un séjour d'un an s'avère, dans tous les cas, un atout aux yeux de vos professeurs et de vos futurs employeurs. Cette expérience montre que vous savez faire preuve d'adaptabilité et de maturité, d'ouverture d'esprit et de motivation personnelle.

---

2 The next recording is a news item about holidays in the mountains. Students follow the bullet points as a guide and summarize the item in English. (10 marks)

Answers:

nearly a quarter of holidaymakers (1 mark); *any two of: to escape crowds, clean air, peace, unspoilt* (2 marks); *business worth 150 thousand million / billion francs, sales of equipment are good* (2 marks); *camping on farms and rented cottages* (2 marks); *any three of: walking, climbing, mountain biking, flying* (3 marks).

---

p 145, activité 2

Destination vacances

Promenade, repos ou sport: la montagne attire près d'un quart des Français qui partent en vacances. Le bon air, le calme et l'authenticité de la montagne séduisent les Français. Pour échapper à la foule qui se masse en bord de mer, ils sont nombreux à opter pour le tourisme vert. Une tendance née dans les années 70 sur la vague des mouvements baba cool et écolo. Aujourd'hui, cet engouement pour le tourisme vert se traduit par un chiffre d'affaires de près de 150 milliards de francs. Le marché du matériel et des équipements spécialisés se porte bien. Le succès des formules d'hébergement comme le camping à la ferme ou les gîtes ruraux témoignent aussi de cet élan vers les grands espaces. De la randonnée pédestre à l'alpinisme, en passant par le VTT, l'escalade et le vol libre, les activités proposées aux vacanciers se sont diversifiées. La gastronomie et le plaisir de se retrouver en famille font le reste. Après la Côte d'Azur et l'Atlantique, les Pyrénées et les Alpes sont les destinations les plus fréquentées pendant l'été.

Unit 1 Part B

 3 After listening to the report on smoking in France, students answer the questions in French. They should aim to use complete sentences. (15 marks+ 5 marks for the quality of the language)

Answers:

a *Le tabac en France est responsable de 60 000 morts chaque année dont 5% sont des femmes.* (2 marks)

b *27% des jeunes sont touchés* (1 mark)

c *Ils en ont horreur et sont contents qu'elle ne dure que 24 heures.* (2 marks)

d *Un adulte sur trois fume* (1 mark)

e *De plus en plus de femmes fument.* (1 mark)

f *Dans 30 ans, le nombre de morts dues au tabagisme va tripler.* (2 marks)

g *Les pays en voie de développement / du Tiers Monde seront les plus touchés.* (1 mark)

h *veut, sauver, encouragent, changer, allumant* (5 marks).

---

p 145, activité 3

Les Français accros au tabac

A l'occasion de la journée mondiale sans tabac, le gouvernement lance une nouvelle campagne d'information en direction des femmes et des jeunes. Chaque année, 60 000 personnes trouvent la mort à cause de la cigarette. Reportages de la rédaction multimédia avec France Info.

C'est aujourd'hui la journée mondiale contre le tabac. Chaque année, il est responsable de 60 000 décès en France. Particulièrement visés par ce fléau: les jeunes. Selon un baromètre réalisé par le comité français d'éducation à la santé, le tabagisme touche aujourd'hui 27% des 12–18 ans. Afin d'enrayer le phénomène, associations et pouvoirs publics misent avant tout sur la prévention. Le reportage de Cécile Mimaut, France Info:

Journée noire pour les 16 millions de fumeurs. Au bureau, à la maison ou même dans la rue, ils auront sûrement droit à une petite réflexion du type «Ah non, pas aujourd'hui, c'est la journée sans tabac!», ou dans le meilleur des cas «Courage, ça ne dure que 24 heures». De quoi en énerver plus d'un.

Car la cigarette est omniprésente dans le quotidien des Français, et, de plus en plus, des Françaises. Un adulte sur trois déclare fumer, même de temps en temps. Si les hommes sont encore un peu plus nombreux que les femmes à céder à la cigarette, la part de ces dernières ne cesse d'augmenter. C'est d'ailleurs vers elles que le gouvernement entend porter ses efforts dans les années qui viennent, comme l'a annoncé hier le secrétaire d'Etat à la Santé.

Aujourd'hui, les femmes représentent 5% des décès dus au tabac, mais si la tendance se confirme, elles seront autant touchées que les hommes d'ici 50 ans. Chez les jeunes, le constat est le même. Un sur quatre avoue fumer régulièrement ou occasionnellement. Si rien n'est fait, dans une trentaine d'années seulement, le nombre de morts par an dues au tabagisme, actif ou passif, va presque tripler. Il passera de 60 000 aujourd'hui à 160 000 en 2030.

A l'échelle de la planète, les chiffres sont encore plus impressionnants: le tabac fera 10 millions de morts chaque année dans le monde d'ici 30 ans, prévient l'Organisation Mondiale de la Santé, dont les deux-tiers dans les pays en voie de développement. Parmi les mesures envisagées par l'OMS: l'interdiction de la publicité, la hausse des taxes, la lutte contre la contrebande ainsi que des programmes de prévention en direction des jeunes, principales cibles des industriels du tabac.

page 146

Unit 1 Part C

4 After reading the article on driving licences, students check the list of statements and tick six which are correct. (6 marks)

Answers:
a, d, f, g, i, k.

5   Erwan, a college student in his final year, has kept a diary while he prepares for his bac STL. Students read his account and then answer the questions in French, aiming to use complete sentences. (17 marks +10 extra for the quality of language)

Answers:
a *Il l'a passé en allemand.* (1 mark)
b *Il travaille sur ses manuels scolaires, et sur Internet si nécessaire.* (2 marks)
c *S'il ne réussit pas les épreuves pratiques il risque de ne pas avoir le bac* (1 mark)
d *Les deux fonctions sont la détente et la recherche* (2 marks)
e *L'ambiance est tendue en classe mais certains élèves sont plutôt calmes car ils ont travaillé toute l'année* (3 marks)
f *C'est un soulagement, mais le stress n'est pas fini* (2 marks)
g *Il va passer son permis de conduire et va trouver une école pour l'année prochaine* (2 marks)
h *Il compte aller à l'université* (1 mark)
i *Une ou deux personnes n'ont pas eu le bac* (1 mark)
j *(student's own answer)* (2 marks).

page 148
Unit 2
Les médias

1   Students write about 150 words. They explain two advantages for those who have an Internet connection and give their own personal opinion on the Internet.

2   Students write about 250 words. They give four examples of how the media influences young people, what they think of this influence and whether it is more positive or negative and why.

La pollution, la conservation et l'environnement

1   Students write about 150 words. They give two examples of ecological problems at a global level and say what solutions they would recommend.

2   Students write about 250 words. They give four examples of projects which combat pollution and say whether they think we have already done enough in this area.

L'immigration et le multiculturalisme

1   Students write about 150 words. They give two examples of problems which confront young immigrants to France and say what their own reaction would be faced with the same situation.

2   Students write about 250 words. They suggest four practical measures which can counter racism, discuss how racism arises and what attitude is necessary to fight it.

La France et l'Europe

1   Students write about 150 words. They give two examples of French culture and say whether they think it is necessary to protect French culture from European influences.

2   Students write about 250 words. They give two arguments for Europe and two against and say what their own personal attitude is to european integration.

Le monde francophone

1   Students write 150 words. They mention two threats the modern world poses to the French language and say what their own attitude is towards those French people who seek to protect their language from foreign influences.

2   Students write 250 words. They cite four examples of francophone countries or regions outside France and analyse the cultural contribution or the economic and social problems of at least two of these countries.

page 149
Unit 3

A   After reading the article, 'Les grands-parents, sont-ils indispensables?', students prepare their responses to the questions given. They should cover: whether grandparents still have an important role to play; what they understand 'grandparents' rights' to mean; what the causes of family conflicts may be; what they think of the system of 'borrowing' grandparents; whether they believe our society treats elderly persons respectfully.

B   Students read the statistics on drinking and young people and then answer the questions. They should say: why young people drink alcohol; why boys drink more than girls; what problems associated with drinking too much worry them most; how young people could be educated to be more responsible about drinking; what the role of parents is in this area.

page 150
Unit 3

1   Students prepare a presentation on one of the following topics. They should be ready to speak for two minutes and to answer questions which you ask them.

Le saviez-vous?

Nom _____

1 Elodie is talking about what she does after school. Fill each gap with a verb from the box, making sure you use the correct form of the present tense. *(8 marks)*

rentrer faire aller avoir descendre bavarder écrire prendre lire aimer

Quelquefois, je (**1**) _____ directement au café avec mes copines. Je (**2**) _____ un coca ou un café et je (**3**) _____ avec tout le monde. Après, je (**4**) _____ à la maison et je (**5**) _____ mes devoirs. Quelquefois, si je n' (**6**) _____ pas grand-chose à faire, je (**7**) _____ un roman ou j' (**8**) _____ une lettre. J' (**9**) _____ passer quelque temps seule dans ma chambre. Puis je (**10**) _____ voir ce qu'on va manger.

2 Now complete the statements by others in her class, using the present tense of the verb in brackets. *(9 marks)*

1 Et toi, qu'est-ce que tu _____ faire? [*préférer*]
2 Normalement, je _____ faire mes devoirs! [*devoir*]
3 Et tu _____ à quelle heure? [*finir*]
4 Christel ne rentre pas tout de suite. Elle _____ sa sœur. [*attendre*]
5 Sébastien _____ 5 kilomètres chaque après-midi. [*courir*]
6 Isabelle et Charlène, vous _____ nous voir? [*venir*]
7 Ah non, ce soir nous ne _____ pas! [*pouvoir*]
8 Elles _____ qu'elles ont trop d'autres choses à faire. [*croire*]
9 Et Simon? Il _____ peut-être venir? [*pouvoir*]

3 Complete each description with the adjective given, making sure the agreement is correct. *(10 marks)*

1 Claire a trois _____ frères. [*petit*]
2 Luc et Marc sont toujours les _____. [*premier*]
3 Suzanne est vraiment _____ en anglais! [*nul*]
4 Tu as eu de _____ résultats en maths? [*bon*]
5 Elle n'est pas intelligente mais elle est _____. [*courageux*]
6 Les jumelles sont très _____! [*actif*]
7 Alors là, tu as trouvé une _____ solution! [*beau*]
8 La plupart de nos profs sont trop _____! [*vieux*]
9 Mes amis sont tous très _____. [*intelligent*]
10 Mon frère est vraiment _____. [*paresseux*]

4 Insert the correct word for 'my', 'your', etc. into each gap. *(10 marks)*

1 Où as-tu mis _____ sac? [*your*]
2 Je ne trouve plus _____ affaires! [*my*]
3 Christophe a perdu _____ raquette de tennis. [*his*]
4 Est-ce que vous avez _____ billets? [*your*]
5 Les enfants, ont-ils _____ cahiers? [*their*]
6 Il ne faut pas oublier _____ carte de crédit! [*our*]
7 Elle fait presque tout pour _____ fils. [*her*]
8 Ils attendent _____ mère. [*their*]
9 J'aime beaucoup sortir avec _____ amis. [*my*]
10 _____ parents ne le laissent jamais sortir pendant la semaine. [*his*]

Elan 1   © Oxford University Press   127

Le saviez-vous?

Nom _____

1 **Use the clues to write a sentence summarizing what Philippe did on holiday. Follow the example and use the perfect tense.** *(8 marks)*

Example: aller   en Italie   2 semaines   =
> *Je suis allé en Italie pendant deux semaines.*

1 passer   un mois   sur la côte
_____

2 voir   les sites historiques
_____

3 visiter   les musées
_____

4 faire du shopping   choisir des souvenirs
_____

5 manger des pâtes   boire du bon vin
_____

6 ne pas avoir   le temps de tout faire
_____

7 bien s'amuser   avec mes copains
_____

8 revenir   à la fin du mois
_____

2 **Translate the underlined parts of these sentences into French.** *(8 marks)*

Example: <u>They went</u> to the Leaning Tower of Pisa.
> *Ils sont allés*

1 <u>We took</u> lots of photos.
_____

2 <u>Did you visit</u> the Vatican? *(tu)*
_____

3 <u>She wrote</u> lots of postcards.
_____

4 <u>We read</u> an Italian newspaper every day.
_____

5 <u>Didn't you see</u> Florence? *(vous)*
_____

6 <u>We went out</u> every evening.
_____

7 <u>The girls got up</u> late every day.
_____

8 <u>We waited</u> for a train for hours in Sienna.
_____

3 **You are planning an exchange visit to France. Complete the sentences with the future form of the verb in brackets.** *(8 marks)*

1 Nous _____ en Normandie pendant une semaine. [*aller*]

2 J' _____ à mon correspondant avant de partir. [*écrire*]

3 Mes parents me _____ un cadeau pour la famille. [*donner*]

4 Je _____ très content de revoir mon correspondant. [*être*]

5 Je ne sais pas exactement ce que nous _____. [*faire*]

6 Nous _____ quelques jours dans son lycée. [*passer*]

7 Ses parents nous _____ peut-être à leur gîte. [*emmener*]

8 J' _____ beaucoup de choses, j'en suis sûr. [*apprendre*]

4 **Use an appropriate form of the verb given in brackets to complete each sentence. Remember that some verbs will need *à* or *de* before the second verb.** *(8 marks)*

1 Vous _____ jouer au foot? [*préférer*]

2 Tu vas enfin _____ faire tes devoirs? [*commencer*]

3 Ah non! J'ai _____ acheter un cadeau pour son anniversaire. [*oublier*]

4 Est-ce que vous _____ m'aider? [*pouvoir*]

5 Je ne l'aime pas et je ne _____ pas le voir. [*vouloir*]

6 Tu _____ payer l'addition à la fin du repas. [*devoir*]

7 J' _____ parler espagnol, mais c'est difficile. [*essayer*]

8 Tu peux m' _____ finir tout cela? [*aider*]

How to make the most of Elan

Nom _____

1 Regardez les thèmes d'*Elan 1*, pages 2 et 3. Trouvez deux mots par thème dans cette liste.

Exemple: Unité 1 – aîné, célibataire

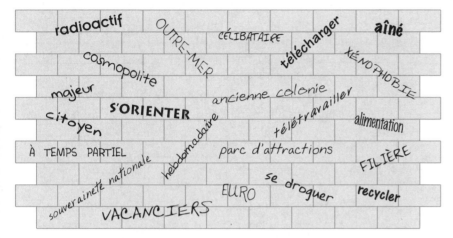

2 Traduisez ces mots dans la colonne de droite. Vérifiez avec un dictionnaire bilingue.

3 Notez des informations qui pourront vous aider à apprendre et utiliser ce vocabulaire.

Exemple: aîné = aîné(e), older, elder = noun + adjective

4 Faites des phrases avec les mots ci-dessus. Attention! Il faut aussi utiliser les points de grammaire indiqués!

Exemple: **1** Ma sœur aînée est encore célibataire.
L'aîné des garçons étudie à l'université.

1 a present tense
2 a negative
3 an adverb
4 *depuis*
5 a possessive adjective
6 the imperfect tense
7 the perfect tense
8 a future tense
9 a verb followed by *à*
10 a comparative
11 the pronoun *y*

5 Pliez la feuille et regardez la colonne avec les traductions. Vous souvenez-vous des mots français? Utilisez-les oralement dans une phrase avec un(e) partenaire.

FOLD

Elan 1

Jeu-test: L'histoire au présent

Nom _____

1 **Complétez chaque énigme avec les verbes à la bonne forme du présent. Ensuite, écrivez vos réponses à l'énigme. Relisez 'Histoires de France', pages 10–11, pour vérifier.**

1 Vercingétorix [*perdre*] _____ la guerre contre les Romains. Les armées romaines [*occuper*] _____ tout le pays. Où [*être*] _____ nous?

En _____

2 Il [*devenir*] _____ empereur en 800 et grâce à lui, un nouveau pays, la Francie occidentale [*naître*] _____ en 843. Qui [*être*] _____ -il?

_____

3 Elle [*obtenir*] _____ la victoire contre les Anglais à Orléans en 1429 et [*parvenir*] _____ à faire couronner Charles VII. Elle se [*nommer*] _____ :

_____

4 En 1661, je [*devenir*] _____ roi de France. Vingt ans plus tard, je [*construire*] _____ un château à côté de Paris. Qui [*être*] _____ -je?

_____

5 Le peuple de Paris [*prendre*] _____ la Bastille le 14 juillet. On [*écrire*] _____ la Déclaration des Droits de l'Homme et du Citoyen en août 89 et on [*abolir*] _____ la royauté en 92.

C'est la _____

6 Vous [*devenir*] _____ empereur en 1804 et vous le [*rester*] _____ jusqu'en 1815, année où vous [*perdre*] _____ la bataille de Waterloo. Qui [*être*] _____ - vous?

_____

7 Mobilisé dans l'armée française en 1914, tu te [*battre*] _____ contre les Allemands. Tu [*partir*] _____ dans les tranchées de Verdun. Tu [*gagner*] _____ la guerre et l'Armistice est signé le

_____

8 Pour la première fois, les ouvriers [*pouvoir*] _____ prendre des congés. Ils [*voir*] _____ leurs salaires augmenter et leurs conditions de vie s'[*améliorer*] _____ .

On est en _____

2 **Regardez les quatre derniers événements sur la ligne du temps, page 11. Ecrivez un petit paragraphe pour chacun. Utilisez les verbes donnés au présent.**

Exemple: *C'est la deuxième guerre mondiale.*

Les Allemands occupent la France …

1939-45:	occuper; collaborer; s'organiser; débarquer; libérer
1958:	devenir; connaître; obtenir
1968:	manifester; faire grève; démissionner
1981–95:	élire, abolir, obtenir, progresser

Le dictionnaire bilingue

Nom _____

1 Lisez ce texte sur Pasteur.

Louis Pasteur est né en 1822.
A l'école, il est bon élève:
il est doué pour la littérature
et les arts mais il est faible en
chimie. Pourtant, il se lance
dans des études de physique-
chimie. Il devient professeur
d'université à 26 ans. A partir de 1852, Pasteur
étudie les fermentations. Il découvre qu'elles sont
dues à des microbes. Il constate que le froid
empêche les microbes de se multiplier et que la
chaleur les tue. Cette méthode qui consiste à
chauffer les liquides et à les refroidir rapidement
s'appelle la pasteurisation. Grâce à Pasteur, on peut
conserver les boissons comme le lait plus
longtemps. Il découvre aussi qu'on peut sauver des
vies en stérilisant les instruments de chirurgie. Il fait
des découvertes sur les maladies des animaux,
comme le ver à soie. Il met au point des vaccins
pour animaux. Mais il est surtout connu pour le
vaccin contre la rage. Il existe maintenant des
Instituts Pasteur partout dans le monde.

**2a Cherchez les mots suivants dans le dictionnaire
bilingue et écrivez la traduction anglaise qui
convient au contexte. Notez à côté des mots les
renseignements donnés dans le dictionnaire.**

Exemple:

doué pour   gifted, talented (in)   past participle of
douer, adjective

partir   _____   _____
constate   _____   _____
microbes   _____   _____
tue   _____   _____
chauffer   _____   _____
refroidir   _____   _____
chirurgie   _____   _____
maladies   _____   _____
ver   _____   _____
soie   _____   _____

**2b Dans le dictionnaire bilingue, que veulent dire
les abbréviations suivantes?**

(1) _____
(2) _____
(vi) _____
(vt) _____
(loc) _____
(nm) _____
(nf) _____
(ptp) _____
(fig) _____
(gén) _____

**3 On a mal traduit les phrases soulignées dans le
texte. Qu'est-ce qui ne va pas? Utilisez un
dictionnaire bilingue pour les corriger.**

1 Pasteur is feeble in chemistry.
_____
_____

2 He launches chemistry and physics studies.
_____
_____

3 Cold impeaches germs from multiplying.
_____
_____

4 Pasteur's grace can preserve drinks like milk longer.
_____
_____

5 He puts a point on animal vaccins.
_____
_____

6 He's above all known for his vaccin against rage.
_____
_____

**4 Traduisez le texte entier en anglais sur une
feuille.**

Ecouter en plus

Nom _____

1a 🔊 **Ecoutez le premier passage ('pour' le mariage) et cochez les bonnes réponses.**

1 Christophe est marié depuis:
  a deux ans ☐
  b dix ans ☐
  c douze ans. ☐

2 Sylvie a:
  a 27 ans ☐
  b 29 ans ☐
  c 39 ans. ☐

3 Pour eux, le mariage c'est quelque chose:
  a d'extrêmement important ☐
  b de vraiment émouvant ☐
  c d'incroyablement éprouvant. ☐

4 Leurs deux familles:
  a sont assez catholiques ☐
  b ne sont pas du tout catholiques ☐
  c sont très catholiques. ☐

5 La cérémonie a eu lieu
  a à la Mairie ☐
  b à l'église ☐
  c chez la famille. ☐

1b 🔊 **Réécoutez et retrouvez les 20 mots manquants.**

De _____, il y a tellement de couples qui se séparent _____, que je pense que le _____ est un bon moyen de rendre les _____ plus durables. C'est très _____ de changer de _____ quand on _____ seulement en concubinage et je pense que ces couples font _____ d'efforts et de compromis que les couples _____ . Sans compter bien sûr le problème des _____.
Je pense qu'il est très _____ d'avoir des _____ sans être mariés. Ils n'ont pas de _____ de famille fixe et en plus, cela peut créer de nombreux problèmes légaux si le couple _____ sépare. Enfin, j'aime l'idée d'être le _____ de Sylvie et pas seulement son _____ ami ou son _____ . Ça fait tout de suite plus _____. Je crois vraiment que le mariage, c'est la plus belle preuve d'_____ qu'on peut _____ à quelqu'un.

2a 🔊 **Ecoutez le deuxième passage ('contre' le mariage) et cochez les bonnes réponses.**

1 Claire vit avec Antoine depuis:
  a plus de 18 ans ☐
  b plus de 8 ans ☐
  c près de 8 ans. ☐

2 Quand ils se sont rencontrés, elle étudiait:
  a la biologie ☐
  b la géographie ☐
  c la chimie. ☐

3 Et Antoine passait son:
  a son DAE d'histoire ☐
  b son DOA d'histoire ☐
  c son DEA d'histoire. ☐

4 Ils ne veulent pas se marier pour:
  a une seule raison ☐
  b plusieurs raisons ☐
  c quelques raisons. ☐

5 Un mariage à l'église serait vraiment:
  a excellent ☐
  b exclu ☐
  c exceptionnel. ☐

2b 🔊 **Réécoutez et retrouvez les 20 mots manquants.**

De plus, quand on aime _____, un morceau de _____ n'est pas _____ important! L'important, c'est _____ montrer son amour et sa _____ au _____ le jour. J'ai des _____ qui ont vécu _____ longtemps en concubinage et qui se _____ finalement mariés quand ils ont décidé d'avoir _____ enfants.
Ils _____ que c'est plus facile pour les documents officiels et que c'est un environnement plus _____ pour leurs enfants. Moi, je _____ personnellement que ce n'est pas une _____ valable. Je connais beaucoup de couples _____ qui se _____ et le taux de _____ est tellement élevé en _____ qu'être marié aujourd'hui ne garantit vraiment pas une vie _____ pour _____ .

Compétences en plus

Nom _____

1 Lisez le texte et faites correspondre mots et traductions.

En 1993, Rosanna Della Corte fait la une des journaux après avoir accouché d'un petit garçon à l'âge de 63 ans, devenant ainsi officiellement la mère la plus âgée au monde. Une naissance pas comme les autres puisqu'elle est le résultat d'un traitement spécial développé par le Dr Severino Antinori dans sa clinique de Rome. Son but? Permettre à des femmes ménopausées de mettre au monde un enfant malgré leur âge.

Une technique qui a soulevé de nombreux débats dans plusieurs pays. Est-il contre nature d'être mère à cet âge? Est-ce un geste égoïste ou juste une grossesse comme une autre? Doit-on condamner ou alors encourager l'utilisation de cette technique?

Autant de questions sans réponses faciles. Car d'une certaine façon, l'âge d'une mère (que ce soit une jeune adolescente de 16 ans ou une femme en âge d'être grand-mère de 63 ans) n'est-il pas seulement un des facteurs parmi tant d'autres à prendre en compte pour le bonheur d'un enfant?

1	accoucher	a	birth
2	la plus âgée	b	against nature
3	une naissance	c	to raise
4	permettre	d	selfish
5	malgré	e	among
6	soulever	f	pregnancy
7	contre nature	g	to take into account
8	égoïste	h	the oldest
9	une grossesse	i	happiness
10	parmi	j	to give birth
11	prendre en compte	k	to allow
12	bonheur	l	despite

1	2	3	4	5	6	7	8	9	10	11	12

2 Choisissez le bon titre pour chaque paragraphe (P).

P1a Un accouchement pas comme les autres.
  b Un accouchement multiple.
  c Un traitement pour un petit garçon.
P2a Condamnation mondiale.
  b Un geste egoïste.
  c Une grossesse contre nature?
P3a Les mères adolescentes.
  b Les grands-mères.
  c Peu importe l'âge des mères.

3 Relisez le texte et répondez aux questions.

1 Pourquoi Rosanna Della Corte a-t-elle fait la une des journaux?

_____

2 Qui a développé ce traitement spécial?

_____

3 Où?

_____

4 Quel est le but de ce traitement?

_____

5 Qu'a soulevé cette technique?

_____

4 Ecrivez une phrase *en anglais* qui résume le sens du texte.

_____
_____
_____
_____
_____
_____
_____
_____

Phonétique

Nom _____

1 📼 Ecoutez l'enregistrement et classez les 25 mots suivants par sons dans la grille ci-dessous.

a	
è	
é	
i	

2 📼 Ecoutez l'enregistrement et entourez dans chaque paire le mot que vous entendez.

opéra	opérée
six	sas
téter	tâter
parée	père
gare	guère
athée	été
saler	sellé
idée	aider
cadre	cèdre
lait	la

donnée	donna
bas	baie
biche	bâche
nid	nez
avis	avait
quiche	cache
câble	cible
mère	mare
neiger	nager
mêle	mâle

3 📼 Ecoutez l'enregistrement et entourez la voix qui prononce chaque mot correctement: homme ou femme?

		homme	femme
1	mardi	🧍	🧍
2	allez	🧍	🧍
3	parfait	🧍	🧍
4	lycée	🧍	🧍
5	effet	🧍	🧍
6	essai	🧍	🧍
7	équipe	🧍	🧍
8	âme	🧍	🧍
9	seize	🧍	🧍
10	pêche	🧍	🧍
11	gîte	🧍	🧍
12	veine	🧍	🧍
13	femme	🧍	🧍
14	filer	🧍	🧍
15	guitare	🧍	🧍
16	exercice	🧍	🧍
17	style	🧍	🧍
18	forêt	🧍	🧍
19	île	🧍	🧍
20	chèque	🧍	🧍

Elan 1

Compétences en plus

Nom _____

1a 🔊 **Ecoutez Hélène et répondez aux questions.**

Quand:

1 va-t-elle à la piscine?
_____

2 fait-elle du shopping?
_____

3 va-t-elle en boîte?
_____

4 va-t-elle au cinéma?
_____

Avec qui:

5 va-t-elle à la piscine?
_____

6 va-t-elle en ville?
_____

7 va-t-elle en boîte?
_____

8 va-t-elle au cinéma?
_____

1b Réécoutez l'enregistrement et entourez les bons mots.

1 Elle [a / n'a pas] le droit de sortir en semaine.
2 Ses parents [vérifient régulièrement / ne vérifient jamais] ses résultats scolaires.
3 D'habitude, elle a de [bonnes / mauvaises] notes.
4 Du coup, elle [travaille peu / travaille dur] au lycée.

2 À vous maintenant de raconter ce qu'Hélène a dit. Prenez des notes ci-dessous.

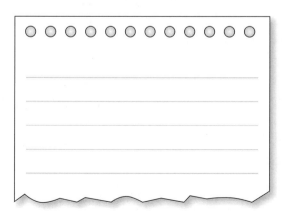

3 🔊 **Ecoutez Cédric et répondez aux questions.**

1 Quel âge a Cédric?
_____

2 Combien de fois par semaine sort-il?
_____

3 Qui vient le chercher en voiture?
_____

4 Où passe-t-il ses samedis soirs?
_____

5 Quand fait-il du vélo?
_____

6 Avec qui?
_____

7 Où?
_____

8 Que fait-il le dimanche?
_____

9 Avec qui?
_____

10 Qu'est-ce que Cédric n'aime pas?
_____

11 Quel est son film préféré?
_____

12 A son avis, pourquoi les jeunes d'aujourd'hui sont-ils assez stressés?
_____

13 Selon lui, qu'est-ce qui est important pour un adolescent? (3)
_____

14 Comment sont ses parents?
_____

15 A quelle heure veulent-ils que Cédric rentre à la maison?
_____

16 Qu'est-ce que Cédric n'a pas le droit de faire? (2)
_____

17 Quand a-t-il le droit d'inviter des amis à la maison?
_____

4 🔊 **Ecoutez quelques chiffres et notez, en français, ce que vous avez entendu.**

Compétences en plus

Nom _____

1 **Lisez ce texte et de la liste ci-dessous choisissez les expressions-clés.**

> Chaque week-end, des dizaines de jeunes Français partent sur les plages de la côte atlantique avec une même mission: ramasser les ordures qui restent sur le sable après chaque marée. Ils sont tous volontaires – et non payés – poussés par un mélange de civisme et de convictions écolos. Certains sont étudiants, d'autres lycéens, avec dans certaines équipes de jeunes écoliers de moins de 14 ans.
>
> Mais peu importe leur âge, ils sont tous extrêmement motivés. Et ils en ont besoin! En effet, nettoyer une plage n'est pas un travail facile. Il faut marcher sur le sable mouillé, utiliser des gants et des bottes en plastique, et surtout déplacer plein de sacs d'ordures. Mais le résultat en vaut souvent la peine, comme l'explique Sarah: *"On arrive et il y a des sacs plastiques partout, des cannettes en aluminium, des bouteilles, etc. Et quand on repart, il n'y a plus que du sable. Une plage parfaitement propre, sans danger pour les gens ou les animaux."*

a chaque week-end

b des dizaines de jeunes

c les plages de la côte atlantique

d ramasser les ordures

e les ordures restent sur le sable après chaque marée

f ils sont tous volontaires

g certains sont étudiants

h convictions écolos

2 **Relisez paragraphe 2 et faites une liste des expressions-clés en anglais.**

3 **Regardez les deux résumés. A votre avis, lequel des deux est le meilleur? Pourquoi? N'oubliez pas qu'un bon résumé contient toutes les expressions-clés, qu'il est juste, et qu'il n'est pas tout simplement une traduction.**

Résumé A

> Each weekend, dozens of young French people gather on beaches along the Atlantic coast to pick up rubbish littered on the sand. They are all unpaid volunteers. Some are students, others are schoolchildren. But regardless of their age, they are all extremely motivated – something which is essential for the job. Indeed, picking up rubbish on a beach is not easy. It requires effort, as well as the use of protective equipment such as boots and gloves. But in the end, it's all worth it, as Sarah explains: 'When we get there, the beach is covered in plastic bags, cans, bottles and so on. When we leave, it's spotless. Safe for people and animals.'

Résumé B

> Dozens of young, ecologically-minded, volunteers clear rubbish on the Atlantic coast beaches at the weekend.
> It is hard work, but the end result of a clear beach is well worth it.

Nom _____

1 👥 **Regardez les deux fiches. A joue le rôle de Laurent. B lui pose des questions sur son petit boulot. Puis changez de rôles: B joue le rôle de Béatrice, A pose des questions.**

Nom:	Laurent
Age:	17 ans
Petit boulot:	travaille dans la cuisine d'un hôtel dans les Alpes
Horaires de travail:	samedis et dimanches / 8:00–13:00
Salaire:	2000 francs par mois
Aspect(s) positif(s):	peut faire du ski ou des randonnées l'après-midi
Aspect(s) négatif(s):	travail difficile et patron pas sympa

Nom:	Béatrice
Age:	17 ans
Petit boulot:	aide une personne âgée
Horaires de travail:	tous les soirs de 18 à 20 heures, y compris le week-end
Salaire:	2000 francs par mois
Aspect(s) positif(s):	s'entend très bien avec Madame Bousquet
Aspect(s) négatif(s):	doit se coucher plus tard pour pouvoir faire ses devoirs

2 **A votre avis, qui a le travail le plus difficile? Laurent ou Béatrice? Comparez les deux petits boulots (de l'activité 1) par écrit en utilisant des expressions comme 'tandis que' ou 'alors que'.**

Exemple: Laurent travaille deux jours par semaine alors
que Béatrice travaille tous les soirs.

3 **Répondez par écrit aux questions suivantes.**
   ◆ Etes-vous indépendant(e)?
   ◆ Selon vous, quels sont les principaux signes d'indépendance pour un jeune?

4 **Essayez de parler pendant deux minutes sur le sujet suivant. Vous pouvez utiliser les points-clés fournis et ajouter tout autre point qui vous semble intéressant.**

> **Sujet:** *Des parents stricts: une chance ou un handicap?*

Chance	Handicap
donne un bon système d'éthique	manque de liberté
offre un milieu familial stable	risque de créer des adolescents immatures
protège contre certains dangers	peut entraîner des situations violentes

5 **Faites une liste de points-clés sur le sujet suivant et présentez-le à l'oral en deux minutes. Vous pouvez également enregistrer votre travail sur cassette.**

Sujet: Quels sont les avantages et les
inconvénients d'avoir un petit boulot?

Avantages: on dispose de plus d'argent
…

Passe-temps

Nom _____

1a 📼 Regardez cette liste de passe-temps traditionnels. Ecoutez la cassette et numérotez-les en ordre en suivant les témoignages de ces 15 Français.

jardinage _____
bricolage _____
cuisine _____
pêche _____
couture _____
jeux de société _____
collection _____
peinture/dessin _____
sculpture _____
lecture _____
écriture _____
photographie _____
musique/chant _____
théâtre _____
danse _____

1b 📼 Réécoutez et notez les détails.

2 👥 Ecrivez des témoignages semblables à ceux de l'activité 1 pour les sports de la liste A ou B. A décrit ses sports un par un à B. B doit retrouver l'ordre dans lequel il/elle les a entendus. Ensuite changer de rôles.

A		B	
football	_____	basket-ball	_____
tennis	_____	volley	_____
natation	_____	rugby	_____
handball	_____	athlétisme	_____
escalade	_____	ski	_____
judo	_____	cyclisme	_____
voile	_____	surf	_____

3a 📼 Ecoutez ces opinions sur l'Internet et reliez-les aux titres suivants.

1 UN NOUVEAU VIRUS ATTAQUE LE WORLD WIDE WEB.

2 Courrier électronique: entre lettre et coup de téléphone.

3 **Vous cherchez quelque chose?** Tapez www.yahoo.fr et le monde est à vous!

4 L'Internet: un réseau qui rapproche ou qui isole?

5 *BANQUE, ACHATS, LOISIRS:* le consommateur de demain sera branché.

6 L'Internet, ennemi numéro un des enfants et des adolescents.

3b 📼 Réécoutez et faites une liste des arguments avancés pour chaque opinion.

_____
_____
_____
_____
_____
_____
_____
_____
_____

4 Et vous? Que pensez-vous de l'Internet? Faites une liste des points positifs et négatifs à ce sujet.

Nom _____

Les sports à la mode

LES FRANÇAIS **pratiquent certains sports en masse comme le football, le tennis ou le cyclisme avec des millions d'amateurs dans le pays et des champions connus à travers le monde. Mais il existe aussi d'autres sports qui ne sont pas forcément médiatiques mais qui répondent à de nouveaux besoins comme l'envie d'être près de la nature, la recherche de sensations fortes ou qui font partie de l'univers culturel de certains jeunes.**

Nature

La fin des années 90 a été marquée par un essor important des sports de plein air. Pratiqués à l'extérieur, des sports comme le VTT, l'escalade ou la randonnée permettent à la fois d'oublier le stress de la vie moderne et de profiter au maximum de la richesse naturelle du pays.

En effet, avec plusieurs grands massifs montagneux, des rivières et des gorges célèbres comme celles de l'Aveyron ou de l'Ardèche, trois côtes maritimes différentes et des parcs et forêts disséminés à travers le territoire, la France est un pays idéal pour pratiquer un sport 'outdoor'.

De plus, des sports comme le VTT ou la randonnée ne demandent quasiment pas d'équipement (un vélo/des chaussures) ou d'entraînement. Ils sont considérés comme des sports 'purs' – sans compétition ou champions mondialement connus – et attirent tous ceux qui préfèrent évoluer dans un décor naturel plutôt que faire partie de l'univers médiatisé des sports comme le football ou le tennis.

Sensations fortes

La montée des sports à sensations fortes est en partie liée à l'engouement des Français pour le sport-aventure qu'on retrouve dans des courses au décor exotique comme le Paris-Dakar ou le Raid Gauloises, sans compter les nombreuses émissions télévisées qui mélangent sport et aventure.

Les sensations recherchées sont variées. Il peut s'agir de sports qui sont basés sur la peur comme le saut à l'élastique ou le rafting, de sports de vitesse comme le ski, de sports qui permettent d'évoluer dans un élément excitant – air ou mer – comme le deltaplane ou la plongée sous-marine et enfin de sports de glisse qui procurent des sensations de fluidité comme le surf.

Certains de ces sports demandent aussi un certain degré de courage (ou d'inconscience!) et sont surtout recherchés par de jeunes adultes. Ils sont aussi parfois utilisés par des entreprises qui organisent des stages de formation pour leurs employés basés sur l'esprit d'équipe ou le défi personnel.

Sports branchés

Les sports branchés sont surtout pratiqués par des jeunes et ils font souvent partie intégrante de leur culture. En effet, des sports comme le surf ou le basket ont une influence que l'on retrouve un peu partout.

La mode des vêtements de surf des neiges avec ses couleurs bariolées se retrouve ainsi dans la mode des villes; les chaussures, T-shirt et casquettes de basket jouent un grand rôle dans l'univers de la musique rap, et des champions de surf comme Kelly Slater sont aussi célèbres pour leur mode de vie alternatif (musique grunge, positions pro-écologie) que pour leurs talents sportifs.

Cependant, probablement à cause de leur attitude, les jeunes qui pratiquent certains sports branchés sont aussi parfois critiqués, comme par exemple les surfeurs des neiges qui sont régulièrement accusés de provoquer des collisions avec les skieurs 'traditionnels' ou de déclencher des avalanches en faisant du hors-piste.

1 Lisez cet article et trouvez les sports suivants dans le texte.

1 deux sports qui ne demandent quasiment pas d'entraînement _____

2 deux sports basés sur la peur _____

3 deux sports médiatisés _____

4 un sport de glisse _____

5 deux sports qui permettent d'évoluer dans un élément excitant _____

6 un sport de vitesse _____

2 Trouvez dans le premier paragraphe (Nature) l'opposé des mots suivants.

1 artificiel _____   4 intérieur _____

2 diminution _____   5 ancienne _____

3 identiques _____   6 repoussent _____

3 Trouvez dans le deuxième paragraphe (Sensations fortes) la traduction des mots suivants.

1 speed _____   4 craze _____

2 races _____   5 fear _____

3 training course _____   6 challenge _____

4 Trouvez dans le troisième paragraphe (Sports branchés) les mots correspondants à ces définitions.

1 manière passagère de s'habiller _____

2 qui est très connu _____

3 skier à l'extérieur des pistes balisées

_____

4 qui a plusieurs couleurs _____

5 déclencher _____

6 qui est très bon dans un sport _____

5 Ecrivez, en anglais, un resumé de cet article.

Une lutte à mort

Nom _____

1a 👥 Découpez les cases avec ces 16 loisirs et tirez-les au sort un par un. Placez-les sur la première colonne de la grille et pour chaque paire, choisissez le loisir que vous préférez en expliquant pourquoi. Continuez colonne après colonne. Essayez à chaque fois de justifier votre choix le plus spontanément possible. Quel est le loisir gagnant?

1 _____

2 _____   _____

3 _____   _____

4 _____   _____

5 _____   _____

6 _____   _____

7 _____   _____

8 _____   _____

9 _____   _____

10 _____   _____

11 _____   _____

12 _____   _____

13 _____   _____

14 _____   _____

15 _____   _____

16 _____

aller au cinéma	aller en boîte	aller au théâtre	aller à un concert
visiter un musée	voir une exposition	lire un livre	regarder la télé
aller au restaurant	faire du shopping	jouer à un jeu vidéo	écouter de la musique
écrire	dessiner	jardiner	bricoler

✂

1b Créez vous-même 16 éléments pour un nouveau jeu. Vous pouvez utiliser par exemple:

- ◆ 16 noms d'émissions de télé
- ◆ 16 films célèbres
- ◆ 16 sports
- ◆ 16 endroits touristiques

      Elan 1

Les drogues illicites

Nom _____

1a Remplissez les blancs dans les textes A–E avec les mots de l'encadré ci-dessous.

A

Le cannabis est une _____ qui permet de produire deux grands types de drogues: les _____ et les fleurs séchées donnent la _____; la résine donne le haschisch. Le cannabis est généralement fumé pur ou mélangé avec du tabac. Il provoque des sensations d'euphorie mais aussi des hallucinations et des problèmes de _____ et de concentration.

B

L'ecstasy est un produit _____ proche des amphétamines qui se présente sous forme de _____. L'utilisation d'ecstasy entraîne des troubles du comportement et du _____ cardiaque. Dans certains cas, l'absorption d'une seule pilule peut provoquer la _____.

C

L'héroïne provient d'une plante – le pavot – dont sont aussi extraits l'_____ et la morphine. L'héroïne peut être _____, aspirée par le nez ou injectée dans les _____. L'utilisation d'héroïne provoque une sensation de _____ intense mais brève qui pousse à l'augmentation progressive des doses. Cette drogue entraîne une dégradation progressive de la _____ de ceux qui la consomment et une _____ peut entraîner la mort.

D

La cocaïne est une _____ blanche extraite de la feuille d'une plante – la coca. La cocaïne peut être "sniffée" par le _____ ou injectée. Elle provoque de fortes sensations brèves, et endommage le _____ et le système _____. Une overdose peut aussi causer la mort.

E

Le _____ est un mélange de cocaïne et de produits chimiques particulièrement dangereux. Il se présente sous forme de cristaux qui dégagent des gaz toxiques en brûlant. Le crack provoque une stimulation très forte qui peut entraîner des _____ extrêmement violents.

fumée	marijuana	overdose	crack	mémoire	veines	nez	poudre	pilules	mort	cœur	chimique

comportements   opium   plante   santé   nerveux   plaisir   feuilles   rythme

1b 🔊 **Ecoutez pour vérifier.**

Photocopiable   © Oxford University Press

Compétences en plus

Nom _____

1a Lisez ce paragraphe au sujet du suicide. Puis trouvez dans le texte la traduction des mots suivants.

> Les gens qui se suicident se posent souvent beaucoup de questions sur la vie en général et ont du mal à trouver leur place dans la société. Ils peuvent avoir peur de l'avenir, du chômage, et trouvent différents aspects du quotidien difficiles à vivre. Dans certains cas, le suicide est une réaction à un événement précis, dans d'autres il intervient à la fin d'une longue période de dépression. Enfin, certaines personnes choisissent de se donner la mort parce qu'elles sont atteintes d'une maladie incurable.

1 le futur _____
2 particulier _____
3 décident de _____
4 mortelle _____
5 se suicider _____

1b Relisez le texte et trouvez l'opposé des mots suivants.

1 au début de _____
2 faciles _____
3 réponses _____
4 courte _____
5 la mort _____

2a Reliez les phrases. Notez si les expressions ont la même signification (oui ou non).

1 A tout âge, les hommes meurent plus que les femmes.
2 L'alcool est une drogue légale.
3 Les somnifères sont des médicaments contre l'insomnie.
4 Les végétariens ne mangent pas de viande.
5 Le nombre de tués dans les accidents de la route diminue depuis plusieurs années.
6 Fumer est une habitude nocive pour la santé.

a Les médicaments qui aident à rester éveillé sont appelés somnifères.
b Depuis plusieurs années, le nombre de morts dans les accidents de la route est en baisse.
c Le tabagisme n'est pas dangereux pour la santé.
d A tout âge il y plus de décès parmi les femmes que parmi les hommes.
e L'alcool est une drogue licite.
f Les végétariens sont pour la consommation de produits animaux.

	a–f?	oui ou non?
1		
2		
3		
4		
5		
6		

2b Toutes les expressions doivent avoir la même signification. Changez donc les expressions contraires.

Troubles de l'alimentation

Nom _____

1 Lisez ce passage et décidez si les affirmations suivantes sont vraies ou fausses.

L'anorexie

L'anorexie touche essentiellement les jeunes filles, avec neuf filles anorexiques pour un garçon. La plupart des anorexiques viennent de milieux sociaux plutôt favorisés. Elles sont généralement bonnes élèves à l'école avec une grande volonté personnelle.

Les personnes anorexiques sont obsédées par l'idée de perdre du poids et essayent de manger le moins possible. Elles veulent contrôler leurs corps et font aussi parfois beaucoup de sport ou d'activité physique pour être bien sûres de ne pas grossir. Dans la plupart des cas, l'anorexie disparaît après quelques mois ou années, mais dans quelques cas extrêmes, l'anorexie peut entraîner la mort.

Aujourd'hui, il y a un grand débat au sujet de l'anorexie et de l'image des femmes dans les médias. Ainsi, il serait possible que l'image de mannequins de mode extrêmement minces influence beaucoup de jeunes filles et soit une des raisons de l'anorexie.

1 L'anorexie touche seulement les jeunes filles.
2 La plupart des anorexiques ont de mauvais résultats scolaires.
3 Les personnes anorexiques veulent contrôler leur corps.
4 Dans la majorité des cas, l'anorexie entraîne la mort.
5 Il pourrait y avoir un lien entre l'image des femmes dans les médias et l'anorexie.

2 Lisez le passage suivant et remplissez les blancs.

LA BOULIMIE

La boulimie touche des personnes qui trouvent un grand confort dans la nourriture. Elles mangent beaucoup plus que la normale, souvent pour compenser des problèmes personnels.

Les personnes boulimiques ont du mal à contrôler ce qu'elles mangent et peuvent absorber de grandes quantités de nourriture en peu de temps, sans pouvoir s'arrêter. Beaucoup de boulimiques décident ensuite de se faire vomir ou de jeûner pour essayer de ne pas trop grossir. De ce fait, certaines personnes peuvent souffrir de boulimie et rester très minces.

Dans certains cas, une personne boulimique peut faire alterner des épisodes de consommation excessive de nourriture et des périodes d'anorexie. La plupart du temps, la boulimie s'arrête quand les problèmes personnels de la personne diminuent ou disparaissent.

1 Les personnes boulimiques mangent _____ que la normale.
2 Elles ont du mal à _____ de manger.
3 Beaucoup de boulimiques se font vomir ou _____.
4 On peut être boulimique et rester _____.
5 Une personne boulimique peut faire alterner des épisodes de boulimie et _____.

3 🔊 👥 Ecoutez cinq questions sur l'anorexie et cinq sur la boulimie. Répondez oralement à chacune d'entre elles.

© Oxford University Press 143

Lire en plus

Nom _____

Lettre ouverte d'un lycéen sur l'avenir

Je m'appelle Eric. J'ai dix-sept ans. Je suis en terminale dans un lycée de la banlieue parisienne. J'y prépare un bac professionnel avec une spécialisation en mécanique.

La mécanique, c'est une passion et c'est pour ça que j'ai choisi cette filière. J'ai de la chance parce que j'ai des copains à qui on en a imposé une qui ne les intéressait pas du tout.

Comme je n'ai pas envie de faire des études longues, j'envisage d'entrer dans la vie active après le bac. J'ai l'intention de travailler dans la construction automobile. Je suis un peu inquiet par rapport au travail. Ça ne sera sans doute pas facile d'en trouver. Il y a tellement de chômage chez les jeunes, ce n'est pas très encourageant.

Pourtant, la construction automobile est un secteur que je connais bien. J'y ai déjà un peu d'expérience puisque j'ai fait un stage en entreprise de deux mois l'année dernière chez Renault Véhicules Industriels. J'en referai un autre là à la fin de l'année.

J'espère que ces stages me permettront de trouver plus facilement un emploi. Je connais des gens qui ont fait des stages chez Renault et qui y ont été pris après le bac. Alors, je suis plein d'espoir!

1 **Lisez la lettre d'Eric.**

2 **Vrai ou faux? Corrigez si c'est faux.**

1 Eric étudie la mécanique.
2 On lui a imposé cette filière.
3 Il veut travailler tout de suite après le bac.
4 Il est sûr de trouver du travail.
5 Il a fait un stage dans la construction automobile.
6 Il travaillera chez Renault après le bac.

_____
_____
_____
_____
_____
_____
_____

3 **Répondez aux questions.**

1 Pourquoi Eric fait-il un bac professionnel en mécanique? (deux raisons)
2 Quelle expérience professionnelle a-t-il?
3 Est-il optimiste ou pessimiste pour l'avenir? Pourquoi?
4 A votre avis, Eric a-t-il des chances d'être pris chez Renault? Pourquoi?

4 **Points-langue. Trouvez dans le texte:**

1 Quatre expressions qu'Eric utilise pour parler de l'avenir.

Exemple: *je n'ai pas envie de …*

2 Trois exemples du pronom *en* et trois exemples du pronom *y*. Quels sont les mots remplacés?

Exemple: *on __en__ a imposé une (une filière)*

3 Trois verbes au futur simple. Notez leur infinitif.

5 **A vous d'écrire une "lettre ouverte sur l'avenir" d'environ 150 mots. Utilisez le texte comme modèle et utilisez les points-langue de l'activité 4.**

Ecouter en plus

Nom _____

Voici le témoignage de deux femmes dans des métiers "d'homme".

1 📼 **Ecoutez Vanessa. Complétez le résumé de ses études avec les expressions de l'encadré.**

Vanessa n'a pas suivi (1) _____ _____ . Elle a choisi de faire des études d' (2) _____ . Elle a maintenant un diplôme d' (3) _____ _____ . Elle est chef d' (4) _____ , un milieu très 'macho'. Elle a réussi à s'imposer grâce à (5) _____ .

un chantier naval
ses études et compétences techniques
ingénieur spécialisé
une filière typiquement féminine
architecture navale

2 📼 **Réécoutez Vanessa. D'après ce qu'elle dit, imaginez son projet personnel au lycée. Complétez la fiche.**

a Objectif: _____
_____

b Goûts et intérêts: _____

c Résultats scolaires: _____

d Filières: _____

e Qualités personnelles: _____

f Moyens financiers: _____

3 📼 **Ecoutez Sylvie, 30 ans, pilote de ligne. Répondez aux questions (le nombre de détails à donner est entre parenthèses.)**

1 Pourquoi Sylvie voulait-elle être pilote? (2)
_____
_____

2 Quelle a été la réaction de ses parents? (2)
_____
_____

3 Quelle est la situation familiale de Sylvie? (2)
_____
_____

4 D'après Sylvie, quels sont les avantages (1) et les inconvénients (1) de son métier?
_____
_____

5 Quel conseil Sylvie donne-t-elle aux filles? (1)
_____
_____

4 📼 **Réécoutez Sylvie. D'après ce qu'elle dit, imaginez son projet personnel et complétez la fiche.**

a Objectif: _____

b Goûts et intérêts: _____

c Résultats scolaires: _____

d Filières: _____

e Qualités personnelles: _____

f Moyens financiers: _____

© Oxford University Press

Compétences en plus

Nom _____

> **To improve a text**
> - use quotes and figures
> - use striking images and phrases (adjectives, adverbs, exclamations)
> - ask questions to involve readers
> - use conjunctions, demonstratives, pronouns, etc. to link sentences

> En Grande-Bretagne aussi, les filles ont un handicap dans la vie active.

Ecrivez un paragraphe d'environ 150 mots sur ce thème. Utilisez les suggestions ci-dessous pour vous aider.

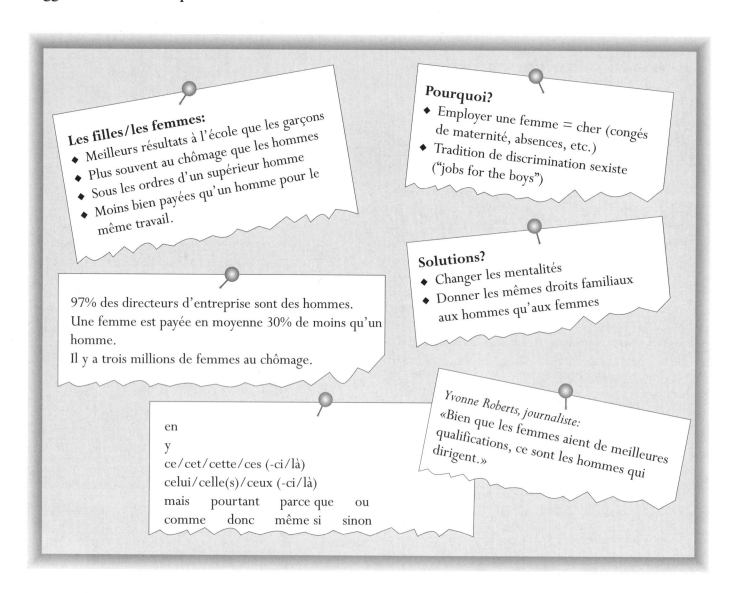

Les filles/les femmes:
- Meilleurs résultats à l'école que les garçons
- Plus souvent au chômage que les hommes
- Sous les ordres d'un supérieur homme
- Moins bien payées qu'un homme pour le même travail.

Pourquoi?
- Employer une femme = cher (congés de maternité, absences, etc.)
- Tradition de discrimination sexiste ("jobs for the boys")

97% des directeurs d'entreprise sont des hommes.
Une femme est payée en moyenne 30% de moins qu'un homme.
Il y a trois millions de femmes au chômage.

Solutions?
- Changer les mentalités
- Donner les mêmes droits familiaux aux hommes qu'aux femmes

Yvonne Roberts, journaliste:
«Bien que les femmes aient de meilleures qualifications, ce sont les hommes qui dirigent.»

en
y
ce/cet/cette/ces (-ci/là)
celui/celle(s)/ceux (-ci/là)
mais   pourtant   parce que   ou
comme   donc   même si   sinon

Lettre d'introduction

Nom _____

Caroline Morice
156, rue Balzac
62400 Béthune

Le Chef du Personnel
Club Méditerranée
Béthune, le 30 mars 2001

Madame, Monsieur,

Je suis très intéressée par le poste de serveuse au Club Med paru dans Le Monde du 22 mars.

J'ai acquis une expérience dans la restauration en travaillant dans le restaurant 'La bonne bouffe' pendant quatre mois. J'ai travaillé aussi comme monitrice dans une colonie de vacances en 1999 et en 2000. Ayant fait un stage d'un mois en Angleterre, je parle bien l'anglais.

Je pense être capable de prendre des responsabilités et j'aime le travail en équipe. J'aime le contact avec les gens et j'ai toujours eu de bons rapports avec mes collègues et avec mes clients.

Je suis disponible de mai à septembre cet été.

Je vous prie, Madame, Monsieur, d'agréer l'expression de mes sincères salutations,

Caroline Morice

Caroline Morice

---

1 **Vous décidez de vous présenter pour un des postes au Club Med, page 73. Ecrivez votre CV et votre lettre d'introduction. Pour le CV, recopiez le plan que Caroline a utilisé (page 73). Pour la lettre, suivez les conseils de cette Feuille.**

Adapting a text

Adapting a text is one of the best ways to make your own written French more idiomatic and flowing.

To adapt Caroline's letter, it's best to approach the task in several stages.

1 Study the Club Med advertisement on Students' Book page 73. Note down the requirements of the job you are applying for.

2 Read Caroline's letter. What job requirements does she refer to in each paragraph?

3 Compare Caroline's CV on page 73 with her letter. How do they link up? You will need to make sure that your letter refers to the relevant aspects of your CV too.

Now start working on your own letter of application.

◆ Plan what you will deal with in each paragraph, using your answers to points 1–3 above to help you.

◆ Study Caroline's letter. Identify phrases and structures that you can re-use, and those that you can change easily, e.g. dates, places, personal qualities. You could photocopy the text and highlight different sections.

◆ Check that all the phrases you intend to re-use are relevant to your own subject. Don't write about restaurant work if you are applying for a job as a sports instructor!

◆ Think of any other information you could include in any of your planned paragraphs. Don't just limit yourself to the original text. For example, you could say more about your personal qualities.

◆ Don't copy anything you don't understand. If you don't know what a phrase means or you can't see how a structure works, leave it out!

Le chômage

Nom _____

1 Avez-vous peur du chômage? Lisez les témoignages suivants et décidez pour chacun s'il est optimiste ou pessimiste.

Thierry

Moi, je n'y pense pas. Ce sont toujours les adultes qui parlent sans cesse du chômage. Nous, les jeunes, nous savons que la situation s'améliore. Ici dans la région il y a plein d'emplois dans tous les secteurs.

Danielle

Le chômage, ça me fait peur. C'est pour cela que je travaille très dur en ce moment pour avoir mon bac à la fin de l'année. On m'a dit que chez les jeunes qui n'ont pas le niveau bac, 36% ne trouvent pas de travail. Ça m'inquiète beaucoup.

Yannick

Moi, j'ai peur du chômage. Les hommes politiques parlent du plein-emploi, mais moi, je n'y crois pas. Je vois mon père, qui est au chômage depuis six ans, je vois mes copains qui n'obtiennent que des emplois courts et précaires. Eux, ils sont plutôt pessimistes.

Fabienne

Moi, je veux travailler dans l'informatique, donc personnellement je ne crains pas le chômage. L'informatique, c'est un secteur en pleine croissance, et les nouvelles technologies de l'information se multiplient de jour en jour. C'est bizarre: il y a dix ans, les ordinateurs supprimaient des emplois. Aujourd'hui, ils en créent.

Sébastien

Moi, je n'ai jamais été actif, et bien sûr, c'est déprimant. Je suis inscrit au chômage depuis trois ans maintenant. On ne me propose que des stages qui ne m'intéressent pas du tout. A vrai dire, j'ai complètement perdu le moral.

2 Qui parle?

1 Les diplômes vous aident à trouver un poste.

   _____

2 Mes amis ne trouvent pas d'emploi stable.

   _____

3 Le progrès technologique crée de nouveaux emplois.

   _____

4 Dans la région où j'habite, le chômage ne pose pas de problèmes. _____

5 Je suis chômeur de longue durée.

   _____

3 Trouvez le contraire de chaque expression dans les témoignages.

1 un emploi stable   un emploi p_____
2 le plein-emploi   le c_____
3 la situation s'aggrave la situation s'a_____
4 un actif   un c_____
5 un secteur en baisse   un secteur en c_____

4 Les optimistes contre les pessimistes. Notez les arguments de chacun.

Les optimistes	Les pessimistes
Ici dans la région il y a plein d'emplois.	Mon père est au chômage.

5 Un optimiste et un pessimiste se disputent. Préparez un dialogue avec un(e) partenaire puis enregistrez-le.

Exemple:

A Ici dans la région il y a plein d'emplois.
B Oui, mais mon père est toujours au chômage.

6 Avez-vous peur du chômage? Ecrivez une lettre à un journal français.

Les parents au travail

Nom _____

1 📼 **Ecoutez les parents qui parlent, puis répondez aux questions.**

Nadia:
27 ans, avocate,
une fille de deux ans.

Corrigez les phrases qui sont fausses.

1 Nadia travaille à plein temps.
2 Son mari a des horaires fixes, et ne s'occupe pas beaucoup de sa fille.
3 En cas d'urgence, les voisines de Nadia gardent l'enfant.
4 Nadia travaille loin de la maison.
5 Elle pense que les entreprises favorisent le télétravail.

Céline: 31 ans,
chef de projet,
un fils d'un an.

Complétez les phrases.

1 Céline est venue chercher son fils à la crèche à _____

2 La directrice lui a dit qu'elle était une _____

3 Son fils _____ parce qu'elle était en retard.

4 Selon Céline, l'organisation des crèches ne tient pas compte de trois facteurs importants:

   a _____
   b _____
   c _____

Bernard: 38 ans,
père au foyer, deux filles
(huit et six ans).

Répondez aux questions.

1 Combien de son salaire Bernard a-t-il payé pour les frais de garde de ses filles?
2 Pourquoi est-ce que c'est lui qui a démissionné, et pas sa femme?
3 Comment est-ce qu'il s'occupe de ses filles?
4 Quelle est la réaction des amies de sa femme?
5 Est-ce que Bernard a des regrets?

2 👥 **Travaillez avec un(e) partenaire. Choisissez une des situations suivantes. Imaginez et préparez la conversation. N'oubliez pas l'aide de l'autre parent, des grands-parents, des amis et des voisins, la possibilité de travailler à domicile ou à temps partiel.**

> **Nadia**
> Nadia se présente pour un poste à temps partiel près de chez elle. Elle est bien qualifiée pour ce poste, qui lui conviendrait parfaitement. Pendant l'interview, elle fait la connaissance de son patron. C'est un homme de 50 ans, marié, qui a quatre enfants et dont la femme ne travaille pas. Il a des idées très traditionnelles.

> **Céline**
> Le fils de Céline a la rougeole et ne peut pas aller à la crèche pour deux semaines. Céline parle avec son chef. C'est une femme sans enfants, une véritable carriériste. La situation est d'autant plus délicate que lundi prochain il y a une réunion très importante à laquelle Céline devrait assister.

> **Bernard**
> Un ancien collègue téléphone à Bernard pour l'inviter à un match de football samedi. Mais ce week-end-là, sa femme part à l'étranger pour affaires. Le collègue est célibataire et a des idées très macho.

Photocopiable © Oxford University Press 149

Ecouter en plus

Nom _____

1 🔊 **Ecoutez Caroline qui parle des journaux et des magazines qu'elle aime. Remettez les titres dans l'ordre où elle les mentionne.**

1 *Libération*
2 *Time et Newsweek*
3 *Le Monde*
4 *Okapi*
5 *Les Aventuriers*

Le bon ordre est: ☐ ☐ ☐ ☐ ☐

2 🔊 **Quel journal ou magazine:**

1 explique comment réagir si ta sœur pique tes vêtements?
_____

2 Caroline préfère-t-elle lire tard le soir?
_____

3 est le quotidien préféré de Caroline?
_____

4 reçoit-elle toujours, sans jamais manquer une édition?
_____

5 est publié toutes les deux semaines?
_____

6 contient des articles écrits par Caroline?
_____

7 se lit sur Internet?
_____

8 ne contient plus les longs dossiers d'autrefois?
_____

9 propose toujours une histoire d'épouvante?
_____

10 offre un grand choix d'informations mondiales?
_____

3 🔊 **Ecoutez une dernière fois et notez comment se disent les expressions suivantes en français.**

1 I adore the world of publishing
_____
_____

2 I write news articles
_____

3 several pages of readers' letters
_____

4 the magazine changed its layout
_____

5 I subscribe to two major American magazines
_____

6 I like the way they cover international news
_____

4 **Et vous? Qu'est-ce que vous aimez lire? Cochez vos préférences médiatiques:**

un journal quotidien ☐
un hebdomadaire ☐
un journal régional ☐
un journal français ☐
un magazine ☐
autre _____

infos en bref ☐
infos détaillées ☐
actualités internationales ☐
articles sur le sport ☐   les stars ☐
     la musique ☐   la politique ☐
     la mode ☐
courrier des lecteurs ☐
rubrique débat ☐
autre _____

5 **Faites une présentation (d'environ une minute) sur vos préférences médiatiques. Dites ce que vous aimez, en donnant des exemples, et expliquez pourquoi.**

Faits divers

Nom _____

A

Une dizaine de voitures ont été incendiées depuis le début du week-end à La Cotonne, un quartier de mauvaise réputation à Saint-Étienne (Loire). Dans la nuit de vendredi à samedi, une dizaine de véhicules avaient déjà été détruits par des incendies volontaires, dont neuf dans le même quartier de La Cotonne.

B

Bien que les employés du bureau de poste Paris 16e aient décidé de reprendre le travail hier matin, ceux du faubourg Saint-Antoine (XII arrondissement) continuent le mouvement. Selon la direction de la Poste, ils étaient en effet 15 toujours en grève hier. Des guichetiers pour la plupart, qui réclament une femme de ménage pour le nettoyage du bureau et une meilleure organisation du départ du courrier. Hier soir les grévistes ne s'étaient pas encore prononcés sur la reprise du mouvement ou non.

C

Deux ressortissants turcs ont été condamnés mardi à sept ans de prison pour trafic d'héroïne par le tribunal correctionnel de Nancy. Ils avaient été interpelés le 1er février à l'ouest de Nancy, au volant d'un camion frigorifique transportant environ 9,3kg d'héroïne.

D

Une représentante en bijoux s'est fait dérober hier plus d'un million de francs en or et diamants dans le parking de son domicile à Meudon (Hauts-de-Seine). Les quatre braqueurs masqués ont enfermé la victime dans le coffre de sa voiture.

1 Lisez rapidement les articles et reliez un titre de la liste ci-dessous à chaque article.

1 Braquage
2 Drogue
3 Encore des grévistes à la poste
4 Week-end flambant pour cité chaude

2 Relisez les faits divers et trouvez des synonymes pour les mots et expressions suivants.

A 1 environ dix; 2 mettre le feu à; 3 dit troublé
B 1 la protestation; 2 demander; 3 d'après l'administration; 4 surtout
C 1 deux habitants de la Turquie; 2 sept ans d'incarcération; 3 être arrêté
D 1 voler; 2 chez elle; 3 un gangster

3 Chacun des résumés suivant comporte quelques erreurs. A vous de les recopier en corrigeant les fautes.

1 Environ douze voitures ont été incendiées dans plusieurs quartiers aisés de la ville de la Loire.
2 Les employés des bureaux de poste Paris 16e et Saint-Antoine font toujours la grève. Ils réclament une diminution des heures de travail.
3 Deux trafiquants d'héroïne ont été arrêtés en Turquie sur le point de s'envoler vers la France avec 9,3 kg de drogue illégale.
4 Une représentante en bijoux a volé plus d'un million de francs en or et diamants. Quatre braqueurs masqués l'ont aidée.

4 Trouvez un titre différent pour chaque extrait, puis comparez vos idées avec celles d'un(e) partenaire.

Writing a newspaper report

1 A report explains what has happened, to whom, when, where and perhaps how and why. Re-read the *fait divers* on the jewellery robbery and complete the list of facts it tells the reader:
◆ who was robbed and by whom…
◆ what was … ◆ where … ◆ how …
2 Now make a similar list for news item B above and compare your ideas with a partner.
3 Re-read the reports and decide which of these descriptions generally apply:
◆ factual ◆ giving an opinion ◆ repetitive
◆ concise ◆ descriptive ◆ opening with an interesting statement to catch the reader's attention.
4 Find the following language structures, which are typical of report-writing:
1 two examples of the passive in news item A
2 a present participle used as an adjective, in news item C
3 the French for 'according to the management' and 'on strike' in news item B
5 Write your own *fait divers*, inventing the details and keeping strictly to report style.

Information ou presse à sensation?

Nom _____

1 Travaillez à plusieurs et ajoutez vos idées aux deux listes ci-dessous.

Le droit de savoir	Préserver sa vie privée
Quelles sont les choses que nous avons tous le droit de savoir, mais qu'on essaie parfois de nous cacher? ◆ le passé criminel d'un député ◆ les dettes d'un homme d'affaires bien connu ◆ ◆ ◆	Quelles sont les choses que tout le monde – même les stars! – a le droit de garder pour soi? ◆ les disputes familiales ◆ un problème de santé comme la boulimie ◆ ◆ ◆

2 Jeu de rôle: discutez à plusieurs de la presse à sensation. Prenez chacun(e) un des rôles qui suivent ou inventez-en vous-même! Prenez quelques notes pour organiser un peu vos idées, puis allez-y!

A
En tant qu'acteur/actrice célèbre, vous en avez assez des intrusions dans votre vie intime. Vous lisez toutes les semaines des histoires incroyables qui ne correspondent guère à la réalité. (Donnez quelques exemples.) Vraiment, la presse exagère!

B
Vous lisez avec enthousiasme la presse à sensation. Les célébrités sont riches et gâtées; il est donc leur devoir de nous fournir un peu de divertissement. (Quelles sont les histoires qui vous ont particulièrement amusé?)

C
Vous êtes journaliste. Vous comprenez très bien qu'un grand nombre de vos lecteurs aiment les histoires à sensation. Vous cherchez donc toutes les histoires concernant la vie privée des stars. (Donnez quelques exemples!) Vous êtes prêt(e) à attendre devant chez eux toute la nuit si vous le jugez nécessaire!

D
Comme député vous consacrez presque tout à votre métier et vous êtes toujours prêt(e) à donner des interviews ou des conférences de presse sur des thèmes sérieux. (Donnez quelques exemples.) Mais quand vous rentrez chez vous, c'est fini! Vous ne voulez pas lire des histoires sur votre mari/femme ni voir des photos de vos enfants dans les journaux. La vie privée reste … privée!

E
Monsieur/Madame le Ministre de l'Intérieur, vous avez des opinions solides sur la presse à sensation. Citez des situations où elle est allée beaucoup trop loin. Expliquez les mesures que vous allez prendre pour améliorer la situation.

Vivre dans un quartier écologique

Nom _____

1 Un groupe écologique veut faire construire un nouveau lotissement l'où on peut vivre de façon communautaire tout en respectant l'environnement. Entourez ce qui sera choisi en priorité.

les matériaux naturels   des tas de compost   le bois   les panneaux solaires

un hypermarché   des routes non-asphaltées   les arbres   une station-service

une zone industrielle   des conteneurs de recyclage   le béton   le ciment

des toilettes à compost   un énorme parking   une maison communautaire

Vous allez entendre une interview avec une femme qui habite un quartier écologique.

2 Reliez ces mots-clés de l'interview avec leur traduction anglaise.

1	un étang	a	packaging
2	une bonne isolation	b	a monthly account
3	un décompte mensuel	c	a pond
4	les emballages	d	an estate
5	un lotissement	e	good insulation

3a 📼 Ecoutez l'interview. Voici, en d'autres mots, les questions posées par le journaliste. Mettez-les dans le bon ordre.

1 Il y a combien d'habitants?
2 Est-ce que les habitants s'entendent bien?
3 Expliquez-moi le terme "quartier écologique".
4 Vous avez l'électricité?
5 Vous n'allez pas trop loin avec toutes ces idées?
6 Alors, tous les habitants ont leur place ici?

Le bon ordre est: ☐ ☐ ☐ ☐ ☐ ☐

3b Complétez les phrases afin d'écrire une réponse courte à chaque question.

1 C'est un espace où _____
2 Oui, mais _____
3 Il y a 39 _____
4 Oui, et en plus nous prenons toutes les décisions _____
5 Oui. Il y a quand même des disputes concernant _____
6 Non! Notre rôle de pionnier en écologie est important, mais _____

3c 👥 Recréez une interview basée sur celle-ci avec un(e) partenaire. D'abord, écoutez l'interview une fois de plus afin de dresser une liste de questions à poser: notez aussi les réponses. Puis inventez des questions supplémentaires et imaginez les réponses.

153

Visite au quartier écologique

Nom _____

1a  **Ecoutez quatre personnes qui parlent de leur visite au quartier écologique. Décidez qui est pour ce genre de lotissement et qui a des doutes là-dessus.**

	pour	contre
Cédric		
Louise		
Juliette		
Sébastien		

1b  **Qui:**

1 pense qu'un tel lotissement est idéal pour les familles avec enfants? _____

2 trouve le lotissement un peu en désordre? _____

3 aime le style des habitations? _____

4 pense qu'on aurait pu faire plus? _____

5 n'aimerait pas habiter un tel quartier? _____

6 est de l'opinion que les enfants ne sont pas assez surveillés? _____

7 aurait préféré y voir des panneaux solaires? _____

8 n'y vivrait pas? _____

2a Les expressions suivantes servent à exprimer une opinion. Traduisez-les en anglais.

1 Si vous voulez franchement savoir ce que j'en pense …
_____

2 D'autre part, …
_____

3 Je trouve que …
_____

4 Je suis emballée à l'idée de …
_____

5 Si l'on discute de ce projet d'un point de vue purement écologique, …
_____

6 En tant que mère de famille, je …
_____

2b Traduisez les phrases en français: aider-vous des expressions des activités 1b et 2a.

1 He said if I really wanted to know what he thinks about it …
_____

2 She wouldn't live there.
_____

3 As a businessman, he's really horrified at the idea of …
_____

3 Rédigez le texte d'un article sur le quartier écologique, prenant les notes suivantes comme point de départ.

<u>D'abord les faits</u>
- Qu'est-ce que c'est?
- Qui y habite?
- Comment sont les maisons et les aménagements?
- Qu'est-ce que c'est que la coopérative écologique?

<u>Quelques opinions</u>
- Quels sont les avantages d'un tel lotissement d'après ceux qui l'aiment?
- Et que disent les opposants?

<u>Votre opinion personnelle</u>
- Aimeriez-vous habiter un tel quartier? Pourquoi (pas)?
- Pouvez-vous peut-être suggérer des améliorations?

En route pour l'écologie

Nom _____

1 Survolez les cinq textes et choisissez le sous-titre qui convient à chacun.

1 Prenez le bus au lieu de la voiture!
2 La preuve d'avoir un véhicule moins polluant
3 Un jour sur deux, laissez votre voiture au garage!
4 Faites un effort pour l'environnement en voyageant à plusieurs!
5 Des produits moins polluants

A La pastille verte

La pastille verte est un auto-collant que le conducteur affiche sur son pare-brise. Il montre que son véhicule est équipé d'un pot d'échappement anti-pollution. Par ce geste, on espère faire de la publicité pour inciter les autres à en faire autant.

B Le covoiturage

Trop de voitures circulent conduites par une personne sans passager. Le covoiturage veut dire que les gens partagent la même voiture, par exemple pour se rendre à leur travail ou au centre commercial, ou encore s'organisent quand ils ont les mêmes occupations comme des cours du soir ou une sortie à la piscine. Ce système a l'avantage de combattre la pollution mais aussi de rapprocher les gens dans leur environnement immédiat.

C La circulation alternée

Dans les agglomérations où le problème de circulation est sévère, nous proposons la circulation alternée. Celle-ci permet aux conducteurs qui ont une plaque d'immatriculation avec un chiffre pair de circuler les jours pairs et aux autres véhicules de circuler les jours impairs.

D Les carburants propres

Nous voulons encourager les propriétaires de voiture à utiliser des carburants propres comme l'essence sans plomb. Nous avons également introduit, dans certaines villes-pilote, comme Lille, des bus fonctionnant au gaz. Ce carburant a l'avantage d'être bien moins polluant.

E La journée sans voitures

En organisant des journées sans voitures, nous aimerions inciter la population à utiliser les transports en commun. Ces journées réduisent de manière considérable la pollution atmosphérique, le bruit et les accidents de la route, tout en créant des habitudes nouvelles.

2 La pastille verte: vrai ou faux?

1 Tout le monde peut acheter une pastille verte.
2 Une pastille verte rend votre voiture moins polluante.
3 Ce système a pour but de changer les idées.

3 Le covoiturage: trouvez les synonymes.

1 rouler
2 aller à
3 l'atout
4 lutter contre

4 La circulation alternée: comment dit-on… ?

1 in built-up areas
2 this allows drivers to …
3 an even number / an odd number
4 number plate

5 Les carburants propres: traduisez le texte en anglais.

6 La journée sans voitures: répondez aux questions.

1 Comment devrait-on se déplacer pendant une journée sans voitures?
2 Quelles sont les deux sortes de pollution qui se trouvent réduites grâce à une telle journée?
3 Quel est l'autre avantage?

155

Ecouter en plus

Nom _____

Lors de l'émission de radio Tabous, Danièle Lamblat, de l'INED, l'Institut national d'études démographiques, répond aux appels des auditeurs sur l'immigration.

1 📼 **Ecoutez le premier appel et complétez l'extrait de la réponse de Danièle.**

Le chômage affecte les étrangers deux fois plus que les Français de souche parce qu'ils sont dans
(1) _____,
dans des secteurs à fort taux de chômage. Les immigrés occupent généralement des postes qui
(2) _____,
justement parce que ce sont des postes
(3) _____
_____
par exemple dans le bâtiment ou l'agriculture.

2 📼 **Ecoutez le second appel et répondez.**

1 Quelle est la proportion de prisonniers étrangers?
_____

2 Pourquoi cette proportion est-elle forte?
_____
_____

3 A quoi les délits commis par les étrangers ont-ils souvent rapport?
_____
_____

3 📼 **Ecoutez le troisième appel. Choisissez les bonnes options.**

1 Les enfants d'immigrés sont
  a au-dessus
  b en dessous de la moyenne nationale.
2 Ceci est dû
  a à leur milieu
  b à leur nationalité.
3 Pour eux, l'école c'est important pour éviter
  a le chômage
  b l'insécurité
  c la violence
  d la pauvreté.

4 📼 **Ecoutez le quatrième appel. Répondez.**

1 Pourquoi les immigrés dépensent-ils moins en soins médicaux?
_____

2 Pourquoi leur paie-t-on plus d'allocations familiales?
_____

3 Pourquoi leur paie-t-on moins de retraites?
_____

4 Quelle est la différence de salaire entre immigrés et Français de souche?
_____
_____

5 📼 **Ecoutez le cinquième appel. Que représentent ces chiffres?**

1 71% les jeunes issus de l'immigration qui ...
_____

2 20% _____

3 17% _____

4 10% _____

6 📼 **Ecoutez le dernier appel. Répondez.**

1 Quelle est la réputation de la France?
_____

2 Quel est le premier pays d'Europe pour l'accueil des réfugiés?
_____

3 Quelle est la position de la France?
_____

Elan 1

Lire en plus

Nom _____

Pour qui sait lire un peu honnêtement un CV, celui d'Azzedine L., 26 ans, en recherche d'emploi, sort du lot. Non qu'on y trouve de prestigieux diplômes d'universités américaines ou un passage à Normale Sup. Simplement, son CV dénote une capacité de travail nettement supérieure à la moyenne.

Azzedine, c'est un peu le self-made man de l'époque moderne. Il a refusé la fatalité qui le poussait, comme ses copains, vers les études courtes et la mécanique. Ce fils de maçon de banlieue de Saint-Etienne a été soutenu par une mère qui avait compris son goût des études. Il a passé le CAP de son choix, celui de "vente". Ce garçon qui, tout jeune, aidait un ami de la famille sur les marchés à 4 heures du matin, a ensuite poursuivi avec un bac pro commerce et services, tout en étant surveillant dans un lycée. Puis, alternant avec les stages, il a décroché un diplôme de l'Ecole Supérieure de Commerce de Saint-Etienne, et une maîtrise de gestion préparée au CNAM (Conservatoire National des Arts et Métiers).

En bonne logique, les employeurs devraient se précipiter sur un candidat qui a fait preuve d'une telle volonté. Eh bien non.

«*Je réponds aux annonces correspondant à mon profil et ma candidature est refusée sans qu'on me dise jamais pourquoi*», explique Azzedine. Ce qui est d'autant plus curieux que, actuellement, on s'arrache les commerciaux de tout niveau. Une fois, pourtant, les choses furent expliquées. C'était dans une banque. «*Vous avez le profil mais notre établissement est de culture européenne*», a-t-on dit à Azzedine. Ce responsable plutôt franc n'avait peut-être pas lui-même de préjugés racistes mais il se disait sans doute, comme beaucoup de responsables du recrutement, que, dans son entreprise, l'embauche d'une personne à nom de consonance étrangère ne serait vraisemblablement pas appréciée par ses supérieurs. [...]

La discrimination est souvent due à une auto-censure généralisée sur l'embauche de personnes d'origine étrangère. D'où cette contradiction: un taux de chômage trois fois plus élevé chez les personnes immigrées ou d'origine étrangère, alors que, selon une enquête du Monde, 87% de la population française jugent grave le fait de refuser une promotion professionnelle à une personne du fait de son origine étrangère. En attendant, Azzedine envoie inlassablement sa candidature, comptant qu'un jour quelqu'un brisera le cercle vicieux de la discrimination. ■ (J. de L.)
Nouvel Observateur

Normale Sup. – *grande école de prestige*   maîtrise de gestion – *M.A business & management*
les commerciaux – *marketing people*   inlassablement – *tirelessly*

---

1 Lisez le texte sur Azzedine, jeune Maghrébin de 26 ans. Répondez aux questions.

1 Quel est le parcours scolaire d'Azzedine?

2 Comment a-t-il financé ses études? (trois détails)

3 Pourquoi les employeurs devraient-ils s'intéresser à Azzedine?

4 Pourquoi Azzedine est-il toujours au chômage?

5 Pourquoi l'attitude des Français par rapport à la discrimination est-elle contradictoire?

6 Quelle est l'attitude d'Azzedine face à ses difficultés?

2 Point-langue. Ecrivez le bon pronom relatif (*qui, que, dont, où*) et complétez chaque phrase avec une information du texte.

1 Azzedine est un jeune Maghrébin _____ le père est _____.

2 Il a fait ses études à _____ _____ il habite.

3 Il a eu l'aide de sa mère _____ a compris son _____.

4 Il a travaillé dans un lycée _____ il était _____.

5 Il a une maîtrise de gestion _____ il a obtenue au _____.

6 Il répond à des annonces _____ _____ à son profil.

7 C'est son origine _____ _____ les employeurs n'apprécient pas.

8 La discrimination raciale est un problème _____ 87% des Français jugent _____.

3 Pourquoi le journaliste dit-il d'Azzedine qu'il est *"le self-made man de l'époque moderne"*? Répondez en environ 150 mots. Utilisez les pronoms relatifs.

     © Oxford University Press

Compétences en plus

Nom _____

Utilisez un dictionnaire monolingue pour vous aider à faire les activités suivantes.

1 Voici des mots en rapport avec le thème de l'Unité 9. Complétez la grille.

Nom	Adjectif	Verbe
le respect		
		(s')intégrer
		immigrer
la richesse		
	culturel(le)	
le rejet		
l'exclusion		
		tolérer
l'ouverture		

2 Transformez ces phrases selon le modèle avec des mots de la grille.

Le respect de la culture de chacun est nécessaire.

➝ *Il faut respecter la culture de chacun.*

➝ *Il faut être respectueux de la culture de chacun.*

1 Est-il possible d'intégrer les familles qui immigrent?

2 Avoir deux cultures est une richesse pour un enfant.

3 La réaction des gens face à l'étranger est souvent le rejet.

4 Le plus dur pour les jeunes issus de l'immigration, c'est l'exclusion.

5 Il faut apprendre à mieux tolérer les différences.

6 Une société plurielle permet l'ouverture vers le monde.

3 Transformez les phrases en utilisant des préfixes (in-, im-, dés-, il-).

Le racisme n'est pas un sentiment acceptable.

Le racisme est un sentiment inacceptable.

1 Refuser une promotion à cause de la race n'est pas légal.

2 La majorité des Français n'approuvent pas la politique du Front National.

3 La réaction des Français de souche contre l'immigration n'est pas excusable.

4 Une politique de discrimination raciale n'honore pas une entreprise.

5 La situation dans les banlieues n'est pas stable.

6 Ce n'est pas possible de changer les mentalités d'un seul coup.

4 Réécrivez ce texte sur Fatira Berchouche (voir *Elan 1*, page 109) en remplaçant les mots soulignés par des synonymes.

Les parents de Fatira viennent d'Algérie.

➝ *sont originaires*

1 Ils sont venus habiter à Valliguières, un petit village de Provence, en 1962.

2 Ils se sont intégrés à la communauté du village sans problème.

3 Enfant, Fatira n'a pas souffert de discriminations raciales.

4 Sans doute parce que tout le monde au village avait des origines différentes.

5 Fatira s'est rendu compte de sa 'différence' en entrant dans le monde du travail.

6 Après le choc initial, elle apprécie maintenant le fait qu'elle a deux cultures.

5 Complétez les réponses de Fatira avec un antonyme des mots soulignés.

– Fatira, te sentais-tu exclue quand tu étais petite?

– Non, je me sentais au contraire bien intégrée.

1 – Le fait de vivre dans un village était-il un inconvénient?

   – Non, c'était plutôt un _____.

2 – On imagine les villageois comme des gens renfermés.

   – Ici, c'est l'inverse. On est tous très _____!

3 – As-tu toujours trouvé du travail facilement?

   – Non, j'ai souvent été _____.

4 – A ton avis, les choses resteront toujours les mêmes pour les immigrés?

   – J'espère que la situation va _____.

5 – Vas-tu souvent en Algérie?

   – Malheureusement, non, très _____.

Une société en pleine évolution

Nom _____

1 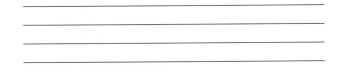 **Ecoutez Rachelle et son frère François et répondez aux questions en français.**

1 François a besoin d'informations au sujet de quoi?
2 Pourquoi demande-t-il à sa sœur de l'aider?
3 François, que sait-il déjà au sujet de l'attitude des Français à l'égard de l'Europe?
4 Comment se trompe-t-il quand il parle du logement en France?
5 Est-il bien informé au sujet de la religion?
6 A la fin de la conversation, qu'est-ce qu'il demande à sa sœur de faire, et pourquoi?

2 Traduisez en français.

1 The French are still interested in family life.
2 Attitudes to religion have changed a lot in modern society.
3 As far as immigration is concerned, most immigrants still come from North African countries.
4 Half of all French people prefer to buy their own houses.

3 Etudiez le tableau et complétez les phrases suivantes.

1 Les Britanniques regardent <u>plus/moins</u> souvent la télévison que les autres Européens.
2 En moyenne, les Français passent <u>deux/trois</u> heures à regarder la télévision chaque jour.
3 La télévision est <u>plus/moins</u> populaire aux Pays-Bas qu'en France.

4 Ecrivez encore cinq phrases pour expliquer le tableau.

_____
_____
_____
_____
_____

Cinq pays, cinq modes de vie
La télévision
Durée moyenne d'écoute quotidienne
de la télévison en minutes par habitant.

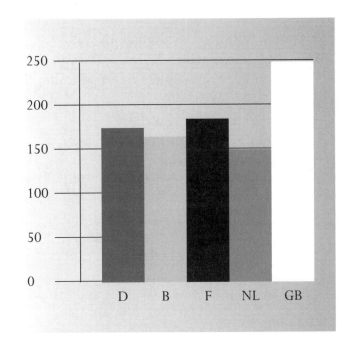

5 Ecrivez un paragraphe sur la télévision dans les cinq pays européens. Utilisez les phrases des activités 3 et 4 et les expressions-clés.

Expressions-clés
Dans la société actuelle …
Selon les statistiques …
Selon des enquêtes faites dans cinq pays européens …
Par comparaison avec des voisins européens …
On sait que …
Il faut noter que …

159

Nom _____

> Transfer of meaning from English into French
>
> Remember: don't just translate word for word. Use phrases and expressions that you know.

1 A French friend asks you to explain the following letters which he has read in an English newspaper. Explain in French what the three writers are saying.

You could begin, for example:
Je viens juste de rentrer d'un séjour très agréable …

2 Write a summary in French of the opinions expressed by the three writers.

_____
_____
_____
_____
_____
_____
_____
_____
_____
_____
_____
_____
_____
_____
_____

Letters to the Editor

Having just returned from a most enjoyable holiday in France, I was appalled at the negative tone of Steve Little's article 'France - non merci!' The French people I came into contact with were unfailingly polite and friendly, and made every effort to understand my limited French. There is enough anti-European feeling in this country already without articles like this.

Martin Paton, Poole

Has Steve Little attempted to travel any distance on a British motorway recently? OK, so you pay in France, but the roads are smooth, there are no holdups and the motorway services are excellent. As for a comparison between the TGV and British trains… !

Susan Green, Manchester

So the French are ill-disciplined, rude and drink too much? I look forward to reading Steve Little's next article and finding out what he has to say about the English football fans' behaviour in Marseilles last night.

Andrew Taylor, Cardiff

C'est l'heure de l'euro!

Nom _____

Tout ce qu'il faut savoir sur la nouvelle monnaie.

Les billets

- Il existe sept billets euro. De couleurs et de tailles différentes, ils sont libellés en 500, 200, 100, 50, 20, 10 et 5 euros.
- Leur graphisme symbolise l'héritage architectural européen, mais ils ne représentent pas des monuments qui existent.
- Fenêtres et portails dominent sur la face recto de chaque billet pour évoquer l'esprit d'ouverture et de coopération dans l'Union européenne.
- Le verso représente un pont, symbole de la communication entre les peuples de l'Europe et entre l'Europe et le reste du monde.

Le symbole

- Le symbole graphique de l'euro ressemble à un E traversé par deux lignes parallèles horizontales clairement marquées.
- Il s'inspire de la lettre grecque epsilon et rappelle à la fois le berceau de la civilisation européenne et la première lettre du mot "Europe".
- Les lignes parallèles symbolisent la stabilité de l'euro.
- L'abréviation officielle de l'euro est "EUR".

Les pièces

- Il existe huit pièces euro, d'une valeur de 1 et de 2 euros, ainsi que de 50, 20, 10, 5, 2 et 1 cents. Toutes les pièces euro comporteront une face européenne commune. Chaque Etat membre pourra choisir le motif qu'il désire apposer sur l'autre face.
- Quel que soit le motif figurant sur les pièces, celles-ci pourront être utilisées dans n'importe lequel des onze Etats membres.
- La face européenne commune représente une carte de l'Union européenne sur un fond de lignes transversales auxquelles sont reliées les étoiles du drapeau européen.
- Les pièces de 1, 2 et 5 cents mettent l'accent sur la place de l'Europe dans le monde tandis que les pièces de 10, 20 et 50 cents représentent l'Union en tant que groupe de nations.
- Quant aux pièces de 1 et 2 euros, elles montrent l'Europe sans frontières.

1	2	3	4	5	6	7	8	9	10

1 Lisez les textes et reliez les moitiés de phrases.

1 Les motifs sur les billets représentent
2 Sur la face recto des billets on voit
3 Sur la face verso il y a
4 Les fenêtres symbolisent
5 Le pont évoque
6 Toutes les pièces euro ont
7 Le décor d'une face des pièces
8 Les euros seront valables
9 Le symbole graphique de l'euro rappelle
10 Sur les pièces euro sont dépeintes

a les étoiles du drapeau européen.
b une face commune.
c la communication entre les nations.
d la Grèce.
e de différents aspects de l'architecture européenne.
f des fenêtres et des portails.
g dans tous les pays de l'Union européenne.
h est différent dans chaque pays.
i l'image d'un pont.
j l'esprit ouvert et coopératif européen.

2 Préparez une courte présentation sur l'euro. Décrivez la nouvelle monnaie et expliquez comment on l'utilise dans les différents pays.

L'esclavage

Nom _____

L'esclavage

La plupart des colonies françaises, à l'exception notoire de l'Algérie, n'étaient pas des colonies de peuplement. Elles étaient exploitées pour des raisons politiques, militaires et commerciales – en particulier pour leurs ressources naturelles.

Les îles de la Martinique et de la Guadeloupe étaient par exemple propices à la culture de la canne à sucre qui nécessitait beaucoup de main d'œuvre. Cette situation a créé ce qu'on appelle le "commerce triangulaire": l'exportation de marchandises européennes vers l'Afrique, où elles sont échangées contre des êtres humains, vendus comme esclaves aux Antilles, puis l'exportation de produits tropicaux (comme le sucre) vers la France.

Ce commerce fait, au XVIIème et aux XVIIIème siècles, la fortune de Nantes, Bordeaux et La Rochelle.

Dans les îles, c'est une minorité blanche qui contrôle toute l'activité.

De même, dans l'Océan Indien, la culture du café sur l'île de la Réunion est fondée sur le travail d'esclaves en provenance du Mozambique et de Madagascar.

De fait, l'abolition de l'esclavage sera tardive. Aboli une première fois en 1794, il est en effet rétabli par Bonaparte en 1802, avant d'être définitivement aboli en 1848 grâce à l'influence de Victor Shœlcher.

Après cette date, la France continue cependant à ne pas respecter les Droits de l'Homme en créant deux grands bagnes (ou larges pénitenciers): le bagne de Cayenne (1852–1946) et le bagne de Nouvelle-Calédonie (1863–1897)

Adapté – L'Etat de la France Junior, éditions La Découverte/Syros

1a Lisez l'article et trouvez les informations.

1 Une colonie française de peuplement:

_____

2 Trois raisons pour lesquelles les Français avaient des colonies:

_____

3 Le produit cultivé en Martinique et en Guadeloupe:

_____

4 Trois villes françaises qui ont fait fortune aux 17ème et 18ème siècles:

_____

5 Une île sur laquelle était cultivé le café:

_____

6 Le type de travailleurs qui venaient du Mozambique et de Madagascar:

_____

7 La date de l'abolition définitive de l'esclavage:

_____

8 Le bagne resté ouvert pendant 94 ans:

_____

1b Trouvez dans le texte le synonyme des mots suivants.

1 favorables   _____
2 exigeait   _____
3 produits   _____
4 richesse   _____
5 basée   _____
6 pour toujours _____

2 Expliquez, en anglais, ce qu'était le "commerce triangulaire".

_____

_____

_____

_____

_____

Photocopiable

La guerre d'Indochine

Nom _____

1a 🔲 **Ecoutez ce résumé de la guerre d'Indochine et faites correspondre les moitiés de phrases.**

1 La guerre d'Indochine opposa…

2 Le Viet Mihn voulait…

3 Le bombardement du port d'Haiphong fit…

4 A Hanoï, le Viet Mihn massacra…

5 Le conflit opposa l'armée française à…

6 Les Français subirent de lourdes pertes…

7 La bataille de Dien-Bien-Phu mit fin à…

8 Les accords de Genève mirent officiellement fin à…

A un Vietnam libre de toute occupation française.

B la guerre en 1954.

C la présence française en Indochine.

D de nombreux Européens.

E la France et les troupes nationalistes d'Hô Chi Mihn.

F des soldats Viet Mihn recrutés dans la population.

G en particulier dans les régions difficiles d'accès.

H environ 6000 morts.

1	2	3	4	5	6	7	8

1b 🔲 **Réécoutez et trouvez la traduction de ces mots en français. Vérifiez, si besoin, leur orthographe dans un dictionnaire.**

1 a terror campaign _____

2 a military conflict _____

3 an advantage on paper _____

4 heavy losses _____

5 the famous battle _____

6 a last defeat _____

2 **Traduisez en anglais sur une feuille ce bilan de la décolonisation.**

Dans les vingt années qui suivent la fin de la Deuxième Guerre mondiale, la France perd ainsi la quasi-totalité de ses colonies.

Pour la majorité des régions concernées, cette décolonisation se passe sans violence avec des accords pacifiques signés entre la France et ses anciennes colonies. De nombreux pays deviennent ainsi indépendants et ceux qui restent sous contrôle français obtiennent un nouveau statut et forment aujourd'hui les DOM-TOM (Départements et Territoires d'Outre-Mer)

Cependant, cette période de décolonisation est aussi marquée par deux grandes guerres:

• la guerre d'Indochine (1946–1954)

• la guerre d'Algérie (1954–1962)

Revision tips

Nom _____

Agreement

Grammar 1.1, 2.1, 8.6

Always check the agreement of past participles and adjectives.

Make sure you know the gender of the words used, especially when it is not obvious (e.g. when the word is plural or starts with a vowel or l').

Examples:

marchandises européen<u>nes</u> (feminine)
l'abolition tard<u>ive</u> (feminine)

1 Find the gender of these words by looking through Unité 11 and looking carefully at the agreement in context.

1 colonie _____
2 raison _____
3 ressource _____
4 être humain _____
5 produit _____
6 esclavage _____

à, en, au, aux

Grammar 5.1, 5.3

Remember to use the correct preposition in front of places when using the phrases 'live in' or 'go to'. Use *à* for a town or city, *en*, *au*, *à l'* or *aux* for a region or county.

2 What would you use in front of these places mentioned by the speakers in activity 2a on page 139?

1 _____ Algérie
2 _____ Alger
3 _____ Belgique
4 _____ Québec
5 _____ Montréal
6 _____ Canada

Imperfect and perfect tenses

Grammar 8.2, 8.7, 8.8

Check to see when the perfect tense should be used and when the imperfect tense should be used.

Example:

Quand j'<u>étais</u> jeune, j'<u>allais</u> tous les dimanches à l'église. (imperfect-description)
J'ai vu un film au cinéma hier soir.

3 Find five examples of each tense in Laure's text on page 137 of the *Elan 1* Student's Book. Explain why this specific past tense is used.

_____
_____
_____
_____
_____

4 Translate the following sentences into French using the appropriate past tense.

1 My parents used to work ten hours a day.

_____

2 I ate in a nice restaurant last week.

_____

3 We went to Italy last summer.

_____

4 She always got up early, even at the weekend.

_____

Contrôles Unités 1–2

Nom _____

Total for this section: 40 marks

1 🔊 **Ecoutez Alain parler de sa famille et répondez, en anglais, aux questions suivantes.**

(10 marks)

Alexandra
1 Who is she? _____
2 How old is she? _____
3 When is her birthday? _____

Jean-Paul
4 How old is he? _____
5 Where does he live? _____
6 Who is Julie? _____

Annette
7 How old is she? _____
8 What does she study? _____
9 Where? _____
10 Who does she live with? _____

2 🔊 **Ecoutez Pascal parler de sa famille et répondez, en anglais, aux questions suivantes.**

(10 marks)

1 How many people are there in his family? *(1 mark)*
_____

2 Where does he live? *(2 marks)*
_____
_____

3 Who is the youngest in the family? *(1 mark)*
_____

4 What does he sometimes wish for? *(1 mark)*
_____

5 What does he like? *(1 mark)*
_____

6 What does his sister like? *(1 mark)*
_____

7 How does he describe his parents? *(2 marks)*
_____
_____

8 What do they give him? *(1 mark)*
_____

3 🔊 **Ecoutez Sonia parler de sa famille et complétez, en français, les phrases suivantes.**

(10 marks)

1 Les parents de Sonia sont divorcés depuis _____ ans.
2 Sonia a _____ demi-frères.
3 Karine est la _____ de Sonia. Elle a _____ ans.
4 Thierry a _____ ans. Son père s'appelle _____.
5 Josette est la _____ de Sonia. Sonia s'entend _____ avec elle.
6 Sébastien est _____ âgé qu'Olivier. Il a _____ ans.

4 🔊 **Maintenant, réécoutez Alain, Pascal et Sonia et répondez aux questions suivantes.**

(10 marks)

1 Comment s'appelle le frère jumeau d'Alexandra?
_____

2 Qui a un frère et n'a pas de sœur?
_____

3 Qui ne fait jamais rien avec sa sœur?
_____

4 Qui est l'aîné(e) dans la famille d'Alain?
_____

5 Qui est le plus âgé: Pascal ou Alain?
_____

6 Qui a une sœur aînée et un demi-frère?
_____

7 Qui a deux demi-sœurs?
_____

8 Qui est le cadet dans la famille recomposée de Sonia?
_____

9 Qui n'a pas de frère?
_____

10 Qui a deux sœurs et un frère plus âgé que lui?
_____

Contrôles Unités 1–2

Nom _____

Total for this section: 19 marks

1 Lisez le témoignage d'Antoine. De la liste de phrases qui suit, cochez trois qui sont vraies.

(3 marks)

Antoine, lycéen (17 ans)

Je pense que mes parents ne me donnent pas assez d'argent de poche. J'ai 60 euros par mois et avec ça je dois acheter mes tickets de bus, les snacks à l'école et il ne me reste jamais beaucoup d'argent pour mes loisirs ... Mes parents pensent que les adolescents dépensent trop d'argent. Ils croient que les jeunes veulent tous acheter des vêtements à la mode et sortir avec leurs amis ... Mais je crois qu'ils ont tort et que l'argent de poche fait partie du développement d'un adolescent. C'est quelque chose d'important.

1 Antoine va au collège.

2 Il a un petit boulot.

3 Il croit que ses parents ne lui donnent pas assez d'argent.

4 Il a 60 euros par semaine.

5 Il n'achète que des snacks avec cet argent.

6 Ses parents ont des idées fixes en ce qui concerne les adolescents et l'argent.

7 Antoine est de l'avis que les jeunes doivent recevoir de l'argent de poche.

2 Lisez le témoignage de Mme Soulas et répondez aux questions en français. Attention! Il y a 8 points supplémentaires pour la qualité de votre langue. Utilisez donc des phrases complètes.

Mme Soulas, mère de famille (42 ans)

J'ai deux enfants, une fille de dix-huit ans et un fils de treize ans. Je leur donne de l'argent de poche chaque lundi, soit 30 euros par semaine. Je pense que l'argent de poche aide à faire comprendre aux jeunes l'importance de l'argent. Ils peuvent ainsi réaliser combien coûtent les choses, comment économiser, comment ne pas trop dépenser... Aussi, cela leur permet d'avoir un peu de liberté. Ainsi, mes enfants peuvent acheter ce qu'ils veulent – sauf bien sûr de l'alcool ou des cigarettes! D'habitude, ils achètent des CD, des livres ou vont au cinéma avec leurs amis ... Quant au reste, c'est moi qui paye! Vêtements, chaussures, sorties de ski, vacances d'été, cantine ... Je pense que c'est une bonne balance.

1 Donnez trois raisons pour lesquelles Mme. Soulas donne de l'argent de poche à ses enfants. *(3 marks)*

2 Nommez deux choses que ses enfants peuvent acheter. *(2 marks)*

3 Qu'est-ce qu'elle les empêche d'acheter avec cet argent? *(2 marks)*

4 Mme. Soulas dit que "c'est une bonne balance." Pourquoi? *(1 mark)*

Nom _____

CARTE A

VOUS AVEZ UN PROBLÈME?
UNE QUESTION?
ET PERSONNE À QUI PARLER?

Le Ministère de la Jeunesse est là pour vous aider …

Contactez-nous en toute confidentialité par téléphone ou sur notre site Internet.

1 Look at Carte A and prepare your response to the questions given.

Questions

◆ De quoi s'agit-il?
◆ A votre avis, quel genre de questions posent les jeunes qui utilisent ce service?
◆ Quels sont les avantages et les inconvénients des deux moyens offerts: téléphone et Internet?
◆ Globalement, que pensez-vous de cette initiative?
◆ Personnellement, utiliseriez-vous ce service? Pourquoi?

2 ⛓ **A choisit un rôle et téléphone au Ministère de la Jeunesse. B travaille au Ministère de la Jeunesse et offre des conseils et/ou des renseignements. Puis, changez de rôles.**

Sébastien
◆ Had a fight with his mum.
◆ Doesn't get along with his stepfather.
◆ Wants to stay with his dad in Spain.
◆ Wants to know where to find legal information on the topic.

Hervé
◆ Has been going out a lot, drinking with his friends.
◆ Has trouble keeping up with school work.
◆ Worried his parents are going to find out.
◆ Wants to know if drinking is really dangerous, or not.

Christine
◆ Has just broken up with her boyfriend.
◆ Very depressed, can't sleep, can't eat.
◆ Doesn't want to got out, spends hours studying.
◆ Wants to know if there is anybody she could talk to.

Kamila
◆ Has been victim of racist insults.
◆ Scared to go out at night with her friends.
◆ Born in France, but has North African parents: feels neither French nor Algerian.
◆ Wants to know how to get in contact with people in a similar situation.

Contrôles Unités 3–4

Nom _____

Total for this section: 12 marks

1 [🔊] **Ecoutez trois personnes (A, B et C) interrogées au sujet de leur santé dans la rue. Remplissez les cases vides avec le numéro d'une des expressions.** *(3 marks)*

a Personne A croit que les gens doivent

_____ pour rester en forme.

  i se reposer plus

  ii manger des repas surgelés

  iii faire du sport

b Personne B fume _____

  i mais a essayé de s'arrêter.

  ii quinze cigarettes par jour.

  iii dans les magasins.

c D'habitude, personne C _____

  i fait la cuisine.

  ii mange des hamburgers.

  iii mange dans un restaurant italien.

2 [🔊] **Réécoutez A et B et repondez aux questions en français.**

a Personne A fait quels sports pour être en forme?
(2 marks)

_____

_____

_____

b Que fait personne B pour respecter les non-fumeurs?
(2 marks)

_____

_____

_____

3 **Réécoutez personne C et remplissez les cinq cases vides de ce résumé. Choisissez un verbe dans la liste fournie. Mettez-le à la forme correcte.** *(5 marks)*

Il _____ souvent trop pressé pour cuisiner

et _____ donc des snacks et des

sandwichs. Il _____ les restaurants fast-

food où il _____ manger son repas

_____ .

| manger | être | pouvoir | préférer | fréquenter |

Contrôles Unités 3–4

Nom _____

Total for this section: 18 marks

1 Reliez les descriptions aux sports dans l'encadré. *(10 marks)*

1 C'est un sport de vitesse qui se pratique l'hiver. La discipline la plus spectaculaire est la "descente", surtout quand la piste est verglacée.

2 Ce sport ne peut se pratiquer que quand il y a des vagues. Il est très populaire sur la côte atlantique française, comme par exemple à Lacanau et à Biarritz.

3 C'est un sport d'équipe très populaire aux Etats-Unis qui peut se pratiquer en salle ou à l'extérieur et qui a produit des champions très célèbres comme Michael Jordan.

4 C'est probablement le sport d'équipe le plus populaire en Europe avec des compétitions entre clubs et entre pays. En 1998, la Coupe du Monde a d'ailleurs été remportée par la France.

5 C'est un art martial qui utilise coups de poing et coups de pied, avec une série de mouvements pour s'entraîner qui s'appelle le "kata".

6 C'est un sport de glisse que certaines personnes pratiquent pour se déplacer dans les rues de Paris. Pour se protéger, il est conseillé de porter un casque, des coudières, des genouillères et des protections aux poignets.

7 C'est un sport individuel qui se pratique dans l'eau avec plusieurs styles dont la brasse et le papillon.

8 C'est un sport très populaire au Canada qui se pratique sur la glace. Il est souvent critiqué pour sa violence et pour les bagarres qui ont parfois lieu entre joueurs.

9 C'est un sport qui se pratique en montagne ou en salle, sur des murs spécialement construits. A déconseiller à tous ceux qui ont le vertige.

10 Ce sport est très populaire en France: il est à la fois très pratiqué et beaucoup regardé à la télévision – surtout pendant le tournoi sur terre battue de Roland Garros.

Description	Sport
1	
2	
3	
4	
5	
6	
7	
8	
9	
10	

la natation   le karaté   le ski   le tennis
le roller   le surf   l'escalade   le football
le hockey sur glace   le basket

2 Ecrivez une description (similaire à celles de l'activité 1) pour deux des sports suivants. Attention! Il y a quatre points supplémentaires pour la qualité de votre langue. Utilisez donc des phrases complètes. *(4+4 marks)*

1 l'athlétisme
2 le badminton
3 l'escrime
4 le golf
5 le cricket

Contrôles Unités 3–4

CARTE A

Santorin

Ibiza

1 **Look at Carte A and prepare your response to the questions given.**
Questions

◆ De quoi s'agit-il?

◆ Comparez ces deux endroits.

◆ A votre avis, quel genre de personnes aime passer les vacances dans des endroits comme Santorin?

◆ A votre avis, quel genre de personnes aime passer les vacances dans des endroits comme Ibiza?

◆ Et vous? Où préféreriez-vous passer les vacances: à Santorin ou à Ibiza? Pourquoi?

2 **Imaginez que vous venez de passer deux semaines à Santorin ou à Ibiza. Racontez vos vacances, pendant deux minutes.**

3 **Répondez, oralement, aux questions de ce sondage sur les vacances.**

1 L'été dernier, qu'avez-vous fait pendant vos vacances?

2 Où aimeriez-vous vraiment partir en vacances? Pourquoi?

3 Quelles ont été vos pires vacances? Décrivez-les.

4 On vous offre un billet pour partir en Afrique pendant un mois. Partez-vous? Pourquoi (pas)?

5 Canada, Australie ou Mexique: où préféreriez-vous passer deux semaines? Pourquoi?

Contrôles Unités 5–6

Nom _____

Total for this section: 38 marks

1 🔊 **Ecoutez un reportage sur les métiers du tourisme. Lisez les phrases: choisissez a ou b pour compléter chacune.** *(5 marks)*

1 Dans _____ des cas, un emploi dans le tourisme vous fera voyager.
  a la minorité
  b la majorité

2 Avec un emploi dans le tourisme, on peut _____.
  a voyager gratuitement
  b avoir des voyages à prix réduit

3 On part _____ faire des voyages d'études à l'étranger.
  a souvent
  b rarement

4 Il y a _____ de postes disponibles dans le tourisme que de candidats diplômés.
  a plus
  b moins

5 Pour travailler dans le tourisme, il vaut mieux:
  a faire deux ans d'études après le bac
  b faire de longues études universitaires

2 🔊 **Listen to this item about *L'Ecole de la Deuxième Chance*, a special kind of school. Using the bullets points as a guide, summarize the item in English.** *(10 marks)*
  ◆ Why the school was created. *(2 marks)*
  ◆ Who goes there. *(2 marks)*
  ◆ What exactly students do there. *(3 marks)*
  ◆ The success rate. *(2 marks)*
  ◆ The future of the project. *(1 mark)*

_____
_____
_____
_____
_____
_____
_____
_____

3 🔊 **Ecoutez l'interview avec une infirmière. Répondez aux questions en français. Il y a cinq points supplémentaires pour la qualité de votre langue. Utilisez des phrases complètes.** *(23 marks)*

1 Combien d'année d'études faut-il pour devenir infirmière? *(1 mark)*
_____

2 En quoi consiste la formation? *(2 marks)*
_____
_____

3 Quelle est la qualification nécessaire pour s'inscrire dans une école d'infirmières? *(1 mark)*
_____

4 Quelles sont les autres modalités d'inscription? *(3 marks)*
_____
_____
_____

5 Que peut-on dire du salaire des infirmières? *(3 marks)*
_____
_____
_____

6 Quelle est la spécialisation de Florence? *(1 mark)*
_____

7 Qu'est-ce que Florence a particulièrement apprécié lors de sa formation de spécialisation? *(1 mark)*
_____

8 Quelles sont les promotions mentionnées par Florence? *(3 marks)*
_____
_____

Photocopiable © Oxford University Press 171

Nom _____

1 Lisez l'article sur Céline. De la liste des phrases qui suit, cochez six qui sont vraies.

(6 marks)

«C'est sûr, je fais un métier de passion», lance Céline Jean, 25 ans, chef de produit hip-hop et jazz chez Repetto, célèbre fabricant de tenues pour danseurs.
Après un DUT en technique de commercialisation, Céline, fascinée par l'univers de la mode, entre dans une école spécialisée puis tente le troisième cycle de l'IFM (Institut Français de la Mode).

«Etre reçue dans cette école, c'est une chance», assure-t-elle. Mordue de mode ... et de danse, Céline pratique le hip-hop, ce qui fait d'elle un chef de produit sur mesure. Un poste qui lui permet de toucher un peu à tout, de la conception de la collection à sa distribution sans perdre de vue sa passion: «Je passe régulièrement des journées dans les salles de danse pour observer les danseurs, voir comment ils sont habillés, les tendances, les matières ...»

---

1 Céline fait un métier qu'elle aime beaucoup. ☐
2 Repetto est un danseur de hip-hop célèbre. ☐
3 Céline a fait des études de vente avant d'entrer dans une école de mode. ☐
4 Céline a associé ses deux passions: la mode et la danse. ☐
5 Elle a le diplôme d'une école de danse. ☐
6 Elle a le profil idéal pour être responsable des tenues de hip-hop. ☐
7 Elle ne s'occupe que d'un aspect de la collection. ☐
8 Depuis qu'elle est entrée chez Repetto, Céline a abandonné la danse. ☐
9 Céline s'inspire des danseurs pour créer les collections. ☐

2 Lisez cet extrait d'article et répondez aux questions en français sur une feuille. Attention! Il y a dix points supplémentaires pour la qualité de votre langue. Utilisez donc des phrases complètes.

(10 marks)

Un stage à l'étranger: le nec plus ultra sur le CV

Longtemps méprisés par les enseignants, les stages en entreprises et à l'étranger sont devenus presque aussi importants que le diplôme.

Un stage à l'étranger est, aux yeux des recruteurs, un des facteurs les plus décisifs dans le choix d'un candidat. Tous les services de recrutement confirment l'importance qu'ils attachent à la pratique de l'anglais et à l'ouverture à l'international. «L'absence d'expérience à l'international et surtout un mauvais niveau d'anglais peuvent être éliminatoires chez nous,» explique Jérôme Mathieu, qui s'occupe du recrutement des stagiaires chez Peugeot–Citroën. Même discours à Usinor, où l'on n'hésite pas à envoyer les stagiaires, une fois recrutés, au bout du monde, au Brésil comme au Canada.

A de jeunes bacheliers ou étudiants qui ne savent pas comment faire, on ne saurait que recommander de prendre au moins un job d'été. Citons l'exemple de David, 19 ans, qui, après avoir passé son bac et avant d'intégrer un IUT de gestion, s'est fait embaucher l'été dernier dans une cafétéria à Londres. Son job? Préparer les lourds plateaux en sous-sol et les faire passer au serveur. Tâche fatigante et monotone, effectuée de midi à 16h et de 18h30 à 1h du matin sans interruption. Partageant son quotidien avec des Pakistanais et des Sri-Lankais, pas mieux gratifiés que lui, David qui en a un peu bavé, a de fait effectué un 'stage ouvrier' en milieu anglophone. Une expérience qui, sur un CV, vaudra beaucoup plus que le maigre salaire qu'il a touché.

---

1 Qu'est-ce qui est aussi important qu'un diplôme sur un CV? *(1 mark)*
2 D'après les recruteurs, quels sont les avantages du stage à l'étranger? *(1 mark)*
3 A quel point l'absence de stage est-elle un handicap chez Peugeot–Citroën? *(1 mark)*
4 Que font les nouveaux stagiaires chez Usinor? *(1 mark)*
5 Si on ne peut pas faire de stage, que peut-on faire? *(1 mark)*
6 A quel moment David a-t-il pris un job? *(1 mark)*
7 En quoi consistait sa journée de travail? *(1 mark)*
8 A quoi sait-on que le travail était difficile? *(1 mark)*
9 Que sait-on du salaire qu'il recevait? *(1 mark)*
10 Comment David a-t-il pu améliorer son anglais? *(1 mark)*

CARTE A

1 **Look at Carte A and prepare your response to the questions given.**

- De quoi s'agit-il?
- Que pensez-vous de l'attitude du garçon?
- En quoi ce dessin reflète-t-il la réalité?

- Comment expliquer cette situation?
- Que diriez-vous au garçon si vous étiez la fille?

CARTE B

VOUS AVEZ ENTRE 18 ET 28 ANS?
VOUS ÊTES RESSORTISSANT DE L'UNION EUROPÉENNE?
VOUS AVEZ UNE FORMATION OU DE L'EXPÉRIENCE EN HÔTELLERIE OU EN TOURISME?

L'Adlepe (Agence de développement linguistique et d'expérience professionnelle à l'étranger) vous propose des stages dans des hôtels haut de gamme:

- *de 6 à 12 mois*
- *200€ à 300€ la semaine*
- *nourri, logé*
- *divers services: restauration, réception, cuisine, bar, chambres*

Renseignements et inscriptions: 04-70-56-56-48

2 **Look at Carte B and prepare your response to the questions given.**

- De quoi s'agit-il?
- A qui cette annonce s'adresse-t-elle?
- Pourriez-vous vous inscrire à un de ces stages?

- Ce genre de stage vous intéresserait-il? Pourquoi?
- Quelle est l'importance d'un stage, à votre avis?

Nom _____

Total for this section: 22 marks

Je suis enseignante au collège de Novalaise et tiens à faire part de mon enthousiasme au sujet de certains nouveaux programmes télévisés à caractère éducatif.

J'aimerais particulièrement mentionner 'C'est pas sorcier' et 'E=M6' qui sont deux émissions regardées régulièrement par mes élèves. Leur talent, c'est que, derrière une façade très humoristique, les présentateurs arrivent à faire passer des explications scientifiques. Leur ton vivant et leurs expériences clownesques sont de vrais atouts qui parviennent à faire apprendre en s'amusant. Je pense que la jeunesse a beaucoup de chance d'avoir accès à l'image pour découvrir le monde.

Enfin, je citerais aussi un autre programme très suivi, qui s'intitule 'Qui est qui?' Là encore, on fait appel au jeu – deviner en trente minutes l'occupation ou la particularité d'un invité, comme par exemple apiculteur, philateliste, danseur de tango ou bien fan de Madonna – pour mener une enquête et présenter des informations. Encore une fois, bravo la télévision!

Lise D'Authier

Je ne suis pas le seul parent de ma localité à déplorer la pauvreté de la qualité des programmes que l'on diffuse actuellement à la télévision. Je veux surtout parler des actes de violence, de plus en plus sophistiqués, qui règnent à l'écran, que ce soit dans les films, les séries policières, les feuilletons américains ou les dessins animés japonais que nos enfants regardent librement.

Il s'avère absolument impossible de les empêcher de voir de telles émissions, étant donné leur quantité phénoménale et les heures d'écoute où elles sont programmées. Leur vocabulaire se limite à des insultes et à des vulgarités, et les relations entre les personnages se limitent à une agressivité constante. On pourrait affirmer que celles-ci reflètent notre société, car même au moment du journal télévisé, on parle encore de violence et de catastrophes. Toutefois, il me semble que la télévision ne devrait pas chercher à perpétrer la peur et la violence. Au contraire, on pourrait éduquer les jeunes en leur présentant des informations plus positives et éliminer ce déséquilibre qui renforce l'angoisse et le stress.

Jean-Michel Rostagno

1 Lisez les deux lettres et répondez aux questions sur une feuille. Attention! Il y a dix points supplémentaires pour la qualité de votre langue. Utilisez donc des phrases complètes. *(22 marks)*

1 Quelle est l'attitude de Lise D'Authier envers les programmes à caractère éducatif qu'elle décrit? *(1 mark)*

2 Expliquer l'importance de la façade humoristique des émissions comme 'C'est pas sorcier'. *(1 mark)*

3 Quelles sont les **deux** choses que les élèves peuvent faire en regardant des émissions comme 'E=M6'? *(2 marks)*

4 Pourquoi Lise pense-t-elle que les jeunes d'aujourd'hui ont de la chance? *(1 mark)*

5 Expliquez le terme "un programme très suivi". *(1 mark)*

6 Sur quel point est-ce que Jean-Michel Rostagno partage l'opinion de ses voisins? *(1 mark)*

7 Quelle comparaison fait-il entre aujourd'hui et autrefois? *(1 mark)*

8 Pourquoi est-il difficile pour les parents d'empêcher leurs enfants de voir des émissions violentes? *(1 mark)*

9 Pourquoi fait-il mention des informations télévisées? *(2 marks)*

10 Jean-Michel est-il de l'avis que la télévision doit être tout aussi violente que la société? *(1 mark)*

Nom _____

CARTE A

Accueil
Les chantiers
Gestion de milieux
Le journal Blongios
Sites d'intervention
Calendrier
Pour adhérer

blongios@nordnet.fr

Carte d'identité

L'origine

Créée en mars 1992, l'association **"Les Blongios"** (type loi 1901) est née de la volonté de regrouper différentes personnes désirant œuvrer pour la gestion et la conservation des milieux naturels.

Elle doit son nom au Blongios nain, le plus petit représentant de la famille des hérons, en voie de raréfaction dans la plupart des pays européens occidentaux.

Les objectifs

Notre association a 2 objectifs principaux:

✱ **l'organisation et la réalisation de chantiers écologiques volontaires et bénévoles** pour la diversité des habitats, de la faune et de la flore.

✱ **la formation de ses membres aux techniques de gestion douce des milieux naturels et à la découverte de ces milieux**, au sein d'un groupe de personnes passionnées ou simplement sensibilisées à la nature.

Profil des bénévoles

L'association **"Les Blongios"** regroupe des personnes de tout âge et de tout horizon.

Ces bénévoles ont en commun le fait d'être plus ou moins concernés par les problèmes environnementaux et par la préservation des milieux naturels.

Chaque chantier est alors un moment privilégié de rencontre et d'échanges d'expériences, permettant à chacun d'apporter sa contribution à la gestion et à l'enrichissement du milieu naturel dans une ambiance conviviale.

Vous souhaitez nous rejoindre ou nous soutenir, alors <u>cliquez ici</u>.

Si vous souhaitez développer une association similaire dans votre région ou simplement faire appel à nous pour réaliser un chantier écologique, alors n'hésitez pas à nous contacter.

1 Look at Carte A and prepare your response to the questions given.

- ◆ De quoi s'agit-t-il?
- ◆ Résumez les deux buts principaux de cette organisation.
- ◆ Est-ce que ce genre d'organisation vous intéresse? Pourquoi?
- ◆ Quelles seraient peut-être les difficultés possibles si vous vouliez développer une association similaire dans votre région?
- ◆ Pensez-vous que nous faisons déjà assez pour combattre les problèmes écologiques?

CARTE B

«Exclus? Pas du tout!»

1 **Look at Carte B and prepare your response to the questions given.**

- De quoi s'agit-il ici?
- Qu'est-ce que cette image nous dit au sujet de la société française?
- Qu'est-ce qu'un "exclu"?
- Quels sont les problèmes des immigrés en France?
- A votre avis, a-t-on résolu les problèmes les plus graves?

2 **Ecrivez approximativement 150 mots sur une feuille sur chacun des sujets suivants.**

1 Donnez **deux** exemples de l'influence positive des immigrés sur la vie et la culture de la France. A votre avis, quels sont les avantages d'une société multiculturelle? *(36 marks)*

2 Donnez **deux** exemples de problèmes des mères qui travaillent. A votre avis, comment peut-on résoudre ces problèmes *(36 marks)*?